エリア・スタディーズ 18

# 現代ドイツを知るための67章

【第3版】

浜本隆志
髙橋　憲（編著）

明石書店

# はじめに

本書は『現代ドイツを知るための55章』（初版2002年）、『現代ドイツを知るための62章』（第2版、2013年）の後継にあたるので、第3版と銘打っている。第1版、第2版はおかげさまで好評を博し、それなりに多くの読者を獲得することができた。ただし「現代」と銘打っている本の宿命として、時代が変化すれば新しく改訂をおこなう必要がある。その意味で、本書は可能な限り、とくに現代の箇所のデータを一新し、EUの動向や興味深いトピックも加え、充実を図った。

もちろん本書は伝統的なドイツの歴史、文化をもう1つの柱として据えている。これらが現代ドイツを支える不可欠なバックボーンであるからだ。さらに日独文化交流のうち、「日本のなかのドイツ」という柱も増やした。これは日本の近代化にドイツが大きな役割を果たしたので、その光と影をクローズアップしてみたかったからである。日本におけるドイツ文化とは、従来、音楽、医学、哲学などが知られ、ビールやパン、ソーセージなどの食文化を想起する方が多いであろうが、今回は交流史や政治などの領域にも拡大し、多面的な切り口から日独の深いつながりを紹介した。

さて現代は多様化した時代であるので、ドイツに対する関心も従来のようにステレオタイプ化したものではない。ビジネスマンはEUやドイツの政治・経済の動向に、行動派はドイツ観光・視察旅行に、社会問題に関心がある方は、ドイツの環境・都市問題、移民の動向に、また主婦（夫）の方はドイツ人の日常生活に、さらに趣味人やマニアはドイツ製品に、あるいは教養を高めようとする人はドイツの音楽、思想、文化に目を向ける。

その際、ドイツの情報については、近年では旅行案内書、雑誌、単行本、衛星テレビ、インターネットなどで簡単に入手することができる。グローバル化した時代であるので、単なる従来型の知識の獲得だけでなく、直接現地を訪れ、自分自身で現在ドイツの文化を楽しむ方も増えてきた。このような現況において、本書の概要を最初に述べておかねばならない。

本書では、多様な現代のニーズに応えるために、断片化したかたちで氾濫するドイツの情報を整理し、Ⅰ世界遺産・伝説紀行、Ⅱ祭りと文学、音楽のプロムナード、Ⅲ魅惑のドイツ製品、Ⅳドイツ語とドイツ人気質、Ⅴ市民のライフスタイル、Ⅵドイツの教育、Ⅶ女性と社会問題、Ⅷ循環型社会を目指して、Ⅸ移民と多文化共生社会、ⅩＥＵとドイツ、Ⅺ日本のなかのドイツ、Ⅻドイツのなかの日本、という12の切り口から、その全体像を展望した。

執筆者は全員、ドイツに滞在・留学し、現在でもドイツ語、ドイツ文化論、比較文化論などの教職をはじめ、ドイツとのかかわり合いをもつ仕事に従事している。各人の得意とする分野からそれぞれ執筆をお願いし、編者が語句だけでなく、内容においても全体の統一を図った。各章は２５００字程度の比較的短いものであるが、ここに筆者の経験にもとづく視点から切り込み、従来とは異なる独自の分析を展開した。なお、テーマによってはコラム欄を設け、理解を深める試みをおこなった。

さらに記述にあたって重視した点は、話題についてのエピソードである。というのも抽象的な記述は、なかなか記憶に残らないが、それがエピソードと結びつけられると、人間の脳は鮮明に記憶にとどめ、知識を定着させるものであるからだ。昔教室で聞いた授業内容でも、振り返ってみると残っているのはエピソードとともに語られたものであったという経験をおもちの方も多かろう。司馬遼太郎や洒脱なエッセイストたちはその名手といえるが、本書はとてもその域に達するものではないけれども、この点についてもいささか留意してみた。

明治以降の日本人は、かつて先進国としての欧米文化を貪欲に受容した歴史をもつ。先人たちはドイツ文化に関しても畏敬の念をもち、追いつけ追い越せという気概をもって受け入れてきた。たしかに現代でも原発問題、自然エネルギーの利用、環境問題、EUとの連携などについては、ドイツは先進的な取り組みをしているのは事実である。その点では見習わなければならないことは多い。

ただ文明論や比較文化論からいえば、それぞれの文明、文化には相違はあるが、優劣がないという視点が重要である。たとえば、極北や砂漠地域に住む民族の生活を侮って、後れた文化だといっても、実際に自分で暮らした場合、過酷な環境のなかでは2、3日すら生き延びることもおぼつかない。現地の人びとの方がはるかに優れた生活の知恵を数多くもち、したたかに生きている。

したがって異文化を知ることは結局、優劣の視点からではなく、その相違を認識し、複眼的な視点から自文化を認識することに他ならない。本書の目的は、客観的に異文化としてのドイツ文化の全体像を把握することを第一義とするが、根底においてはそれを通じて、日本文化を再評価する意図をも包括しているのである。以上、ささやかな新機軸の試みではあるが、読者のみなさまにはまず楽しみながら本書を読んで、ドイツへの関心をさらに深めていただければ幸甚である。なお本文中のレート換算は、1ユーロを140円（2023年1月現在）で計算した。

（浜本隆志・髙橋　憲）

現代ドイツを知るための67章

# 目次

CONTENTS

# ドイツ連邦共和国全図

デンマーク
バルト海
北
海
キール
シュレースヴィヒ=
ホルシュタイン
リューベック
メクレンブルク=
フォアポメルン
ハンブルク
ブレーマー
ハーフェン
リューネブルク
ブレーメン
旧東ドイツ地域
ポーランド
オランダ
ニーダーザクセン
ベルリン
サンスーシー宮殿
ハノーファー
ハーメルン
ポツダム
ミュンスター
ブラウンシュヴァイク
ブランデンブルク
ザクセン=
アンハルト
ノルトライン=
ヴェストファーレン
ヴィッテンベルク
ゲッティンゲン
ボーフム
ハレ
デュッセルドルフ
カッセル
ライプツィヒ
ゾーリンゲン
ハイニヒ国立公園
ドレスデン
ケルン
ジーゲン
ヴァイマル
ザクセン
ボン
マールブルク
ヴァルトブルク城
チューリンゲン
ヘッセン
コーブレンツ
ローレライ
プラハ
ラインラント=
プファルツ
フランクフルト
ハーナウ
マインツ
ダルムシュタット
ヴュルツブルク
バイロイト
チェコ
マンハイム
ローテンブルク
ニュルンベルク
ザールラント
ハイデルベルク
バイエルン
レーゲンスブルク
クルムロフ
カールスルーエ
フランス
シュトゥットガルト
旧西ドイツ地域
シュヴァルツヴァルト
バーデン=
ヴュルテンベルク
アウクスブルク
ミュンヘン
フライブルク
フュッセン
オーストリア
スイス

# I

# 世界遺産・伝説紀行
## ――ドイツへの誘い

# 1

# ケルン大聖堂とドイツ精神

## ★石と歴史の積み重ね★

ケルン中央駅で列車から降り、駅の構外へ出ると、眼前に大聖堂があらわれる。歩を進めるにつれ、黒灰色の威容を誇る光景が迫ってくる。天上にそびえる157mの南塔、北塔は、重厚なゴシック建築の典型として世に知られる。1996年に世界遺産に登録されたが、2004年に周辺の近代高層ビルの建築構想が浮上したため、一時期、「危機遺産」となった。しかし景観論争を克服し、2006年から通常の世界遺産に落ち着いている。

まず大聖堂とドイツ精神とのかかわりについて述べるためには、ケルン大聖堂の建築史を見ておかねばならない。現在の大聖堂は3代目にあたるが、すでに4世紀に初代の聖堂が当時、同じ場所に建設されていた。2代目の大聖堂には「東方の3博士の聖遺骨」が安置されていたので、巡礼地としてたいへんな人気を博していたけれども、1248年に火災によって焼失した。

3代目は、この聖遺物にふさわしい大聖堂の再建を目指して、焼失直後の1248年に着工された。しかし途中、資金難や宗教改革運動などによって、長い中断・放置の時代を迎える。

ようやく本格的に再着工がはじまったのは、1843年からであるが、そのきっかけを与えたのが、ゲーテのゴシック建築論である。ゲーテはゴシック建築をドイツ精神のシンボルであると主張した。

さらにこのケルン大聖堂の建築の再開は、対ナポレオン戦争後に高揚したドイツ統一というナショナリズム運動とも結びついていた。人びとは大聖堂を統一ドイツのシンボル的な核にしようとしたからである。こうしてドイツ帝国成立（1871）の9年後の1880年に、皇帝ヴィルヘルム1世の臨席のもと、ようやく大聖堂は竣工式を迎えた。再建には途中長い中断をへて、じつに632年という年月を要した。

ケルン大聖堂は、このように異常なほど長い建設の歴史をもつが、この時間軸の意味を考えなければならない。ヨーロッパ史は、キリストの生誕に原点を置いた西暦を基軸にして叙述する。歴史を西暦で数えるのは、これがたえず連続した時間の積み重ねであることを示す。大聖堂建設の場合、中断しても再建が可能であったのは、技術面からいえば石を1つひとつ積み重ねる工法であったからだが、同時に、神の家をつくるという大聖堂の建築目標も、たえず人びとを結集させ、次の世代へ伝えることができた。ここには歴史の連続性、ヨーロッパの堅牢な石の文化、キリスト教精神の3つの融合が見られる。

ケルン大聖堂（溝井裕一撮影）

さてケルン大聖堂へ入ると、石の円柱が林立し、彫刻にも木の葉がデザインされているので、人びとはゲルマンの大森

針葉樹林を連想させる尖塔群

林のなかにいるような幻想にとらわれる。ゴシック建築は内部だけでなく外見も森をあらわし、小塔が鬱蒼と茂った樹木の先端をイメージしている。これは12～13世紀の森林を大開墾した中欧ドイツにおいて、大聖堂内に森の雰囲気を再現したものと解釈されている。かれらは北方ゲルマン民族の故郷を、神の社《やしろ》のなかで追体験しようとしたのである。

よく知られているようにゴシック建築の特徴は上昇志向にあり、これは天上の神の世界へ限りなく接近しようとするキリスト教精神のあらわれである。その際、教会の内部を明るくすることが至上命題であった。卓越した技術をもっていた石工のギルドが、その課題を解決した。すなわちかれらは、アーチ状の飛梁《とびばり》（フライングバットレス）を用い、石材の重量を支える工法によって、大聖堂をより高くすることと大きな開口部を設けることに成功した。

さらに12～13世紀のゴシック大聖堂には、およそキリスト教ではネガティヴとも思える奇妙なガーゴイル（怪物、デフォルメされた人畜）も多数登場する。これらは反キリスト教的な、あるいは異教的なイメージである。ケルン大聖堂の外壁にも多くのガーゴイルが取りつけられているのが見える。さらに大聖堂内に人間と樹木が融合したグリーンマンの彫刻を配したのは、これも古代的なアニミズムへの回帰、あるいは異教的なノスタルジアを具体化したものに他ならず、人びとはそこに神秘的宇宙を再構築しようとしたのである。

薄暗いケルン大聖堂のなかでたたずんで物思いに耽っていると、天上から、突然、パイプオルガンの荘厳なメロディが降り注ぎ、ものすごい迫力をともなって聖堂内で反響し合う。その音楽空間は、教会に巣くう神秘的な怪物やガーゴイルを呼び覚ますかのようである。これこそドイツ人が好むデモーニッシュな内面世界に他ならない。

ゴシック建築のその形姿は人びとを圧倒する力強い存在感を示し、かつてはキリスト教の絶対的な支配のシンボルでもあった。それを確認するために、塔の螺旋階段にそって眩暈を起こしそうになるのを耐えながら先端の回廊まで登ってみる。すると螺旋はヨーロッパ人の知恵であって、上昇志向を支える技術であったことに気がついた。さらに螺旋技術はネジや回転運動から、機械技術や自動車へとつながる、ヨーロッパのイノベーションの原動力となった技術をも連想させる。

大聖堂の存在感は見物する人びとに多様なイメージを惹起する。すでに1870年に、普仏戦争に勝利したヴィルヘルム1世は、1871年にヴェルサイユ宮殿でドイツ皇帝に即位していた。その延長線上で新生ドイツ帝国は、巨大で重厚なケルン大聖堂を、同様に帝国の国威発揚の精神的なシンボルにしようとした。皇帝がケルン大聖堂の竣工の儀式に臨席したのも、そのキリスト教的威容を政治的エネルギーへ転換して利用しようとしたからである。その後、ドイツ帝国は対外的にバルカン半島へ関心を向けつつ、さらにアフリカなどへの植民地獲得競争に参入し、第一次世界大戦への道を突き進んでいくのである。

以上の意味において、ケルン大聖堂は、連綿と続くドイツ史、ゲルマンの樹木信仰、デモーニッシュな内面性、キリスト教精神、ドイツの帝国主義の膨張・拡大路線、あるいはイノベーションのルーツをも内在させた多様なシンボルであったといえる。威厳を放つ大聖堂は、ドイツ的メンタリティを映す多面的な鏡となりながら、今日も天上にそびえ立っているのである。

（浜本隆志）

# 2

# ドイツ文化の源流 ヴァルトブルク城

★中世の「歌合戦」とルターゆかりの地★

世界遺産であるヴァルトブルク城見学は、ふつうアイゼナハの町を拠点にする。木組みの家並みが美しい、牧歌的な田舎町は今日、人口4万3000人、緑深いチューリンゲンの森の北西部のすそ野にある。中世には通商と織物業で繁栄した古い歴史をもつ。またマルティン・ルター（1483～1546）が学び、大作曲家ヨハン・ゼバスティアン・バッハ（1685～1750）生誕の町として、「バッハハウス」には見学者が絶えない。町の中心のマルクト広場には、ひと際高い塔をいただく、後期ゴシック様式の聖ゲオルク教会があるが、ここはルターが説教をおこない、バッハが洗礼を受けた歴史的由緒のある教会だ。

小高い丘にそびえる美しい中世の古城ヴァルトブルク城は、幾度となくドイツの歴史、文化の重要な舞台となった。ロマネスク様式を残すヴァルトブルク城の歴史は、11世紀半ばまで遡るが、こんなエピソードが残っている。1067年、領主ルートヴィヒ・デア・シュプレンガーがチューリンゲンの森のこの地を訪れた際、「待て（Wart）！　ここにわが城（Burg）が建つ」といったと伝えられ、これがWartburg城の名の由来とされている。

　ヴァルトブルク城はチューリンゲン辺境伯の居城であった。まずこの城は、キリスト教信者のなかでは、聖女の誉れが高い辺境伯妃、ハンガリー王女エリーザベトの幸せな前半生の舞台として知られる。王女がヴァルトブルク城へ送られてきたのは1211年であるが、1216年に辺境伯ルートヴィヒ4世と結婚した。夫婦仲がよく、それはミンネ（中世の愛）のモデルになったほどであったが、辺境伯は十字軍に出征し、1227年にイタリア南部で命を落としてしまう。

　それゆえ、この城における彼女の暮らしは、1228年までであり、追われるように王妃はこの城を出る。その後、王妃のマールブルク時代のたぐいまれな宗教的献身ぶりは、あのヤコブス・ヴォラギネの『黄金伝説』に詳しい。聖女に列せられたためか、城の「エリーザベトの間」は、後のものであるが、特別きらびやかな装飾がほどこされている。

　さて中世宮廷文化の花開いた名城、ヴァルトブルク城といえば、「歌合戦」伝説がよく知られている。グリム兄弟の『ドイツ伝説集』にその内容が詳しく記されている。中世のヘルマン1世の治世下の1206年、ヴァルター・フォン・デア・フォーゲルヴァイデやヴォルフラム・フォン・エッシェンバッハなど、実在の6人のミンネゼンガーと呼ばれる吟遊詩人たちが、歌合戦に興じたという伝説がある。

　娯楽が少なく単調な城の宮廷では、吟遊詩人がもてはやされ、ヴァルトブルク城ではかれらを歓待した。そのため歌人は王（方伯）を称える歌を献上しているが、歌合戦に敗れると絞首刑という勝負をしたということであるので、歌人も必死である。この城の大広間には、後に飾られたものであるが、歌合戦の光景を描いたフレスコ画がある。

作曲家リヒャルト・ワーグナー（１８１３～83）は、吟遊詩人の『ヴァルトブルクの歌合戦』と騎士の放蕩生活を綴った中世説話『タンホイザー』の２つの伝説に触発され、歌劇『タンホイザー』の題材を得たという。ワーグナーはこの作品のなかで、官能的な愛の世界とキリスト教的な清純な愛の世界との狭間で苦悩する騎士タンホイザーと、清らかな乙女エリーザベトの愛による救済を描いている。なお彼女は実在の聖女エリーザベトと二重写しになっていると解釈される。

ワーグナーはオペラ台本の作成にあたっては、『ヴァルトブルクの歌合戦』に関するルートヴィヒ・ウーラント（１７８６～１８６２）の『ドイツ古民謡集』や、前期ロマン派の作家ルートヴィヒ・ティーク（１７７３～１８５３）の『忠実なるエックハルトとタンネンホイザー』などの作品を参考にしたといわれている。

ワーグナーを通じてであるが、ヴァルトブルク城は、もっとも美しいといわれるノイシュヴァンシュタイン城とかかわりをもつ。ワーグナーに心酔していたバイエルン国王ルートヴィヒ2世が、この城をつくった経緯は有名だが、ヴァルトブルク城を手本にしたという。とりわけ歌人の祝宴の広間は、『タンホイザー』の舞台でもあったヴァルトブルク城のそれを模倣したものであり、また外観も、一部ある方向から見ると似ている（52ページ参照）。

ヴァルトブルク城

ルターの部屋

しかし何といっても、ヴァルトブルク城ともっとも縁が深いのは、宗教改革者マルティン・ルターである。ローマ教皇に破門され、また皇帝から帝国追放の身になり、1521年から名を変え、姿を変え、身を隠してこの城に移り住んだ。実のところ、ザクセン選帝侯フリードリヒ3世がかれをかくまったことは周知のことである。

ルターはユンカー・イェルクと名乗ってこの城に10カ月間立て籠もり、『新約聖書』をギリシャ語原典に戻り、ドイツ語訳を完成させた。ラテン語で読まれていた『聖書』は、聖職者たちの都合のよいように解釈されていたという事情もある。後にルターは『旧約聖書』を1534年までの歳月を費やしてヘブライ語、アラム語からドイツ語に訳している。ドイツ語訳に執念を燃やしたのは、かれはキリスト教の神髄は『聖書』の原点に立ち返ることだと確信していたからである。

城内にルターが使用していた部屋が500年後の現在でも、当時のままのかたちで見ることができるが、机と椅子と暖炉だけという、質素な室内風景である。悪魔の存在をなかば信じていたルターであったが、ある夜、『聖書』の翻訳に没頭していると、悪魔が姿をあらわし、うるさくつきまとった。そのためルターはインク壺を悪魔に向かって投げつけたというが、そのとき壁に付いたとされる染みの痕跡は、現在、削り取られたためか残っていない。

その後ルターは、1522年の春、ヴィッテンベルクへと戻り、友人フィリップ・メランヒトン

（１４９７〜１５６０）の助けを得て、『聖書』翻訳や数多くの論文、意見書を仕上げた。ヴァルトブルク城は、ルターの偉業により、その名を後世にとどめることになった。

さてヴァルトブルク城は、ドイツ近代史においても大きな役割を果たした。１８１５年、イェーナ大学で、学生組合「ブルシェンシャフト」が結成されたが、１８１７年10月18日から、第1回の「ヴァルトブルク祭」が開催された。これはロシア・プロイセン同盟軍がナポレオン軍に勝利した、「ライプツィヒ諸国民の戦い」の4周年を記念し、さらに宗教改革３００周年を祝うものであった。

この祭りにはドイツの大学の全学生８０００人のうち、約５００人が参集したという。「ヴァルトブルク祭」は、ナポレオン戦争後のウィーン反動体制に抗し、議会の設立、憲法制定そして統一されたドイツ人の国民国家を求める自由主義運動の烽火《ほうか》となった。ただしヴァルトブルク祭の運動には、もう1つナショナリズム的な特徴もあった。

このとき使用された黒、赤、金の3色旗は、後にドイツ帝国の国旗となった。第2回目の「ヴァルトブルク祭」は、１８４８年のフランス2月革命に勇気づけられ、ドイツ各都市でも支配者に対して民衆が蜂起した「3月革命」に呼応して催された。

ヴァルトブルク城の文化は、ゲーテやその主君カール・アウグスト公にも支援され、ヴァイマルとも深いかかわりがあった。１９９９年、ヴァルトブルク城は世界文化遺産となり、今日、チューリンゲンの観光のハイライトになっているのも、ドイツ文化の源流ともいうべき長い歴史をもつからである。

（髙橋　憲）

# 3

# 2つの「サンスーシ宮殿」

## ★フリードリヒ大王の夢★

ベルリンの南西、近郊電車で40分ほどの距離にポツダムが位置するが、ここに「サンスーシ宮殿」がある。これは、「デア・グローセ・フリッツ」という愛称でも呼ばれたプロイセン王フリードリヒ大王（2世とも、1712～86）の離宮として知られている。

ホーエンツォレルン家（第一次世界大戦の敗戦まで続く）隆盛の基礎をなした大王は、生涯で15の宮殿や住居に住んだ。王太子時代の1730年から40年までの10年間で5つ、君主時代で10を数えたが、この両方の時期を代表するのが、ラインスベルク宮殿と「サンスーシ宮殿」である。

ラインスベルクはベルリンの北西約75キロに位置する町だ。ベルリンからローカル電車で2時間半ほどの距離にあって、日帰り旅行の目的地にはうってつけである。現在、王太子時代のフリードリヒ大王の町として観光地となっており、新たに整備された18世紀の歴史的建築物の街並みをめぐるのも楽しい。かつては精神病院であった宮殿も同じく、若かりし大王がグリーネリック湖東岸に造成した宮殿としてリニューアルされている。

王太子時代のフリードリヒにとって、ラインスベルク宮殿がどのような場所であったかは、その青春時代の大事件が教えてくれる。１７３０年８月５日、軍事国家プロイセンの確立を目指す父フリードリヒ・ヴィルヘルム1世（１６８８〜１７４０）のきびしい軍人教育に耐えきれず、王太子フリードリヒはイギリスに亡命を図った。しかし、逃亡計画は事前に発覚し、若き王太子はキュストリン要塞に監禁される。

亡命を打ち明けられていた側近、ハンス・ヘルマン・カッテ近衛騎兵少尉は当時26歳であったが、同年11月６日、この要塞で斬首刑に処せられる。しかも王太子は、窓際から眼前でこの処刑を目視させられたのだ。フリードリヒ18歳のときである。

イギリス亡命失敗、カッテ処刑、要塞での監禁の後に、父が勧める政略結婚を受け入れたフリードリヒに与えられたのがラインスベルクの地である。この湖畔の城を思うがままに造成したのが、ラインスベルク宮殿となった。

若きフリードリヒ大王

興味深いのは、王太子時代の大王がこの宮殿を「サンスーシ」とすでに呼んでいたことである。「サンスーシ」（Sanssouci）とは、「憂いなし」を意味するフランス語 sans souci が語源で、ドイツ語を〈馬の言葉〉だと卑下していた大王のフランス趣味に由来するとされる（しかし、当時のドイツの君主たちがフランス語を使うのは一般的であったが）。すなわちラインスベルク宮殿は、フリードリヒにとって、ポツダムの「サンスーシ宮殿」の雛型であったのだ。

一方、ベルリン南西部ポツダムの「サンスーシ宮殿」は１７４

7年に完成された。プロイセン王たるフリードリヒが夏の離宮として造成したが、政務もよくこなしたために、実質的には大王の後半生の居城となった。

「サンスーシ宮殿」への階段とブドウ山

建設途中の「サンスーシ宮殿」を訪問した同時代人の証言によれば、フリードリヒ大王は「ご自身がこれらのこと〔宮殿建築〕の大いなる精通者で、王の手によるものすべては洗練されたセンスがある」と称賛されている。とはいえ、フリードリヒがすべてを1人で構想したのではない。この宮殿をともに設計したのは、建築家・肖像画家・風景画家・室内装飾師のゲオルク・ヴェンツェスラウス・フォン・クノーベルスドルフ（1699〜1753）である。大王とは王太子時代からの友人で、ラインスベルク宮殿の改築も手伝った。

ちなみに、宮殿建築と庭園造成は本来、同一であるために、フリードリヒが多くの肩書きをもつクノーベルスドルフを重用したのは、その多才を大王が必要としたからであるし、大王自身もまた、それが理解できるほどの才人だったことの証左なのであろう。

庭園造成の視点では、ヴァインベルク（ブドウ山）に建つ「サンスーシ宮殿」は、高台からポツダム一帯を見下ろせて、さらに遠方の景観を眺めることができる。ラインスベルク宮殿がグリーネリック湖畔の見晴らしを楽しむものであれば、「サンスーシ宮殿」は高みからの眺望の楽しみを主眼に造成されているのである。

１９９０年に周辺の宮殿や庭園とともに、「サンスーシ宮殿」は「ポツダムとベルリンの宮殿群と公園群」として世界文化遺産に登録された。それは宮殿のみならず、周辺の建築物や庭園の重要性も合わせて承認されたことを意味している。それゆえ、「サンスーシ宮殿」訪問時には、宮殿周辺の散策も推奨したい。プロメナーデ（遊歩道）の他、プロイセンの外交官で古代研究家のフィリップ・フォン・シュトッシュ（１６９１〜１７５７）の死後に、同好の士であった大王が継承したポンペイ出土品などの古代美術品コレクションを保管した「古代神殿」も、見どころである。

ところで、フリードリヒ大王は当初から、「サンスーシ宮殿」をヴァインベルクに建てることを意識していた。というのは、現在も「サンスーシ宮殿」の屋根にはたくさんの彫像が設置されているが、東側のコロネード（列柱廊）の北端には、数人の童子が戯れている像があるからだ。

これらの童子像は互いにブドウの木に登りながら、ぎっしりと実がなっているブドウの房を摑んでいる。ブドウの木や房は、ヴァインベルク上に造営された「サンスーシ宮殿」のモチーフにしてシンボルなのである。孤独なフリードリヒ大王は、ポツダムの離宮では子どものように無邪気にいられることを願って、自身の心情を具現化した姿として童子像を建てたのかもしれない。

フランスとドイツのロココを融合した、プロイセン（またはフリードリヒ）・ロココ建築の傑作「サンスーシ宮殿」はまさしく、18世紀プロイセンのヴェルサイユ宮殿だったのである。

（森　貴史）

# 4

# ライン河伝説異聞

## ★もう１つのローレライ★

ライン（der Rhein）は豊かな水量を誇る河で、古代から屈指の河川交通の大動脈であった。これは「父なるライン」と呼ばれ、多くの河が女性名詞であるにもかかわらず、男性名詞である。ドイツ語の河は固有名詞であっても定冠詞をつけるが、古代ゲルマン時代からライン河は男性名詞であらわすということだ。それというのもヨーロッパを貫流しているライン河は、女性名詞の大河ドナウ（die Donau）と男女の対になっているからか、それともいつもは穏やかであるのに、荒れ狂うと凶暴になるからであろうか。

ライン河は、コーブレンツからマインツ間の65㎞が世界遺産に登録されている。この河下りやローレライ伝説はドイツめぐりの目玉であるので、日本でも有名であり、すでに多くの観光案内が書かれてきた。ここではその蒸し返しをするのではなく、別の切り口からローレライの岩山を紹介したい。

列車でもライン河畔を見物することができるが、圧倒的人気は情趣溢れるラインの船下りである。それは船人の視点でのんびりと峡谷、ブドウ畑、次々にあらわれる古城、街並みのパノラマを満喫できる魅力によるものである。ローレライ伝説も船上であれば臨場感を味わえ、岩山に近付くと、河がカーブして水流が速くなる。ローレライの岩は水面から132mしかなく、対岸から眺めれば何の変哲もない岩山である。船から見ても注意しないと見過ごしてしまうが、地形的に河幅が狭く、交通の難所であることは実感できる。

この岩によって難破した話は、過去のことばかりではない。2003年に観光船が渇水のため水底の岩に接触し、そのショックで41人が負傷したが、うち2人が重傷であったということであるから、かなり激しくぶつかったのであろう。また2011年1月にも2400トンの運搬船が転覆し、船員が水温4度の水中に投げ出されたが、救助されている。

ローレライ

ローレライ伝説は、1824年にハインリヒ・ハイネ（1797〜1856）が創作した美しい詩に由来し、フリードリヒ・フィリップ・ジルヒャー（1789〜1860）がそれに曲をつけ、世に広がったことはよく知られている。ハイネはユダヤ人であったが、反ユダヤ主義を標榜するナチスの時代でも、ローレライの歌は焚書の対象でなく「詠み人知らず」とされていた。それだけ愛唱歌として広まっていたので、これはナチスといえども抹殺できなかったことを物語る。日本ではハイネの詩が有名になったのは、近藤朔風の名訳によるところが大きい。

ここではハイネではなく、その詩の成立に霊感を与えた、ロマン派詩人のクレメンス・ブレンターノ（1778〜1842）の

ブレンターノ

「ローレライ」を取り上げる。ブレンターノのバラードは小説『ゴドヴィ』(1802)に挿入されるかたちで、発表された。

余談であるが、ブレンターノは、あのグリム兄弟と1803年以来、面識があった。メルヘン編集に意欲をもっていたブレンターノは、1810年にグリム兄弟が収集していたメルヘン集の借用を申し出る。几帳面な兄弟は貴重な草稿の写しをとった後、ブレンターノにそれを送ったが、いい加減な性格のかれは、草稿を紛失してしまった。

その後、グリム兄弟の写しもなくなったので、草稿は幻ということになった。ところがブレンターノに送っていた草稿が、1893年にエルザスのエーレンベルク修道院で見つかり、これがグリム童話の『エーレンベルク草稿』として世に知られることになった。ブレンターノとグリム兄弟には、それぞれの性格を髣髴とさせるこのようなエピソードが残されている。

さてブレンターノの「ローレライ」は、およそ次のように展開する。ライン河のほとりのバッハラッハという村に、美しく清純な乙女がいた。彼女を見た男性は、すべてその魅力の虜になって身を焦がした。彼女は男を惑わすものとして、みずから深く反省し、わが身を呪った。司教はその噂を聞き、ローレライを呼び寄せた。そして「神の裁きを受けよ」と命ずるが、司教みずからローレライの虜になって、それを悟られぬよう「お前は悪い魔法使いだ」とごまかす始末である。

ローレライは司教に、わたしの瞳や腕は呪われているので、どうか火あぶりにしてください、キリストと同じように処刑してほしいと頼む。かつてローレライには恋人がいたが、かれは彼女を裏切り、遠い異国へ旅立ったという。ローレライはもはや誰も愛することができず、絶望的な心情を吐露した。司教はやむをえず、ローレライを修道院へ入れるべく、3人の騎士を呼び寄せる。騎士たちは悲しみにくれた彼女を連れてライン河畔の岩場にさしかかる。するとローレライは、あの岩山に登ってわたしを愛した人の城が見たいといい出す。

かれらはその願いを聞き入れ、いっしょに切り立った岩山を登っていく。山頂でローレライは、ライン河を下る小船を見て、その船にかつての恋人が乗っていると思い込む。すると急に、ローレライは山頂からライン河に身を投げた。残された3人の騎士も降りることができず、そこで命を落とした。ライン河の岩の近くを航行すると、誰かが歌うように騎士が眠る岩から、「ローレライ、ローレライ、ローレライ」という声がこだまするという。

ブレンターノのバラードは、ロマン派が好むエレジーをテーマにしたものであるが、創作の際に霊感を与えたのが、ギリシャ神話の『オデッセイア』に登場するセイレーンだとされる。妖精のセイレーンは、上半身が美女で、下半身が鳥というハイブリッドであった。妖精は美しい歌声でシチリア島近海を航行する船員を魅了したので、たびたび船は座礁し難破した。

この故事を知っていた主人公オデッセイアは、島に近付くと船員たちの耳を蝋でふさぐよう命じ、セイレーンの誘惑を防ぐ手立てを考えた。かれの計略は功を奏したので、神通力を失ったセイレーンは海中に墜落して死ぬが、その跡に岩礁ができた。難所を航行中、今でも歌声が聞こえてくると船は座礁するという。これは地中海を行き交う船員の間で広まった伝説である。ライン河のローレライ伝説は、セイレーンの妖精伝説、ブレンターノのバラード、ハイネの詩が融合したかたちで、今日に至っているのである。

船によるライン下りはコーブレンツからマインツ、あるいはケルンまであるが、これらは長いので、そのうちのハイライト、リューデスハイムからザンクト・ゴア間が約1時間40分程度で手ごろである。この間には、猫城、ねずみの塔など興味深い伝説をともなう古城群が観光客を楽しませてくれる。世界遺産の全長65㎞のうち、古城は約130という数の多さだ。

なかでもユダヤ人作家ルートヴィヒ・ベルネ（1786〜1837）の古城をめぐる強盗騎士の話がおもしろい。中世においてもライン河は主要な交通網であったので、そこは通行税の徴収の格好の場とされた。古城が多いのは、航行する船から税金をとるために小領主たちが競って城づくりに励んだ結果である。ベルネは城の持ち主を強盗騎士と揶揄し、合わせて小国が分立していたドイツの姿を皮肉った。ライン下りも伝説、故事を知っておれば魅力が倍加することであろう。

（浜本隆志）

# 5

# 「笛吹き男」伝説の舞台、ハーメルンを歩く

## ★中世人の世界へ★

殺風景な駅前の通りをしばらく歩いた後、地下道をくぐって外へ出てみれば、そこはもう「おとぎの国」である。旧市街の木組みの家が大通りの両側に連なり、遠くには教会の尖塔がそびえている。まるで時代を数百年遡ったかのようだ。通りの左側にはりっぱな石づくりのレストランがあって、その看板には「ネズミとりの家」(Rattenfängerhaus) とある。そう、ここは笛の音色でネズミを退治した――そしてのちには子どもを攫っていった――男の話で有名な、ハーメルンである。グリム兄弟の生まれた町ハーナウから、ブレーメンへと北へ600km延びるメルヘン街道の中間点に位置する。

「ハーメルンの笛吹き男」の伝説は、グリムの『ドイツ伝説集』に掲載されている。そのあらましは次のようなものである。

1284年、ハーメルンに1人の放浪者があらわれた。かれは人びとに、金さえくれれば町中のネズミを退治してやろうという。市民が喜んで支払いに同意すると、男は奇妙な笛を吹きはじめた。すると不思議なことに、その音色を聞いた町中のネズミが集まってきて、男に導かれるまま、ヴェー

ザー川に入って溺れてしまった。しかしネズミの害から解放されるや、人びとは男に金を払うことを拒んだ。笛吹き男は激怒し、ハーメルンを去っていった。

ところが6月26日、ヨハネとパウロの日に、笛吹き男は見るも恐ろしい形相で帰ってきた。かれが再び笛を吹くと、今度は町中の子どもたちが走りでてきて、かれについていった。やがて男は、子どもたちを連れて近郊の山のあたりへいくと、そこで姿を消してしまった。このとき失踪した子どもたちは、130人であったという。

この伝説は、少なくとも15世紀には成立したが、その際は謎の放浪楽師による子どもの誘拐だけが語られていた。16世紀になると、冒頭のネズミ退治の話がくっついて、現在知られるかたちになったという経緯がある。というのも町を流れるヴェーザー川に水車が設置され、製粉業が盛んであったので、ここにネズミが集まり、市民はその害に苦しんでいたからである。事実、現在も町の紋章は水車がシンボルとなっている。

グリム兄弟が伝えるように、13世紀の終わりごろに、ハーメルンでいったい何が起こったのか。子どもたちの失踪は実際にあったことなのか。もしかりにあったとすれば、その真相は何だったのか。この500年間というもの、中世ドイツ最大のミステリーの解明におおぜいの人びとがいどんできた。ある研究者いわく、子どもたちは当時盛んであった東ヨーロッパへの植民運動に参加したのである。別の人いわく、子どもたちは町の付近にあった沼で溺れ死んだと。さらに子ども十字軍に加わったという説もある――。決定的な証拠がないので、事件の真相はなお不明のままである。しかし、実際にハーメルンで何かたいへんな事件が起こったというのは、事実のようだ。

「笛吹き男」の伝説は、単なる事件の記録というだけではない。この物語を語り継いでいた中世の人びとが何を感じ、何を考えていたのかを知る貴重な資料にもなるのである。たとえば、伝説のなかで人びとは「笛吹き男」を嘲り、かれとの約束を守ろうとしないが、それはなぜなのか。

阿部謹也の著書『ハーメルンの笛吹き男』を読んだ方はもうお分かりであろうが、当時「笛吹き男」のようなさすらいの芸人は、差別の対象となっていたのである。どこの馬の骨かも分からないような放浪者たちは、もっとも重要な市民との契約も反故にされて蔑まれ、法的権利も認められなかった。「笛吹き男」は、当時おおぜいいたそんな人びとの1人だったといえる。

次に、「笛吹き男」が不思議な音色で動物や人間を操ったというくだりはどうであろう。これを単なる空想物語として片づけてしまうのは誤りである。中世において、笛や楽器が奏でる音楽は実際に魔力をもつ、神、妖精、悪魔などの力を媒介するものだとみなされていた。とくに教会に属さず、人びとを興奮と舞踏にかりたてる放浪楽師たちは、妖精や悪魔とのかかわりが疑われていた人物であった。

ちなみにヨーロッパにおける初期のダンスの形態は、輪舞であったといわれている。それは、皆で手に手をとりあって輪をつくり、内へ外へとダイナミックな動きをするもので、これを繰り返していくと恍惚状態と性的興奮が引き起こされる。

中世においては、こうした舞踏がきっかけとなって、しばしば「舞踏病」と呼ばれる集団ヒステリーも発生した。これは踊りをやめられなくなった人びとが、移動しながら疲労困憊して地面にぶっ

「笛吹き男伝説」の野外劇（筆者撮影）

倒れるまで踊り狂うというもので、たとえば１２３７年にエアフルトで舞踏病が発生している。当時としては、音楽で子どもが操られる「笛吹き男伝説」の内容は、さほど奇異なものではなかったのである。

最後に、伝説で挙げられている日付にも少し触れておきたい。話によると、子どもが失踪したのは6月26日となっているが、これは6月24日の聖ヨハネ祭（夏至祭）に近い時期である。じつはドイツの伝説に目を通していくと、ヨハネ祭になると異界が口を開け、妖精が出てきたり、人が異界に入り込んだりする話が非常に多いことに気がつく。つまり「笛吹き男」は、夏至祭の時期を狙ってハーメルンにあらわれ、子どもたちを山の異界へ攫ったことになる。

このように「笛吹き男伝説」は、古いドイツの文化や俗信を知るよい機会を与えてくれる。もしドイツへいく機会があれば、ぜひハーメルンにも足を運んでほしい。夏の期間（5月半ばから9月半ば）は、日曜日の12時になると、町の人びとが「笛吹き男伝説」の野外劇を実演してくれる。何度も繰り返してきただけあってかなり迫力があるので、つい笛の音や演技に惹きつけられてしまう。これを目当てのツーリストも多い。

伝説を知っている人なら、目立たないけれども「舞踏禁止通り」（Bungelosenstraße）も見逃せない。

「ネズミのしっぽ」(筆者撮影)

ここは子ども失踪事件ののち、悲しい記憶を忘れないために、その後、音楽の演奏が禁止されたという通りである。「舞踏禁止通り」のそばには、冒頭で触れた「ネズミとり男の家」もある。話の種に、ここで「ネズミのしっぽ」(Rattenschwänze)なる料理を食べてみよう。これは豚肉の細切りをスープにした名物で、名前から想像されるよりずっとおいしい。

食事の後、あらためて夕暮れの町を散策するのもよいだろう。中世の雰囲気を色濃く残すハーメルンの景色を見ながら、東門を抜けて山へ笛吹き男についていった子どもたちの不気味な話に思いを馳せる。これこそもっとも正しい伝説の楽しみ方である。

(溝井裕一)

# 6

# 魔法使いファウスト紀行

## ——★「アウエルバッハ酒場」から終焉地の「獅子亭」まで★——

ライプツィヒは、東ドイツ地域でもっとも美しい古都の1つである。巨大な駅を出て、街並みを堪能しながら中央広場までいくと、「アウエルバッハ酒場」という地下ケラーがある。この名前から、すぐにゲーテの『ファウスト』を思い浮かべる人もおられるのではなかろうか。物語では、悪魔メフィストフェレスに連れられた魔法使いファウストが、「アウエルバッハ酒場」にやってくる。そこで学生たちが飲み騒いでいるのを目にすると、メフィストはかれらにワインを提供しようと申し出る。

悪魔は1本の錐を用意すると、これで机に穴を開けていく。すると驚いたことに、その穴からワインが溢れ出す。これを見た学生たちは大喜び。どんどんついで飲もうとするが、1人があやまってワインを地面にこぼしてしまう。とたんにワインは火焔と化し、学生たちは大慌て。いきり立ってファウストらに喧嘩を売ろうとするが、かれらは学生の目をくらましてさっさと逃げてしまう……。

ゲーテがライプツィヒ大学に遊学していたころ、たびたびこの酒場を訪れている。その結果、右のような話を思いついたに違いない。もともとここは、「ファウスト伝説」の場所だったからである。今も酒場にいってみれば、入り口にはファウストとメフィストの彫像がある。新しい冒険を前にして、メフィストはいかにもうれしそうだが、ファウストはどこか沈んだ様子である。無理もない。かれは魔法使いになる代わりに、メフィストに魂を売ったのだから。

次に酒場まで降りてゆくと、『ファウスト』の各場面を描いた壁画が暗い照明に浮かびあがっている。樽にまたがったファウストとメフィストの人形が置いてあるのもご愛嬌だ（伝説では、ファウストは地下にあった酒樽にまたがり、そのまま宙に浮いて地上に出たという）。

アウエルバッハ酒場の入り口（左）と内部（筆者撮影）

世界的に有名になったこともあって、「アウエルバッハ酒場」は今や高級レストランのようである。しかしゲーテの作品と古きファウストの伝説をしのびながら、ワイン片手にドイツ料理を堪能するのも悪くない。

じつはファウストは、単なる文学上のキャラクターではない。かれは伝説になっているが、16世紀初頭に活躍した実在の人物であり、「魔法使い」の代表格とみなされていた。当時まことしやかに語られていた伝説によれば、かれはあるとき悪魔を呼び出して契約を結んだ。その内容は、魔法使いにしてもらう代わりに、死後、自分の魂は悪魔のものになるというものであった。

以来ファウストは、暴飲暴食したり、人びとから財産をだましとったり、絶世の美女を呼び出して淫行に耽ったりと、やりたい放題であった。しかし契約の期限がくると、悪魔はかれを殺してその魂を地獄に連れていった。残されたかれの部屋には、血と脳みそがべったりと貼りつき、目玉が転がっていたというからすさまじい。

1587年刊行の伝奇書『ヨーハン・ファウストゥスのヒストリア』によると、ファウストが活動の拠点としていたのはライプツィヒから北へ、さほど遠くない町ヴィッテンベルクである。ライプツィヒにいくことがあったら、ぜひここも訪問する価値のある町である。

この地には、実際にファウストが住んでいたという家とともに、ルター（26ページ参照）やフィリップ・メランヒトンといったプロテスタントの創始者たちの家も残っている。今の街並みにおいてもじゅうぶん、16世紀当時の姿をしのぶことができよう。

それでは、歴史上のファウストとはいかなる人物であったのか。じつはかれは、元来「大魔法使い」などではなかった。ファウストが生きていた時代の資料をよく見ると、占いを生業としていたようである。もちろん「魔術師」の肩書きはもっていたが、ルネサンス時代には「魔術」は目に見えない力を探求して操作しようとする学問を意味した。

とはいえ、占いや魔術は、よく知らない人から見れば魔法＝悪魔の力を借りておこなう術と何ら変わるところがなかった。たとえば一部の教会関係者や知識人は、占い師のそばにはいつも悪魔がいて、あることないことを人びとに吹き込んでトラブルを引き起こすと信じていたのである（魔術師についても同様であった）。

だから、「占い師ファウスト」が「魔法使いファウスト」に転換するのはそれほどむずかしいことではなかった。他でもない、ヴィッテンベルクでファウストの隣人（？）であったルターやメランヒトンも「ファウスト伝説」づくりに貢献している。かれらはファウストのもとには悪魔がいたとか、魔法を使って空を飛んだとか、人びとに語って聞かせたのである。その後、「ファウスト」の名のもとにさまざまな魔法譚が結晶化して、すでに紹介したような話になった。

「ファウスト塔」と獅子亭の銘文（筆者撮影）

ちなみに南ドイツにも、ファウストゆかりの地はたくさんある。たとえば、カールスルーエから電車とバスで約1時間のところに、クニットリンゲンとマウルブロンという小さな町がある。前者は、いくつかの資料のなかでファウストの誕生地とされており、ファウストの「生家」とともにファウスト博物館がある。後者は、ドイツ屈指のりっぱな修道院で知られる町である。城壁、塔、堀まで備えた大規模な施設であり、ヘルマン・ヘッセの『車輪の下』などの舞台となった世界遺産だが、「ファウスト塔」なるものもあって、ファウストはここに滞在していたことがあるという。

ここまで足を運んだら、ぜひ「ファウスト終焉の地」も探訪しよう。フライブルクから電車とバスで40分ほどのところに、シュタウフェン（イム・ブライスガウ）という小都市がある。城跡が残るブドウ山のふもとにはおもちゃのような家が建ち並び、周囲には緑の山々が広がって、いかにものどかな風情を醸し出している。

歴史書「ツィンメルン年代記」（1564～66）によると、ファウストが悪魔に殺されたのはこの町だそうである。しかも何と、ファウストが死んだという「現場」(Tatort) まである。「獅子亭《ツム・レーヴェン》」(Zum Löwen) という宿がそれで、壁にはファウストを連れ去ろうとしている悪魔の姿が描かれており、次のような銘文がある。

旅館獅子亭(ツム・レーヴェン)。1407年に「旅館ツム・ロイエン」として文書《もんじょ》に記録あり。ここで1539年、悪魔がファウストの人生に終止符を打ったとのことである……。

「ツム・レーヴェン」には、ファウストが連れ去られたという部屋まであって、そこで一泊できる(しかもファウストの彫刻つき!)。ちなみに1階はとても雰囲気のよい居酒屋となっていて、やはりファウスト関係の絵が飾られている。伝説によれば、ファウストはたいへんな酒好きだったとか。東はアウエルバッハ酒場から南は獅子亭まで、かれと悪魔の物語をしのんでたっぷり飲むのはいかがだろうか。

(溝井裕一)

# 7

# ティル・オイレンシュピーゲル伝説跡を訪ねて

## ★民衆本に描かれた稀代のトリックスター★

ティル・オイレンシュピーゲル（Till Eulenspiegel）とは、民衆本『ティル・オイレンシュピーゲルの愉快ないたずら』の主人公である（１５１５年に初版）。かれはドイツ北部を中心に遍歴し、各地で手ひどいいたずらをしては去っていくという滑稽譚で、全96話（うち第43話欠）、長短さまざまなエピソードが収録されている。

音楽や映画の好きな方はご存知であろうが、リヒャルト・シュトラウスの交響詩（１８９５）や、フランスの映画監督ジェラール・フィリップによる映画（１９５６）の他、現在もドイツでは児童書に翻案された絵本が出版され続けている人気者である。

妻子もなければ、定職も主君もない天涯孤独の放浪者という身分ゆえに、ティルの辛辣ないたずらは、王侯君主から市民まで階層と職業に関係なく、誰に対してもなされるところに特徴があると同時に、これが奥深いテーマにもなっている。

ちなみに、中世から近代初期にかけて、当時、国際言語として知識階級が使用したラテン語とは異なり、民衆本とは、民衆の言葉であるドイツ語で書かれた15、16世紀の市民文学を指し

民衆本の表紙

ていう。文学ジャンルとしても、主人公が市民の台頭を時代背景にしている。

　道化者オイレンシュピーゲルが、とくに権力者や力の強い立場の者を痛快に揶揄する場面に、民衆は拍手喝采をし、溜飲を下げた。このことからも、今なおドイツの人びとに広範に親しまれている理由の1つがうかがえる。かれは、民衆に愛された、稀代のトリックスターであったといえる。民衆本の表紙では、フクロウ（オイレ）の像と鏡（シュピーゲル）を掲げており、「オイレンシュピーゲル」をシンボル化している。

　かつてオイレンシュピーゲルは伝説的な存在で、民衆本の著者も実在していたかどうかが分からず、不明な点も多かったが、20世紀後半に研究が進んだ結果、現在では実在説がクローズアップされ、その著者はヘルマン・ボーテ説が有力である。

　したがって最近の文学史を見ると、滑稽譚の主人公ティル・オイレンシュピーゲルは実在の人物であるとされる。ブラウンシュヴァイク近郊クナイトリンゲンに生まれ、１３５０年にシュレスヴィヒ＝ホルシュタイン州のメルンで死んで埋葬されたという。かれにまつわる伝承と昔話を16世紀初頭に収集編纂したのが、ヘルマン・ボーテということらしい。

　ボーテは、１４６７年にブラウンシュヴァイクで生まれ、１５２０年ごろに同地にて亡くなった。その肩書きは専門文献、年代記、箴言教訓集、政治史、滑稽譚の著述家であると同時に、ブラウンシュヴァイク市の徴税書記であった。同市のレンガ製造所の管理人や、近郊のレートゲスビュッテル村の裁判官兼徴税官も務めたという。

いずれにせよ、ティルもボーテも今ひとつ霧に包まれている部分があるとはいえ、ドイツ北部ニーダーザクセンの都市ブラウンシュヴァイクとその周辺地域と関係が深い人物であったことは確実なようだ。この町は中世、北ドイツ一帯をおさめていたハインリヒ獅子公の居城都市で、ハンザ都市としても栄華を誇った歴史をもつ。

ブラウンシュヴァイクをめぐるティルのエピソードは、4編（第19、38、45、56話）が伝わっているが、とりわけ、第19話の長いタイトル、「オイレンシュピーゲルがブラウンシュヴァイクのパン屋の職人に雇われ、フクロウと尾長猿を焼いた物語」のエピソードは、かれとこの都市との関連の深さを示すものである。

この物語では冒頭、パン屋の手伝いで雇われたかれが、親方に何を焼くかを尋ねる。パンを焼くのが当たり前だといいたい親方は、「いつも何を焼いてんだ、フクロウでも尾長猿でも焼け」となる。それで、オイレンシュピーゲルがフクロウと尾長猿のかたちのパンを焼く。焼きあがったパンを見た親方は激怒し、かれに練り粉代の埋め合わせをさせようとする。

しかしこの日は、翌日の聖ニコラウス祭の前夜であったので（58ページ参照、この祭りには得体の知れないものが出現するという言い伝えがあった）、奇妙なパンが人気を博し、まんまとパンを売り尽くす。大きく黒字を出した後、かれはこの町をさっさと立ち去っていくという顚末である。このあたりの「カッコよさ」も民衆受けするのであろう。

ベッカークリント（1912年ごろ）

ところが、このパン屋の住所が何と実在するというのだから、ティルの伝説はひときわ興味深い。1884年刊行のブラウンシュヴァイク旅行ガイドには、そこが「ベッカークリント11番地」（Bäckerklint 11）であると明記されているのだ（!）。

ベッカークリントの「ベッカー」（Bäcker）は「パン焼き職人」を、「クリント」（Klint）は「川辺のやや高い土地」を意味しているが、パン屋がらみの伝説の土地として、何ともできすぎている。

とはいえ、この旅行ガイドの記事の信憑性はかなり疑わしい。なぜなら、ベッカークリント11番地の建物が建てられたのは16世紀とのことゆえに、1350年ごろに死んだというティルがこの家に住むのは、不可能なのである。この建物は1944年10月15日の空襲で倒壊するが、その一角に、1869年にはティル像が建てられたり、パン屋が久しく営業したりしていた。第二次世界大戦以前には、1日約300個のフクロウと尾長猿のパンが売れていたといわれている。

しかも、この家のとなりには、かれが逗留していたという旅館「山男屋」があったとされる。この旅館は、第19話で名前も言及されている。フクロウと尾長猿のパンを焼いたオイレンシュピーゲルが親方に怒られて、弁済させられたのちに、問題のパンをもちこんだ宿である。この旅館も、現在では当市に実在していたと考えられている。

もう1つ、ベッカークリント周辺でティルにまつわるものは、噴水である。1905年にユダヤ人

ベッカークリントにある噴水、オイレンシュピーゲル、フクロウと尾長猿像（著者撮影）

銀行家ベルンハルト・マイヤースフェルトが寄贈したものだが、台座上のかれのまわりに、フクロウ2羽と尾長猿3匹が配されていて、それらの像の口から水を吐き出しているという、なかなか秀逸な着想によるデザインである。1944年10月15日の空襲で、周辺の建物はすべて倒壊したが、唯一無事に残っていたのが、この噴水であった。

なお、ティル・オイレンシュピーゲル博物館も必見に値する。これはブラウンシュヴァイク近郊、17世紀末に焼失するまでティルの生家があったとされるクナイトリンゲンに隣接するシェッペンシュテットと、16世紀には墓が建てられたという、ティル終焉の地として有名なメルンの両市にある。

（森　貴史）

コラム1

## ドイツ世界遺産の意外性

金城ハウプトマン朱美

ノイシュヴァンシュタイン城やロマンティック街道のローテンブルクを案内していると、「ここは世界遺産ですか」とよく聞かれる。これらは日本ではもっとも人気があり、よく知られている観光地であるから無理もない。

ところが、あのノイシュヴァンシュタイン城は、東京ディズニーランドのシンデレラ城のモデルになったし、ルートヴィヒ2世とワーグナー伝説でも名高い（25ページ参照）にもかかわらず、意外にも世界遺産ではない。この城は、ルートヴィヒ2世の憧れた中世騎士の世界を再現しようとしたものであるが、築城が新しすぎる。またユネスコ世界遺産登録に欠かせない「顕著な普遍的価値」を見出すことや、さまざまな建築様式が混在しているので城に歴史的芸術性があると判断することが困難なため、ユネスコが重要視している「真正性」に欠けているからだ。

さらに中世の面影を残す珠玉の町ローテンブルクの町も、世界遺産ではない。この町は第二次世界大戦中の連合軍の爆撃によって破壊され、大部分がみごとに復元されたとはいえ、それもイミテーションにすぎないと批評されているからである。ひょっとするとこれらは、いつの日か世界遺産になるかもしれないが、しかしずいぶん歴史をへなければならないであろう。

ドイツ世界遺産のなかで、ドレスデン・エルベ渓谷もドイツらしからぬ、あるいはドイツらしい理由で、世界遺産から排除された。ここは2004年に、古都ドレスデンと合わせて、巨岩や渓谷が美しい「ザクセンスイス」とも呼ばれるエルベ河流域が世界遺産に登録された。ところがその後、ドレスデン市がエルベ河に橋を建設し、景観を損ねたという理由によって、2

## ドイツ世界遺産の意外性

009年に世界遺産を取り消されてしまった。

橋の建設をめぐっては、ユネスコから警告があり、景観を損ねる橋ではなく、トンネル建設の方を勧められた。しかしドレスデン市は、住民投票の結果、建設コストの面からあえてその警告を無視せざるをえなかった。景観や自然重視の理念より、経済的な理由を優先させたというのが結論である。お金の問題は、世界遺産の名誉以上に切実であったのだろう。

ヴュルツブルクのレジデンツ階段広間
©Bayerische Schlösserverwaltung
URL: www.schloesser.bayern.de

さて、ユネスコの世界遺産リストには、167カ国から文化遺産869、自然遺産213、そして複合遺産39、合計1121の世界遺産が登録されている（2019年12月現在）。そのうち、ドイツには世界文化遺産が43、世界自然遺産が3ある。

ちなみに日本は、19の世界文化遺産と4つの世界自然遺産が登録されているので、ドイツの方が世界遺産の数が圧倒的に多い。世界遺産となっている名所は、日本では神社仏閣が大半を占めているという関係で、ドイツではそれらに類する教会が世界遺産になっているのかといえば、かならずしもそうでもない。ドイツでは大聖堂や教会だけではなく、メッセルの化石公園もあればエッセンの旧製鉄所などもあり、非常にバラエティーに富んでいる。

北は北海沿岸のオランダ・ドイツ両国で1万平方㎞もある世界自然遺産のワッデン海から、南は草を食む乳牛とともに、のどかな草原にひっそりとたたずんでいる巡礼教会のヴィース教会、西にはドイツ初の「建築史と文化史のアンサンブル」として世界遺産に登録されたアーヘン大聖堂、そして東にはポーランドと共同で登録された庭園芸術で有名なムスカウ公園がある。

これらの世界遺産を一目見ただけで、自然との調和、建物の古さ、大きさ、個性から感動を受け、人類共有の財産であると実感する。たとえば、ヴュルツブルクのレジデンツ（領主司教館）の階段広間に描かれた世界最大の天井フレスコ画や、ヴィース教会の上品に金をあしらったロココ様式の装飾と立体感に目を奪われる。日本から来た観光客を案内したとき、ほとんどの人が、決まりきった「すごいですね」という簡潔な一言の感想を述べる。圧倒されるものには適切に形容する言葉が見つからないから、このような直感的な表現になるのであろう。

# II

# 祭りと文学、音楽のプロムナード

## ――伝統のコスモロジー

# 8

# キリスト教祭と土着の祭り

## ★サンタクロースのルーツ★

待降節（アドヴェント）の季節になると、ドイツ人は浮き浮きしてくる。留学時代の家主は広い庭に植えてあったモミの木を品定めし、「今年はこの木にしよう」といって、鋸で切り倒す。さらに「お前の部屋にも飾れ」といってもう1本切ってくれた。木を担いで部屋にもち帰り、ツリーを立てると、それから飾りつけがはじまる。クリスマス・グッズやプレゼントをクリスマス・マーケットで買うのも年末の楽しみの1つだ。子どもたちはアドヴェント・カレンダーやロウソクの点る数が増えるのを見ながら、クリスマスをこころ待ちにしていた（89ページ参照）。

祭りの非日常の世界は、人びとを興奮させる魔力をもっている。大人も子どももそれに引き寄せられるように祭りに飲み込まれていく。ヨーロッパの祭りは、全国区ではキリスト教祭がベースになっている。クリスマス、復活祭、聖ヨハネ祭、諸聖人の日、聖マルチン祭、聖ニコラウス祭は、すべてイエスやキリスト教の聖人のお祭りとされてきた。

ところが古代ヨーロッパでは、地中海地域を強大な古代ローマが支配し、先住民のケルト民族が中央部に、ゲルマン民族が

# 第8章
# キリスト教祭と土着の祭り

| キリスト教祭 | 土着の祭り |
|---|---|
| クリスマス（12月25日） | 冬至祭（ケルト・ゲルマン、ミトラス） |
| 公現節・東方の3博士の来訪（1月6日） | ペルヒタ祭、12夜（年末年始の12日間の最後の夜、ケルト・ゲルマン） |
| カーニヴァル（復活祭の前の40日〈日曜を除く〉に設定） | サトゥルナリア祭（古代ローマの冬至祭のどんちゃん騒ぎ、クリスマスと競合したので移動） |
| 復活祭（イースター、キリストの復活を祝う） | 春祭り、ベルティネ祭（ケルト、ゲルマン） |
| 聖ヨハネ祭（6月24日） | 夏至祭（季節の変わり目、6月23日ごろ） |
| 諸聖人の日（11月1日） | ハロウィーン（10月31日、11月1日はケルトの新年） |
| 聖マルチン祭（11月11日） | 収穫祭、秋祭り |
| 聖ニコラウス祭（12月6日） | 冬至祭（ローマ、ケルト・ゲルマン）の前祝 |

北方に居住していた。そのためドイツ地域にも、かつてケルトやゲルマンのアニミズムや多神教の神々が信仰されており、祭りじたいは、本来、これらの神々に捧げられるものであった。

キリスト教がヨーロッパに伝播し、支配宗教となると、異教の祭りをキリスト教祭へと転換していった。なおドイツのおもなキリスト教祭と、その土着のルーツとを図式的に対比すれば、およそ上の表のとおりである。

これを見ても、ドイツのキリスト教の祭りは、土着のアニミズム的な祭りと対になっていることが分かる。したがってキリスト教の祭りは、ケルトあるいはゲルマンの異教の祭りの上に、接木されたものであった。なかでもクリスマスは、キリスト教の最大の祭りであるのはいうまでもない。ドイツの子どもたちは、聖夜にプレゼントを運ぶとされるクリストキントかヴァイナハツマン（サンタ）を待ちわびる。

現代ではグローバル化して、世界中の子どもたちがサンタクロースのプレゼントを楽しみにする。子どもたちに夢を運ぶ伝説の人物は、実在した聖ニコラウス（270ごろ～345あるいは351）に由来するとされる。伝説によると、小アジアの司教の聖者ニコラウスが、貧乏な家の3人の娘が身売りをしなければならないのを知り、秘密裏に、靴下に金貨を入れ、娘を救ったという。サンタクロースが靴下にプレゼントを入れてくれるという伝説はその名残である。

サンタクロースのルーツ

聖ニコラウス（英語：Saint Nicholas、ドイツ語：Sankt Nikolaus）伝説は、その後、キリスト教とともに、小アジアからヨーロッパに広がり、命日の12月6日に聖ニコラウス祭が祝われるようになった。聖者はオランダ語ではシンタクラース（Sint Nicolaas から Sinterklaas）と発音された。やがてオランダのピューリタンが新大陸アメリカへ移住し、そこで英語では聖者をサンタクローズ（Santa Claus）というようになり、これがアメリカからヨーロッパへ逆輸出され、そこから全世界へ広まったという経緯をたどる。

以上はキリスト教側のサンタクロース伝説であるが、聖ニコラウス祭もヨーロッパの古層の来訪神の習俗が下敷きになっている。南ドイツやチロル、アルプスの山岳地域、ザルツカンマーグートでは古代から、季節の変わり目に異界から怪物が登場した。これは日本のナマハゲに似て、恐ろしい形相をした来訪神であったとされる。その名残が現在の聖ニコラウス祭の従者クランプス（Krampus）であり、ヴァルプルギスの夜祭りの魔女、ハロウィーンの妖怪もこのたぐいである。

では、聖ニコラウス祭が土着の来訪神信仰とどのように習合していったのかを確認しておきたい。聖ニコラウスはキリスト教化されてからは祭りの主役であるが、それ以前では、クランプスが古層の怪物の形態をあらわし、祭りの主役であったとされる。本来、1年の変わり目の冬至祭のころにクランプスが登場し、人びとを威嚇したり、祝福してプレゼントを与えたりしていた。これは秋田のナマハゲとほとんど同じ役割を担っていたと考えられる。

中部ヨーロッパの山岳地方でも、10世紀ごろキリスト教化されたので、祭りの主役の交代がおこなわれた。キリスト教の定着を図るために、主役は聖ニコラウスでなければならなかったからである。こうして祝福を与えたり、プレゼントをしたりするのは聖ニコラウスで、以前の怪物クランプスは制裁を与える脇役の怪物へ追いやられることになる。

クランプス（筆者撮影）

それからクランプスは、ムチをもって聖ニコラウスの従者として登場する。北ドイツでは従者ルプレヒト（Knecht Ruprecht）、あるいは地域によって「鞭打ちおじさん」と呼ばれることもあり、かれらもおもに子どもたちを制裁するという役割を担っていた。いうことを聞かない子どもたちを、籠に入れて連れ去る恐ろしいものとして描かれることが多い。

ニコラウス祭の前日の12月5日の夜に、聖ニコラウスは従者クランプスを連れ、かつては子どものいる家を訪れていた。聖者はおりこうにしている子にはお菓子、おもちゃなどの褒美を与え、そうでないと従者クランプスがムチと鎖で脅し、制裁を加える。子どもたちは緊張しながらも、期待をもってその日を迎える。家の両親は従者に酒をふるまい接待する役割を担う。

やがて時代の経過とともに、登場人物は聖ニコラウスだけとなり、制裁役のクランプスは姿を消してしまった。ドイツでは聖ニコラウスは、ヴァイナハツマン（Weihnachtsmann）に変化したが、一般にはプレゼントのみを与えるサンタクロースになった。さらに祭りの時期も12月25日のクリスマスへと収斂されていった。

ただし南ドイツや中部ヨーロッパのチロルやアルプス周辺へいけば、現在でも冬至祭の原型の聖ニコラウス祭が12月6日に祝われ、前夜祭の5日に本物のクランプスにも出会うことができる。筆者もザルツカンマーグートのミッテルンドルフ村の「聖ニコロ祭」を取材したことがあるが、クランプスが数十匹登場する光景は圧巻であった。しかし見れば見るほどそれは、ナマハゲと同じ習俗であることに驚かされる。


（浜本隆志）

# 9

# 白雪姫が見た森を訪ねて

## ★メルヘンの原風景★

頭上を覆う樹木の枝葉を通して、わずかな光が射しこんでくる。まわりにはオークやブナが乱立していて、足元には若木の他にスズラン、アネモネなどが生い茂っている。足を踏みしめるごとに、苔むした地面からは土と緑の匂いが立ちのぼる。鬱蒼とした木々の先は何も見えないが、その向こうにあるのは魔女の家であろうか？

ドイツに森は数あれど、ここ、ハイニヒ国立公園には特別な森——メルヘンの主人公が見たのと同じ姿をした森がある。中部ドイツの有名なヴァルトブルク城のあるアイゼナハから、バスが通じているので、本物の森を体験したい人はあわせて訪れることもできる（巻頭地図参照）。

森はドイツ人にとっての原風景であるとはよくいわれる。グリムのメルヘンでは、『白雪姫』『ヘンゼルとグレーテル』『赤ずきん』など、たしかに森が舞台となっているものが多い。そこでは森は、恐ろしい顔と優しい顔をもつものとして描かれる。

あるときは、そこは魔女や野獣が徘徊するおどろおどろしい場所である。森をさまようヘンゼルとグレーテルは人食い魔女に食べられそうになるし、邪悪なオオカミが赤ずきんをつけ狙

ハイニヒの森（筆者撮影）

う。白雪姫が小人＝妖精の家にやってくるくだりから分かるように、森は異界への入り口も意味する。白雪姫の森への逃避行は、異界への旅、冥界への旅でもあった。

しかしまたあるときは、森は恩恵をもたらしてくれる場所である。城から追放された白雪姫は、森で小人たちにかくまわれて成長する。『鉄のハンス』では、少年は森の野人から豪華な甲冑を贈られる。また『マリアの子』のように、不幸に見まわれた少女が王子と出会って幸運を掴むのもまた、森である。

そればかりではない、1本1本の木も、主人公に贈り物をしてくれる。『灰かぶり』（シンデレラのドイツ版）では、母の墓に植えられたハシバミの木が主人公に美しい衣装を与え、『ねずの木』では、木のもつ力が死んで骨となった主人公に命を与えて甦らせる。

こうしたメルヘンの描写は、もともとドイツ人が抱いていた森のイメージに由来する。かつてドイツは森の王国であった。ローマ人がやってくる以前は、国土の3分の2あるいは4分の3が森であったといわれている。

そこに暮らすゲルマン人にとって、現実の森もかなり危険な場所であった。原生林は秩序がおよばないところで、妖精、魔女、盗賊、野獣の類が跋扈《ばっこ》した。しかし同時に、森は人びとの生活になくてはならないものでもあった。ここは木材、炭、飼料、蜂蜜、果実といった貴重な食料や燃料をもたらしてくれる。その意味で森は、恵み深い母なる存在の役割を果たしていた。

だから、古代ローマの歴史家タキトゥス（56～120ごろ）が『ゲルマーニア』で書いているように、ゲルマン人は森に畏敬の念を抱き、神々の住まうところとして神聖視していた。かれらはまた、個々の木も崇拝した。なぜなら、木はその根を地下世界（死者の世界）におろすとともに、枝葉を天空（神々の世界）に伸ばし、その恵みを地上にもたらすものだからである。

もっとも、ドイツの森は今日まで難なく存在してきたわけではない。10世紀ごろまでは広い原生林が残っていたが、ゲルマン人のキリスト教化が進み、さらに戦乱に終止符が打たれると事態が変わる。まずキリスト教会は、古い神々が宿る森の開墾を進めてその根絶を図った。加えて農民たちも、世のなかが安定すると森を切りひらき、畑をつくり、村落を構築した。人口が増えればこれを繰り返したので、それは文字どおり森を蚕食する営みであった。

ハイニヒの森の空中散歩（筆者撮影）

16世紀には、森はドイツの3分の1にまで後退したといわれるが、事態はその後もよくなろうはずがなかった。文明化が進み、産業が発展するなかで木材の需要は高まる一方だったからである。その結果、メルヘンに出てくるような古い森は姿を消し、代わって整然と植林された森が登場した。このような森では、伐採、植林、育成をおこなう区画が決まっているので、ある場所は成長した木が生えそろっているかと思えば、ある場所は若木しかないという具合になりがちである。その結果、現代では原生林の姿をとどめる森は、ドイツ全土の森のうち1%でしかない。

そうならば、稀少価値をもった「かつて存在した原生林を見てみたい」と望む方も多いのではなかろうか。そこでお勧めしたいのが、はじめに紹介したハイニヒの森である。ここはとても珍しいことに、古ドイツ法にしたがって村民が共同で管理し、境界線を引いて分割するということがなかったため、今でも狭い空間に、若木や高木が隣あって成長しているのである。もともとはハイニヒのあたりも、民話の豊かな土地である。たとえば森の近郊にはミュールハウゼンという美しい町があるが、言い伝えによると、その起源は森の野人と深くかかわっているという。

昔、王が森で狩りをしていたとき、1人の小さな野人を捕まえた。王は野人を城に連れ帰ると、穴蔵にとじ込めてしまう。それでも野人は王子の手を借りて逃げることに成功し、感謝していずれ恩に報いることを約束する。

王は、無断で野人を逃がしたことに怒り、王子を放逐してしまう。王子は牧人となり、やがて結婚することになった。だが、この地には皆を苦しめる龍がいた。それは生贄を要求し、運悪く王子の許嫁がこれに選ばれてしまう。そこで王子は森に駆けこんで、野人に助けを求めた。すると野人はかれにりっぱな刀と馬を与え、これによって王子はみごと龍を倒し、晴れて王として帰還する。やがてかれは、自分の土地にミュールハウゼンを建設した。

ハイニヒの森でおもしろいのは、新しく大きな塔と空中歩廊（Baumkronenpfad）が設けられていることである。まるで空を散歩しながら、原始の森を見下ろしているような気分が味わえる。木が神々の世界に達するゆえに敬われたことはすでに述べたが、我々はまさに神々の視点をもつことになる。

また環境意識の高まりを受けて、こうした施設には昔からの森の利用や環境保護の重要性などが書かれたプレートも展示されている。それぞれの植物についての解説もあるので、伝承に登場するオークやトネリコが具体的にどのような姿をしているのかを知ることができる。

もちろん、地に足をつけて散策することも可能だ。近年はノロジカ、ヤマネコ、イノシシ、モリフクロウといった土着の野生動物の保護育成もおこなわれているので、運がよければ、こうした生き物たちにもめぐりあうことができるかもしれない。白雪姫やヘンゼルとグレーテルも見たであろう、その動物たちに。ひょっとしたら小人たちや魔女の幻影にも。伝説に包まれた森と、環境意識に守られた森、その新旧両面を見せてくれるのがハイニヒの森である。


（溝井裕一）

# 10

# ヴァイマルの黄金時代

## ★「アポロン」としてのゲーテ★

２０１０年に30年ぶりにヴァイマルを訪れた。旧東ドイツ時代と比較すれば、町には活気があったが、文化遺産、名所、公園はほとんど変わらず、昔の時代にすぐタイムスリップすることができた。筆者がヴァイマルをはじめて訪れたのは、１９８０年の春から夏にかけての半年間で、美しい季節であった。フリードリヒ・ニーチェ（１８４４〜１９００）が晩年、妹とともに住んでいた家が「ニーチェ・ハウス」と称し、「ヴァイマル古典文学研究所」の記念館兼宿舎にもなっていた。

筆者はここにアドリアーノというイタリア人研究者と管理人の３人で、別々の部屋に暮らしていた。再統一後の現在、確認すると建物は「ニーチェ・アルヒーフ」といい、ニーチェ関係の資料が保存してあり、今はもちろん宿泊などできはしない。

筆者が暮らしていたのは南側の赤じゅうたんの広い部屋であったが、窓から外を見ると大きなカスターニエンが緑の葉を茂らせていた。ここの部屋に、ニーチェに強い関心を抱いていたヒトラーが訪問した記録があるという。それを後で聞いて飛び上がるほどびっくりしたが、筆者が住んでいた部屋にあらわれたヒトラーは、どんなニーチェの影を追想していたのだろうか。

さてドイツ文学の黄金期は、ゲーテ、シラーが活躍した18世紀末から19世紀初頭のヴァイマル古典主義の時代であった。またヴァイマルがドイツ史にクローズアップされるのは、1919年8月11日、この地の「国民劇場」で、ヴァイマル共和国の新憲法を発布したときである。そのゆかりの地ヴァイマルは18世紀後半でも、チューリンゲンの小さな公国で、町は人口約6000人にすぎなかった。この田舎町がドイツだけでなくヨーロッパ文化の中心地になりえたのは、才女アンナ・アマーリア（1739～1807）の功績によるところが大きい。

彼女はプロイセン王フリードリヒ大王（2世：28ページ参照）の妹の娘で、1756年、ヴァイマル公エルンスト・アウグストの公妃としてヴァイマルへ輿入れしてきた。しかしわずか2年後、長男カール・アウグストを出産し、次男を妊娠中に夫は死去してしまった。国政のかじとりを余儀なくされたアマーリアは、長男カール・アウグストの摂政を続け、その間、かれに帝王学をさずけた。

文学・芸術にも造詣が深かったアマーリアは、公国内でサロンを開き、文人たちが集う雰囲気をつくりあげた。まず有名人招聘の第1号は、教養豊かな詩人クリストフ・マルティン・ヴィーラント（1733～1813）であった。アマーリアは1772年にヴィーラントを2人の子どもの教育係に充てた。その後、ゲーテ、ヘルダー、シラーたちを実質的に招聘したのも彼女であった。アマーリアの文芸に対する高い素養、慧眼がヴァイマル古典主義の黄金時代の礎を築いたといっても過言ではない。

さらにアマーリアの功績は、公文書館を創設したことで、ここに85万冊におよぶ図書を収集して

### 有名文人のヴァイマル滞在期間

| ゲーテゆかりの君主など | 有名文人 |
|---|---|
| ヴィルヘルム・エルンスト | クラナッハ（1552～1553） |
| アンナ・アマーリア | バッハ（1708～1717） |
| ↓ | ヴィーラント（1772～1813） |
| カール・アウグスト | ヘルダー（1776～1803） |
| | ゲーテ（1775～1832）→シラー（1799～1805） |
| | リスト（1848～1858、1869～1886） |
| | ニーチェ（1897～1900） |
| | グロピウス（1919～1925） |

あった。筆者もかつてロココ調の印象的な建物のなかを見学したことがあるが、２００５年火災のためこのうち3万点が焼失し、４万点が修復不能になったと聞いた。戦火を潜り抜けた文化遺産であったので、もはや取り返しがつかないことになってしまった。

ここでヴァイマルにかかわった有名文人の一覧を、上の表にまとめておきたい。カッコ内の年号は居住期間を示す。

ヴァイマルの黄金期の中心人物は、いうまでもなくヨハン・ヴォルフガング・ゲーテ（１７４９～１８３２）である。まるでアポロンのように、燦然と輝く存在であったので、ゲーテの力に引き寄せられるように、有名人がヴァイマルへ集まってきた。居住期間を見れば、ゲーテがもっとも長くヴァイマルに居ついたことが分かる。かれは１７７５年に招聘されたが、すでに『若きヴェルテルの悩み』（１７７４）によってヨーロッパ中に作家として知られていた。ゲーテが小国ヴァイマルへやってきたのは、国家の中枢で腕をふるってみたかったという野心がなかったわけではない。事実、10年余りカール・アウグスト公の補佐役の宰相として、行政、鉱山開発などを取り仕切り、実務的な仕事に尽力しているからである。

ゲーテはすでにストラスブール大学留学中、１７７０年に眼病治療に立ち寄ったヨハン・ゴットフリート・ヘルダー（1744〜1803）と近郊のゼーゼンハイムで面識をもっていた。ヘルダーはゲーテの師ともいうべき人物で、若きゲーテの文学や自然観に大きな影響を与えた。かれも1776年にヴァイマルに招聘されるが、役職は宗務管区の総監督ということであった。

やがてゲーテは、宮廷でシュタイン夫人との恋愛をめぐって貴族との軋轢もあり、1786年9月、逃れるようにイタリアへ出奔した。南国イタリアの芸術鑑賞を通じて生まれ変わったゲーテは、感情と理性を統一する古典主義に目覚めるのである。その後ヴァイマルへ帰ったかれは、創作に力を注ぎながら「国民劇場」を創設し、劇場運営にも尽力した。やがてフリードリヒ・シラー（1759〜1805）も、ゲーテの推挙でヴァイマルへ迎えられた。劇場前の広場には、有名なゲーテとシラーの銅像が立ち、現在でも観光のスポットになっている。

国民劇場前のゲーテ・シラー像

ヴァイマルへ来れば、誰しもゲーテとシラーがどのようなところに住んでいたのか、自分の目で確かめたい方も多かろう。ゲーテハウスは大邸宅で、博物館が併設されているが、文人たちがゲーテ詣をした部屋、ゲーテが集めた鉱物資料、「もっと光を」といって息を引きとった最後の部屋がそのまま残されている。ゲーテハウスからシラーの比較的質素な家までは200mしか離れておらず、目と鼻の先にある。それでいてイェーナ時代を含むが、1794年からシラーの死ま

メーリアンの地図に描かれた17世紀のヴァイマル

で続いた往復書簡が１０００通以上残っている。使者が運んでいたというが、異常なほど多い往復書簡が両者の固い友情を物語るものである。

　この時代に、ゲーテの『ヴィルヘルム・マイスターの修業時代』（１７９６）、シラーの『オルレアンの乙女』（１８０１）、『ヴィルヘルム・テル』（１８０４）などが完成した。これが世にいうヴァイマル古典主義文学の黄金期である。両者の友情は比較的短期間であったけれども、１８０５年のシラーの死まで続いた。２人の名声によってヴァイマルは、ヨーロッパの文化の中心地とまでいわれるようになる。現在、ゲーテとシラーは隣同士でヴァイマルの大公廟の棺に納められている。

　ヴァイマルはドイツ文学のメッカとなったので、後世に名を残す人びとがゲーテを詣でるようになった。ジャン・パウル、ノヴァーリス、ハインリヒ・フォン・クライスト、ベッティーナ・フォン・アルニム、アンデルセンらがヴァイマルに惹きつけられた。27歳であった若きハイネも、１８２４年にゲーテに面会を求めにやってきて、当時75歳のゲーテに会うが、格の違いによって冷遇されたという。

　ヴァイマルは文学だけでなく、音楽ともゆかりがある。音楽家バッハもオルガニスト兼宮廷楽士としてヴァイマルに招聘される。ここで約9年活動し、その後、処遇をめぐって確執が生まれたので、ケーテンへ移っていく。

音楽家のフランツ・リスト（1811〜86）も同様に、1848年から58年までヴァイマルの宮廷楽長の職に就き、約10年間ここで務めた。そしてゲーテが創設した「国民劇場」で指揮をとり、1850年にワーグナーの『ローエングリーン』を初演している。その後もかれはヴァイマルを根城にヨーロッパで活躍した。ヴァイマルにはリストの家も残っており、ここにはかれが使っていたピアノや楽譜などが保存されている。とりわけ印象的なのはリストの石膏型の手である。見るとやたら指が長く、ピアノ演奏の名手という伝説を髣髴とさせる。

知る人ぞ知るホテル・エレファントは、中心街のマルクトに面しているが、もっとも高級なホテルである。ここに名だたる音楽家、文学者、たとえばメンデルスゾーン、トルストイ、ワーグナー、トーマス・マンが宿泊したことで知られる。マンの『ヴァイマルのロッテ』は、エレファントが舞台となり、物語が展開される。ヴァイマルは小さな町でありながら、文学者や音楽家の相関図が網目のように広がっているのである。

（浜本隆志）

# 11

# バイロイト祝祭劇場

## ★「緑の丘」の壮大な実験工房★

２０１０年３月21日、バイロイト祝祭劇場第６代当主のヴォルフガング・ワーグナーが亡くなった。享年90歳であった。ワーグナー家は代々祝祭劇場を受け継いできたが、１９５１年の戦後の祝祭劇場の再開からヴォルフガングは兄ヴィーラントを助け、劇場を60年近く運営してきた。１９６６年、ヴィーラントが49歳の若さで亡くなってからは、ヴォルフガングは２００８年に引退するまで音楽祭の総裁の任にあった。

今日、ワーグナーの舞台作品は、クラシック音楽の宝庫のようなドイツにあっては、バイロイト以外でもドイツ国内の歌劇場で取り上げられている。ドイツ国外の著名な歌劇場でも数多く上演されているにもかかわらず、ドイツ近現代史とともに歩いてきたバイロイト祝祭劇場は、ワグネリアン（ワーグナー熱愛者）のメッカであり続けている。

それはリヒャルト・ワーグナーが創設した劇場というだけではなく、その上演が時に絶賛され、また時にきびしく批判されながらもつねに変貌し、進化し続ける新しい芸術創造の場であるからだ。その意味で「バイロイト」は、よくも悪くも唯一無二の存在で、ワグネリアンであれば、一度は本場での体験をしてみたい思いに駆《か》られるのももっともなことだろう。

　バイロイト郊外の「緑の丘」に建つ祝祭劇場は木造の質素なもので、ミラノやウィーン、パリなどの贅《ぜい》を尽くした絢爛豪華《けんらんごうか》なオペラハウスに比べて見劣りがする。きらびやかなシャンデリアや回廊もない。座席といっても座り心地が悪く、座布団を持参しなければならないほど硬い。ところが音響効果となると抜群によく、その秘密はワーグナー自身が考案したオーケストラ・ピットの構造にある。

　この劇場のオーケストラ・ピットは、通常の歌劇場の構造とは異なり、客席からは指揮者の姿も楽団員の演奏姿もまったく見ることができない。したがって演奏の開始は、場内の灯りが落ちてきたときが合図となる。また開演15分前には入場し、こころの準備をしなければならない。途中入場は御法度で扉には鍵がかけられる。

バイロイト祝祭劇場

　劇場の構造だが指揮者の頭上は黒い木製の壁で覆われていて、オーケストラ・ピット側に向かって湾曲している。オーケストラ・ピットの床は、指揮台の位置から舞台下へと下降しているので、弦楽器の音と木管・金管楽器の音が混ざり合い、まるで音の洪水が地底から沸き上がってくるかのような、独特の音響を生んでいる。さらに、オーケストラの音はその壁のために直接には客席には届かず、舞台に向かい歌手の声と一体化し、舞台から聴衆の耳へと伝わる。そのため歌手の声がオーケストラの音にかき消されることがな

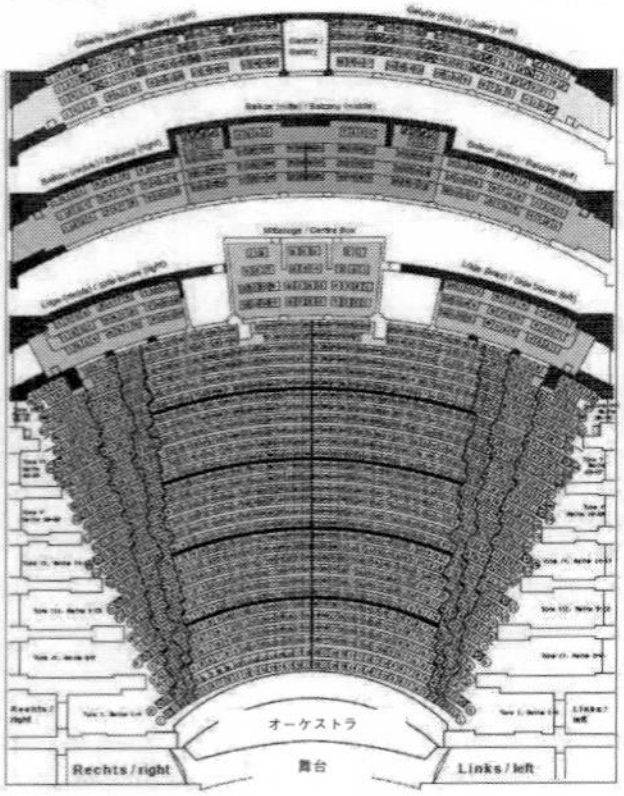


劇場内の平面図

く、ドイツ語の特徴である摩擦音や破裂音などの有声子音や変母音などが、明瞭に聞きとれる。

指揮者とオーケストラを完全に隠すことによって、聴衆は舞台に目と耳を集中できる。それはまさに作曲家ワーグナーが意図したことであった。脳裏から指揮者や演奏家の存在がいつしか消されることで、舞台と音響に全神経が注がれる。聴衆は日常から切り離された時間をただワーグナーの音楽に摑《つか》まれ、引きずりまわされ、陶酔と官能の世界へと誘われる。ワーグナーの音楽は時として媚薬《びやく》のごとく官能を刺激するがゆえに、「狂気な」ものともなりうるので、理性を働かせるとともに一定の距離を置いて対峙《たいじ》すべきであろう。

４部からなる未曽有の超大作、楽劇『ニーベルングの指環』の理想的な上演を意図し、バイエルン北方の小都市バイロイトに建設されたバイロイト祝祭劇場は、19歳の若さでバイエルン王国の国王となったルートヴィヒ2世の資金援助によって実現することとなった。

１８７６年夏、祝祭劇場の柿落《こけらおと》しではハンス・リヒターの指揮で『ニーベルングの指環』４部作が上演された。第2回は、6年後の１８８２年で、ワーグナーがこの劇場の構造、音響などを考慮して作曲した舞台神聖祝祭劇『パルジファル』が初演された。ワーグナーの生前に開催された音楽祭は、この2回のみだったが、以後、音楽祭の運営は妻のコジマ（リストの娘）が１９０６年まで、そして息子のジークフリート（1906年から30年まで）、さらにはその妻のヴィニフレート（1931年から44年まで）が務めた。

ゲルマン神話に題材を求めたかれの大がかりな楽劇は、ナショナリズムを高揚させ、後のヒトラーに多大の影響を与えた。また息子ジークフリートの妻、ヴィニフレートは反ユダヤ主義思想に傾倒し、ヒトラーと親交を結んだことでバイロイトに悲劇をもたらした。時代とともに生きてきたバイロイトだが、ドイツ民族精神と独裁政権とが手を結んだとき、ドイツの不幸がはじまったのである。

バイロイトの戦後史は、重い鎖を背負っての再出発だったが、それは反ユダヤ主義とナチズムの呪縛から離脱する戦いであった。演出家として秀でた才能を発揮したヴィーラントは、いわゆる「新バイロイト様式」という革新的な舞台を創造した。演技は極端に簡素化され、舞台装置は一掃され象徴劇としての楽劇を現代に甦らせた。

さて1979年春、ヴォルフガング・ワーグナー夫妻が来日した折、筆者は夫妻とバイロイト祝祭劇場の事務局長で舞台演出研究家のオズワルト・バウアー博士の通訳と観光案内をかね、京都見物に同行した。国宝級の人物のお世話をするという大役に身が竦《すく》んだが、ワーグナー氏は思いの他気さくで好々爺《こうこうや》という印象だった。ユーモアのセンスももちあわせていて緊張感もなく、楽しい一日を過ごさせてもらった。

下馬評《げばひょう》にあるごとく、ヴォルフガング演出は保守的で伝統回帰の凡庸な解釈だという批評があるが、筆者は70年代、80年代の氏による『ニュルンベルクのマイスタージンガー』を今もこよなく愛している。とりわけ名バリトン歌手のヘルマン・プライ（1929～98）の演じる町の書記官ベックメッサーの演技が魅力的で、男の色気を感じさせるとともに、舞台上に再現されたニュルンベルクの町が何ともいえぬほど美しい。氏の演出は安心して観ていられるので音楽に集中できる。

氏が亡くなった後のバイロイト運営は、祝祭劇場を一部の熱狂的ワグネリアンの手から幅広い大衆のものへと解放することになった。2011年からは音楽祭の衛星放送の生中継もはじまり、また子どもたちのための『指環』上演も企画され、未来のファン層の獲得にも意欲を見せているので、今後が注目される。2013年はリヒャルト・ワーグナーの生誕200周年にあたり、『指環』の新演出が試みられたが、バイロイト祝祭劇場は「停滞はすなわち退歩」という旗印のもと、時代とともに歩み、創造的破壊を繰り返してきた。

バイロイト音楽祭は年に一度、7月下旬から8月下旬にかけて5週間、ワーグナーの『ニーベルングの指環』4部作と『パルジファル』を含む5～7作品が上演されるのが原則だが、『指環』が上演されない年もある。チケットの入手はバイロイトの会員になっても、8～10年待ちと、宝くじにあたるほど困難である。

2007年には、ヴォルフガングの娘カタリーナが演出家としてバイロイトにデビューした。彼女は、バイロイトでも数々の演出を手がけた演劇界の巨匠ハリー・クップファー（1935～2019）のもとで研鑽を積んだが、バイロイトでは『ニュルンベルクのマイスタージンガー』の思い切った「読み替え」をおこない、この作品から反ユダヤ主義的要素やドイツ民族精神の優越性を取り去った。この演出に対しては論争を呼び、メディアや聴衆から拒否反応も起こったが、カタリーナはその後も、次々と内外の前衛的あるいは革新的な演出家を招いて、バイロイトに新しい風を吹き込んでいる。

次いで2017年には、奇想天外な演出で知られるユダヤ系オーストラリア人の演出家、バリー・コスキーによる同作品の衝撃的な演出で、音楽界を驚かせた。第三帝国の歴史と深い結びつきのあるニュルンベルクであるが、第3幕ではナチスの戦犯を裁いた「ニュルンベルク裁判」の法廷が舞台上に再現され、緊張感のある重い作品づくりとなった。

今日、指揮者も歌手もバイロイトの舞台に立つということは、国際的に認められたことを意味する。数年ごとに変わる新演出による上演は、つねに賛否両論を巻き起こし、社会現象の様相を呈しているといえる。

（髙橋　憲）

# 12

# ベートーヴェンの「第9交響曲」とシラーの詩

## ★人類の理想を求めて★

2001年に、ベルリン国立図書館が所蔵するベートーヴェンの「交響曲第9番合唱付き」の草稿が、ユネスコ（国連教育科学文化機関）の世界遺産に登録されたが、まさしく「第9」は人類が生み出した文化芸術の最高遺産の1つといえるだろう。

ドイツ本国をさておいて、日本のクラシック音楽の愛好家たちは、モーツァルトと並んでベートーヴェンの音楽をこよなく愛する世界有数の民族だが、「第9」の聞き方には日本人独特のものがある。ベートーヴェンの「第9交響曲」（作品125、1824年5月7日、作曲家自身の指揮により、ウィーン・ケルントナートーア劇場で初演）と日本とのかかわりは第一次世界大戦の時代にまで遡る。

「第9」を日本ではじめて演奏したのは、徳島県の坂東俘虜収容所の捕虜となったドイツ兵音楽家だった。記録によればその日は1918年6月1日、戦争が終結する直前のことである。このエピソードは映画『バルトの楽園』で描かれているが、詳細については、58章の「敗者の矜持——第一次世界大戦時の日本とドイツ」（335ページ）を参照されたい。

さて、この「第9」の演奏会だが、今では年末の恒例行事と化しているが、本場ヨーロッパではこのような習慣は、以前にはなかったのではないか。おそらく昭和30年代の高度経済成長期のころ、ようやく日本にも海外からの一流のオーケストラや音楽家が来演するようになってからのことだが、年の瀬には「第9」を演奏するのが一般化したようだ。おもしろいことに、今では本場ヨーロッパでもこれを「逆輸入」し、ベルリンでもウィーンでも年末の行事となっている。

「第9」が年末に演奏されるようになった理由は、日本における音楽家のきびしい経済状態が影響している。行政からの財政的な援助を期待できない日本のオーケストラは、団員を通じてチケットを販売するのがつねであるから、通常のオーケストラに合唱団が加われば興行としても成功が約束されたのも同然であった。何かともの入りの年末に、ふところ具合の芳しくない音楽家が収入を当てにするのも無理はない。他には、「第9」の演奏には1時間以上もかかる大作ではあるが、合唱部分は最終楽章の20分程度で、少し練習すれば誰にでも歌える比較的簡単な曲なので、アマチュア合唱団にも受け入れられたことが挙げられる。

たしかに「第9」には、人類愛を高らかに歌った祝祭的雰囲気を備えており、1年を締めくくるにはふさわしい曲だと思う。よく知られているように、「第9」の第4楽章の合唱はフリードリヒ・シラーの「歓喜に寄す」の原詩に依拠しているが、冒頭のバリトンで歌われる部分（O Freunde, nicht diese Töne! Sondern laßt uns angenehmere anstimmen und freudenvollere. おお友よ、このような調べではなく！ もっとこころよい歓喜に満ちた調べに、ともに声を合わせようではないか）は、ベートーヴェン自身が書き加えたものである。フランス革命の数年前につくられたこの詩をベートーヴェンは40年近くも

ベートーヴェン

温め、これを合唱テキストに用いて作曲した。この曲が宗教心の希薄な日本人のこころをも動かす理由は、キリスト教を超えて生きることの苦しみと歓びを極限まで歌い上げた作品だからだ。

人生の大半を愛なしに生き、感受性があまりにも強すぎることで人間嫌い、変人との扱いを受け、さらには失恋や耳の疾患を抱え、生涯独身を通したベートーヴェンにとって、芸術に身を捧げることのみが幸福を味わう唯一の道だったといえる。わたしたち後世の人間は、かれの不幸や人生の試練が芸術の根源となったのであれば、そのことを芸術の神に感謝すべきではないだろうか。

今日、「楽聖」という名を冠せられるベートーヴェンは、「音楽の革命家」とも呼ばれており、音楽というジャンルに思想・哲学をもちこんだ最初の人物だが、人生の大きな逆境に音楽芸術によって打ち勝った人間だ。モーツァルトの音楽は万人にただちに理解され受け入れられるが、ベートーヴェンの作品を理解するには優れた頭脳と感受性、さらには人生の経験、年輪が必要とされる。聴き手が未熟であればベートーヴェンの音楽はこころを素通りしてしまう。

「第９」の名演については、ヴィルヘルム・フルトヴェングラー（１８８６～１９５４）がバイロイトの祝祭劇場の開幕に際しておこなったライブ録音を挙げたいと思う。この名盤との出会いは筆者の高校生の時分であるが、フルトヴェングラーの演奏は１９５１年、バイロイト音楽祭が戦後、再開されたときの記念すべき記録である。戦前から戦後にかけて、ベルリン・フィルハーモニー管弦楽団の常任指揮者を務めたフルトヴェングラーの白熱の歴史的名演で、今日の音楽商業主義とは一線を画する演奏とはっきりいえる。頑固なまでにドイツの伝統を守る姿勢は、音楽の本質とは何か、という問いをわたしたちに投げかけている。

もっとも、フルトヴェングラーの演奏解釈に対しては、あまりにも主観的かつ恣意的であり、原典としての楽譜から逸脱しているとの指摘が一部にあることはまぎれもない事実だが、音符をただ音に変えるだけの何の深みもない演奏とは比べるべくもない感銘を聴く者に与えるのだ。フルトヴェングラーは何人にもまねることのできない伝説的な名指揮者であった、といえるのではないだろうか。かれの手により、ベートーヴェンの芸術が再創造されることの喜びが、半世紀以上をへた今日でも、新鮮な感動をもって伝わってくる。

筆者にとってベートーヴェンの音楽に抱かれる時間は非日常の至福のときだ。ただ耳にこころよく響くだけの大衆に迎合した「消化」のよい音楽ばかりが巷に氾濫している今日において、「音楽とは体験である」という実感がこの演奏を通じてこころに響く。

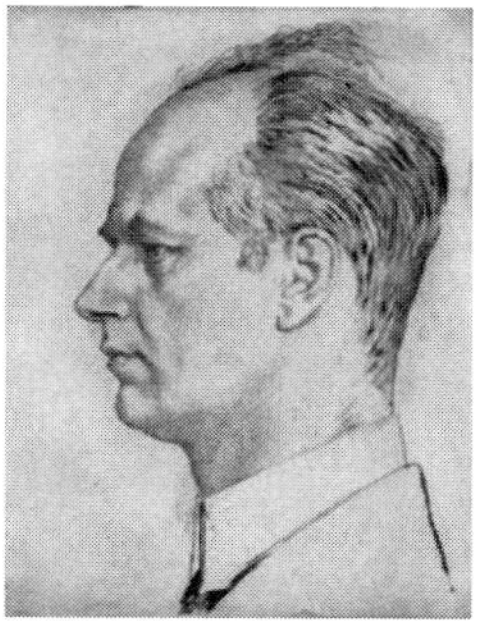
フルトヴェングラー

筆者がかつて学んだ町、ハイデルベルクの郊外にある、ベルク墓地には戦後、西ドイツの初代大統領を務めたテオドール・ホイスの墓とともに、フルトヴェングラーの墓がある。かれはハイデルベルク大学から名誉音楽博士号を授与されているのだ。

墓石には新約聖書の「コリント人への第一の手紙」第13章13節の次のような言葉が刻まれている。——「こういうわけで、いつまでも残るものは信仰と希望と愛です。そのなかで一番優れているのは愛です」(Nun aber bleibt Glaube, Hoffnung, Liebe, diese drei; aber die Liebe ist die Größte unter ihnen.)。旧市街への入り口のビスマルク広場からローアバッハ通りを北へ10～15分程歩いたところに墓地の通用門がある。没後70年近く経った今日でも、フルトヴェングラーのお墓詣をするオールドファンがいる。

(髙橋　憲)

# 13

# ドイツリートの魅力

## ★詩と音楽の至福の融合★

ドイツリートといえば、わたしたちが何よりもまず思い浮かべるのは、フランツ・シューベルト（1797〜1828）の三大歌曲集（「冬の旅」「美しき水車小屋の娘」「白鳥の歌」）やハイネの詩によるローベルト・シューマン（1810〜56）作曲の「詩人の恋」「リーダークライス」（アイヒェンドルフの詩による作品もある）、さらにはフーゴ・ヴォルフ作曲の「ゲーテ歌曲集」「イタリア歌曲集」「アイヒェンドルフ歌曲集」などであろう。

ドイツリートは、19世紀のロマン主義全盛期に生まれた音楽と詩の類を見ないほどみごとに融和した芸術である。リートの作曲家はその題材を「疾風怒涛」からロマン主義にかけての詩に求めている。ロマン主義はドイツ人の現実世界への幻滅と絶望感、メランコリックな内省的姿勢が気候・風土とあいまって生まれたものと思われる。

ただしゲーテはロマン主義の本質を、自我の世界に沈潜し神話や伝説の世界を賛美するその姿勢を病的なるものと定義している。また、トーマス・マンはその著書『ドイツとドイツ人』のなかで「ロマン主義の本質は疑惑であり、それも死への誘惑であることは否定できない」と指摘している（123ページ参照）。

むしろこのような病的で、影のネガティヴな部分がロマン主義の魅力であり、奥の深さというところか。

シューベルトはシラーやゲーテの詩から音楽的啓示を受け、歌曲の創作活動へと向かった。シューベルトは31年という短い人生で600曲以上の歌曲を作曲し、「歌曲の王」と称されている。かれが題材にした詩人は90人を超えるが、なかでもゲーテの作品がもっとも多く、73曲にも上っている。ゲーテという詩人の内面世界の心情と知性が融合され、広がりと深みを備えた詩作への付曲はシューベルトにとって音楽的挑戦であっただろう。

ロマン派のシューマンのリートの世界では、ハイネが核をなしている詩人であるが、その作品は詩的感性が音楽的情感にみごとに反映され、聴く人の精神の浄化を促してくれる。

シューマンの連作歌曲集「詩人の恋」（作品48）は、ハイネの『歌の本』の詩集「叙情的間奏曲」のなかから16編を作曲家みずからが選んで、1つの青春のドラマとして発表したものである。ロマン派の詩には「郷愁」（Heimweh）、「憧憬」（Sehnsucht）などといった胸が熱くなるような言葉が多く用いられている。この2つの言葉はロマン主義の文学や芸術の底流にある概念であるが、日本語に置き換えることが極めて困難な、とてもやっかいなドイツ語である。それは時の流れのなかで人びとが喪失してしまった、もっとも純粋で無垢なころへの魂の回帰を意味する言葉でもある。

ドイツ人の精神構造には自己へのきびしい倫理観が存在し、たとえば「愛」というものが主題であっても、それが「無垢なるもの」への精神の昇華をともなうものでなければ、愛の価値はなくなってしまう。詩や音楽における美しい魂と精神の高貴さは、ドイツ人にとって「ドイツ的なるもの」の拠り所であり、それゆえ過去から現在、そして未来へと時を超えて永遠の生命の輝きをもち続けているのである。

ドイツリートの世界では、声の美しさや技巧だけがいかに優れていても、「こころ」がなければ曲のもつメッセージは伝わらない。歌手の人格、教養のすべてがあらわになるリートの世界では、「こころ」を伝えるためには何よりパーソナリティの魅力が大切で、人生観や精神のあり方が歌に投影されるのである。なかでも戦後のドイツリートの世界で、巨人的存在のディートリヒ・フィッシャー＝ディースカウ（1925～2012）の名を第一に挙げなければならない。

フィッシャー＝ディースカウは、ドイツリートを国際的にしただけでなく、シューベルトの三大歌曲集の録音を数度おこない、またシューベルトの歌曲の全曲録音という前人未踏の偉業を達成している（後にはヘルマン・プライが全曲録音をおこなっている）。およそドイツ・リートに限らず、テクニックの正確さと表現力の豊かさ、さらにはバッハやハイドンの宗教曲からオペラ、そして現代曲まで、レパートリーの広さでは他者を圧倒している。

フィッシャー＝ディースカウ

1975年3月から4月にかけて、フィッシャー＝ディースカウはドイツ各地16カ所をめぐる「アイヒェンドルフの詩による歌曲の夕べ」と題する公演をおこなった。筆者は留学先のハイデルベルクと隣町カールスルーエで2回、同一プログラムの公演を聴いたが、メンデルスゾーン、シューマン、ヴォルフなどの作品とともに、聴く機会の少ないプフィッツナーなどの現代作曲家の作品もいくつか取り上げられていた。

50歳を迎えた全盛期のフィッシャー＝ディースカウの完璧な歌唱力とドラマティックな表現、そして何よりも明晰《めいせき》なドイツ語の発声――どの曲も1つの小宇宙を物語っており、他者の追随を許さない20世紀最高のバリトン歌手の舞台に圧倒され、その感動を何とか伝えたく楽屋をたずねた筆者に氏はこころよく応じてくれた。

ちょうど前年の1974年、シューマンの歌曲集による日本公演を終えたばかりでタイミングもよかったのかもしれない。その長身と堂々たる体格とは裏はらに、童顔に笑みを浮かべ小声で穏やかに話かける姿勢にヒューマンな好感を覚えた。その後もドイツを訪れるたびに、何度か氏のリーダー・アーベント（ドイツ歌曲の夕べ）に接することができたことを至福の喜びとしたい。

2012年5月18日、フィッシャー＝ディースカウがミュンヘン郊外の自宅で他界したとの報せを報道で知った。享年86歳であった。つねにドイツ歌曲の規範であり続けたフィッシャー＝ディースカウの死は、ドイツ音楽界の至宝を失ったことであり、不世出《ふせいしゅつ》の天才の死を悼《いた》むとともに、戦後の音楽史を物語る1つの時代の終焉《しゅうえん》を告げることとなった。

筆者のドイツリート体験のなかでもっとも印象に残っているのは、ドイツ留学中の1975年の5月、名バリトン歌手ヘルマン・プライのリーダー・アーベントが独仏国境に近いストラスブールで催されたときの出来事である。プライは若々しいリリカルな歌唱で絶大な人気を得ていた。

モーツァルトの『フィガロの結婚』やロッシーニの『セビリヤの理髪師』のフィガロ役やワーグ

ナーの『ニュルンベルクのマイスタージンガー』のベックメッサー役などで、オペラ歌手として人気の高かったかれは、そのときシューベルトの『美しき水車小屋の娘』を歌ったのだが、前半の数曲目の途中で感情が高ぶったのか、歌えなくなり、再登場したにもかかわらずリーダー・アーベントは中止となってしまった。

期待に胸を高鳴らせてフォルクスワーゲンを走らせ、駆けつけたわたしたち留学仲間3人はがっかりしたが、それでも何か言葉にあらわせないような満足感に満たされていた。それは、今にして思うに、プライの人間的な温かさや誠実さと音楽へのひたむきな姿勢が聴衆に伝わったからであろう。

ドイツリートは歌い手に極度の緊張感をもたらすことから、成功と失敗の落差の大きい芸術家にとってリスクがともなう芸術活動であるが、それゆえ、聴衆には尋常ではない日常性を超越した芸術の世界への憧れが募るのであろう。ドイツ・ロマン主義のもつ陰翳が歌曲というジャンルに融け合い、芸術性をより崇高なものへと誘うのである。ゲーテのいうように、ロマン主義が「健康的なもの」とはほど遠い前近代的で、「病的なもの」ではあっても、ドイツ人の内面世界や心情を理解する大きな手がかりになることは間違いない。

（髙橋　憲）

## コラム2

## クリスマス・マーケットとクリスマスの風景

金城ハウプトマン朱美

ドイツの10月、11月は雨の日が多く、菩提樹やオークは葉を落としてうすら寒くなる。10月最後の日曜日に夏時間が終了し、時計を冬時間へ遅らせると、1時間得をしたような気分になるが、夕方4時半には日が沈み、あたりが暗くなっていく。日の出も7時ごろと、夫と子どもを学校に送り出すときには、まだ夜がじゅうぶん明けていない。

11月になると、もう午後3時ごろから夕暮れがはじまるので、部屋の電気をつける必要がある。曇りの日が多く、自然光が入ってきても、部屋のなかは薄暗い。1人で何もしないでいると、なんだか気持ちまでも滅入ってしまう。この時期にドイツで鬱病にかかる人が通常より多い。これを「11月鬱」（Novemberdepression）「冬季鬱病」（Winterdepression）と呼び、雑誌やテレビ番組では11月鬱にならないように、予防法が紹介されたりするほどである。

そんな沈んだ気分を忘れさせ、こころにも灯りを点してくれるのが、11月の末、死者慰霊日の後から、ドイツ中ではじまるクリスマス・マーケットだ。もともとは15世紀の終わりごろから、商人たちが商品展示会を開いたのがルーツである。アーヘンやニュルンベルク、ドレスデンなどの商業都市から広がり、今日の大々的なクリスマス・マーケットへと発展していったという。

マーケットには、レープクーヘンや炒りアーモンド、赤ワインに香辛料をミックスした温かいグリューワインなどの独特の香りが、小屋のかたちをした屋台から漂ってくる。会社勤めの人はアフターファイブに、学生たちは大学の授業の後に、ネオンがきらめくクリスマス・マーケットに集う。その市の独特の雰囲気に惹かれるように、人びとは思い思いに屋台めぐりをする。スタンドで肩を寄せ合い寒いなか、温かい飲み物を飲むと、自然と人びとの表情も、そしてこころも明るくなってくる。

ドレスデンのクリスマス・マーケットにて　レープクーヘンの店（筆者撮影）

　クリスマスの12月25日の4週間前の日曜日から、待降節（アドヴェント）というクリスマスの準備期間がはじまる。日曜ごとにモミの木でできたリース、アドヴェント・クランツに立てられた4本のロウソクに1本ずつ火を点し、クリスマスが来るのを待つ。1839年に、ハンブルクの牧師ヨーハン・ヒンリヒ・ヴィヒェルンが、かれの青少年救済施設で暮らしていた子どもたちのために、馬車の車輪の上にクリスマスまでの日数分のロウソクを立て、毎日火を点していったのが、アドヴェント・クランツのはじまりといわれている。プレッツヒェンと呼ばれるクッキーやクリスマスのケーキ菓子、シュトレンを焼くのもこの時期である。

　アドヴェント・クランツの他にアドヴェント・カレンダーという24の扉がついたカレンダーがある。もともとは扉の後ろに聖書の一節が書かれていたが、今日ではチョコレートやおもちゃが入っていて、子どもたちは毎日、12月1日から24日まで、その扉を1つずつ開け、カウントダウンしながらクリストキント（サンタクロース）がくるのを首を長くして待つ。

一方、大人たちは週末、プレゼント探しで日が暮れてしまい、とくにドイツの主婦はこの時期が一番忙しい。平均して1人あたりプレゼントに約240ユーロ（3万3600円）、クリスマス料理には一世帯あたり約300ユーロ（4万2000円）支出するという統計結果が出ている。借り入れをしてまでもクリスマスプレゼントを購入する人がいるぐらいで、1年に1回、ドイツ人の購買欲が最高に達するのである。日本だとお年玉やお年賀、お節料理の出費に相当すると考えると分かりやすいであろう。

さて、クリスマスイブには昼の2時には商店は閉店し、5時ごろから公共交通も一時ストップするので、家族といっしょに過ごせる。家庭によってクリスマスイブの夕食が決まってて、我が家は毎年、ビネガーベースのジャガイモサラダとフランクフルトソーセージという質素な夕食である。なかにはフォンデューなどふだん食卓に上らない、家族でいっしょにテーブルを囲んでゆっくり食事をする料理を定番としている家庭もある。クリスマスイブの夕食、25日と26日のクリスマスに家族や親戚が集合して食べるクリスマス料理のご馳走、これらの日には毎年同じ料理を食べる家庭が多い。このことから、ドイツ人が同じことの単調な繰り返しを好み、その単調さゆえに安心感を覚え、また家族との思い出を共有し大事にしていることが分かる。

教会訪問に関しても同じことがいえる。ふだん教会へ足を運ばない人も、イブの夜や25日のクリスマスのミサには出かける人も多い。わたしも一度いってみたが、教会内は超満員で、暖房の効いていない建物のなかに2時間も立っておられず、せいぜい30分が限界であった。何か新しいことを家庭で習慣化させることのむずかしさと、既存の習慣に慣れることのむずかしさをこの時期に身をもって体験するのである。

# III

# 魅惑のドイツ製品
## ――マイスター・ブランド

# 14

# 自動車づくりのポリシー

★ベンツ、フォルクスワーゲン、ポルシェ★

第二次世界大戦後、モノに飢えていた多くの日本人にとって、ドイツ製品は憧れの対象であった。「メイド・イン・ジャーマニー」は信頼性が厚く、メルセデス・ベンツやBMW、ポルシェなどのドイツ製の自動車、ゾーリンゲンの刃物や食器類、モンブランの万年筆、ファーバー・カステル社の文房具など枚挙にいとまがない。当時からドイツ製品に対する絶大な信頼性があったのは事実である。

技術大国ドイツを代表する産業といえばやはり自動車産業で、ドイツ文化の代名詞ともいわれている。世界で最初に自動車を発明したゴットリープ・ダイムラー（1834～1900）が小型単気筒エンジンを二輪車に取りつけて走らせたのが1885年、その後、今日の四輪自動車をつくったのがカール・ベンツ（1844～1929）である。2人はそれぞれ別の会社を運営していたが、1926年ベンツ社とダイムラー社は合併し、現在はダイムラー社という名称になっている。

自動車づくりはドイツ社会と深いかかわりがあった。かつてドイツは階層社会であり、近代においても上流階級と下層階級という身分は、はっきりと区分されていた。そのドイツ社会は、車の製造のポリシーにも反映し、まず上流階級用にはメルセデス・ベンツがつくられた。自動車はもともと馬車から発達したが、これは高価な車両だけでなく、ウマを養い、御者を雇うという、想像以上に経費がかかった。それを賄えるものだけしか馬車を所有することができなかったので、王侯貴族や金持ちの専用物であった。馬車を車として代替したのが、メルセデス・ベンツであったのだ。

あの有名な星型のマークは、ステータス・シンボルにもなっており、名車メルセデスのオーナーになることは、一昔前までは憧れでもあった。今日、状況は多少なりとも変化したが、高級車としてのイメージは今なお健在である。

フォルクスワーゲン

次に一般庶民用としては、かつての初代フォルクスワーゲンが構想された。国民車という名称がそれを裏づけている。第三帝国の時代、ヒトラーの命によりフェルディナント・ポルシェ（1875～1951）が大衆の広範な利用を目的に開発したこの車の歴史は知られている。スタイルは斬新であったが、実用性を重視したので、車の部品も必要最小限度にそぎ落とし、低コストを実現させた。

フォルクスワーゲンはいわゆる「かぶと虫」（Käfer）という愛称で知られ、モデルチェンジを30年近くもおこなわなかった。戦後、一車種生産において2100万台の世界記録を樹立したが、流行を追わず質実剛健をモットーにし、いわゆるドイツ精神を主張した車であった。フォルクスワーゲンは、第二次世界大戦後の高度経済成長期の文字どおり牽引車となって、ドイツの復活に貢献したといえよう。

そのフォルクスワーゲン社が2015年9月、ディーゼルエンジン車の排ガス規制逃れの不正をおこなったことが発覚し、ドイツ社会を揺るがす事態を招くことになった。排ガス試験に際して、ディーゼル車に不正ソフトを搭載し、排ガス浄化装置を作動させていたのである。今回の事件は、同社が世界制覇を掲げた強引な拡大路線と無縁ではないようだ。フォルクスワーゲン社への信頼の失墜は販売不振につながり、雇用への影響も出てきている。自動車産業はドイツの基幹産業であり、戦後ドイツ（旧西ドイツ）経済復興の象徴であった。それゆえ責任感が強く、法令を遵守するドイツ人、というイメージが揺らいでいる。

ポルシェ

さて、もう1つの自動車の区分はスポーツタイプである。これもドイツのアウトバーンが生み出したものである。かつて速度無制限で無料のアウトバーンを縦横無尽に走ることができたので、スポーツタイプの車への関心が高まっていった。ポルシェはそのニーズに応えるべく、世界のカーマニアを魅了したスポーツカー「ポルシェ」を開発した。これは車を使用目的に合わせてつくろうという、確固としたポリシーにもとづくものであった。

ドイツ人は日常生活において質素である。無駄を省いて合理的に生きており、それは車づくりに活かされている。経済的なディーゼル乗用車もそうだが、リサイクルにもっともあらわれる。日本の若者には同じドイツ車でもBMWの方に人気があるが、BMW社では環境に配慮して廃車の部品の再利用を積極的におこなっている。

熟練工が再利用可能部品の1つひとつを丁寧に研磨し、新しい生命を与えるのである。シートも本体はそのまま利用され新しいカバーが取りつけられる。何と新車の部品のおよそ30％が再利用されたもので、重量比では80％のリサイクル率が達成されているとのことである。

日本人にはこのようにして製造された車が「新車」としてユーザーに受け入れられるか少々疑問といわざるを得ない。新車の搬入の際のわずかなキズでも日本人には受け入れられず、再度塗装にかけられることもあるそうだ。日本人の潔癖ともいえる新品意識にも問題があるが、ドイツ人が自動車産業のマイスターたちへ寄せる信頼度も再利用を促す背景にあるものと思われる。

ダイムラー（旧ダイムラー・ベンツ）社も積極的に環境対策に取り組んでおり、同社内部に環境部門を設け、解体からリサイクル処理に至るまでのマニュアルを確立している。同社ではすでに設計の段階から解体のことを考慮し、リサイクルの困難なプラスチックやプラスチック混合材の使用を控えるなど、材質や構造上の配慮がじゅうぶんなされている。同社のユーザー用パンフレットには、環境対策への姿勢が数ページにわたって長々と述べられており、ドイツでは「環境」と「安全」がセールスポイントとなっていることが分かる。

ドイツ人の「モノづくり」に対する考え方は、安全性にもっとも色濃く反映されている。一般的にいって、日本の車と比べるとドイツ車は頑丈で、安全対策に格別の配慮がなされていることは衆目の一致するところである。日本でも後部座席を含めたシートベルトの着用が義務化されているが、ドイツはその着用率が世界でもトップであるという。かれらは、交通事故を起こすかもしれないというリスクマネージメントに敏感である。

メルセデス・ベンツは車検の合格率も高く、また車両の寿命も長い。廃車までの走行距離も他車に比べて長いことに定評がある。さらにそのメルセデス・ベンツ神話を支えているのは、ユーザーのきびしい目であることも指摘しておかなければならない。ドイツではTÜV（技術監査協会）やADAC（全ドイツ自動車クラブ）などがメーカーや車種ごとに厳格な調査をおこない、結果を公表している。これは自動車品質維持にたいへん貢献しているといえる。

ドイツの高級車はかならずといってよいほど運転席が後部座席よりもりっぱな仕様になっている。安全への配慮も運転席と助手席が最優先に考えられており、ドイツでは大企業の役員もみずからハンドルを握るか助手席に座る。日本人には不思議に思われるが、ドイツでタクシーに乗ると助手席に座らされることが多い。日本の通常の座席マナーと異なるのは、安全性への自信に裏づけられたものだ。

かつてのアメリカ車はよくバタくさいといわれ、派手な大型乗用車が多かった。日本車は、燃費のよさ、使用しやすさ、内装への気配りに至るまで細やかにつくられている。そう見ると、グローバル化時代といえども、自動車づくりのポリシーはやはり国民性を反映していることが分かるだろう。

（髙橋　憲）

# 15

# マイセン磁器のトリビア

★ブランドの裏話★

マイセン磁器のブランドは日本でもよく知られている。本場マイセンの街角で土産物売り場のショーウインドウの値段を見ると、ため息が出ることが多い。ドイツに滞在していた当時、ジーゲン大学のカール・リーハ教授の家へ食事に招待されたが、出てくる皿、容器、コーヒーカップがすべてマイセン磁器のオンパレードで度肝を抜かれたことがある。どうしてこんなにたくさん所有しているのかと聞くと、そのカラクリを教えてくれた。

リーハ夫妻はドイツと隣接するチェコのクルムロフという世界遺産の町出身であった。その町のヴルタヴァ川に架かる、たしかラゼブニツキィという橋の袂《たもと》の陶磁器専門店にいけば、一桁違う価格で買えるので、ぜひ町を見学して、ついでにその店へ立ち寄ってみるといいといわれた。それはマイセン・ブランドではなく、チェコ製と裏書されているが、デザイン、製法はまったく同じであり、品質は保証できると強調された。

リーハ教授が教えてくれたクルムロフの店へ入って、ここへ来たいきさつを述べると、店主は愛想よくいろいろ勧めてくれた。あれこれ欲しくなり目的以上買ったが、マイセン・ブランドではないとはいえ、値段ははるかに安かった。ただ食器を郵送でなく、手荷物でドイツまでもち帰ったので、重くて苦行を強いられた。このエピソードをかつて大阪高槻市の市民講座でマイセン磁器の話をしたおりに披露すると、講座が終わって何人もの受講者に、どこの店で買ったのか、詳しく教えてほしいと詰め寄られた。

本場マイセン磁器の成立の歴史についてはよく知られているので簡潔に記す。18世紀のフランスのブルボン王朝、オーストリアのハプスブルク、ドイツのザクセン、プロイセンの各王室が中国磁器に大いなる関心を示した。とくにザクセンのアウグスト強王（１６７０～１７３３）は、フランスの宮廷で中国産の景徳鎮をみずから観て、早くから磁器収集に執念を燃やしていた。ヨーロッパの王侯貴族は、磁器購入のために多額の支払いを余儀なくされ、そのために自前で磁器製造に血道を上げるようになっていった。

そこでアウグスト強王は、配下の錬金術師ベットガー（１６８２～１７１９）に磁器の製造を促し、マイセンのアルブレヒト城に幽閉して実験をおこなわせた。それは「企業秘密」であり、文字どおり、磁器は金を生み出す打ち出の小槌と考えられていたからである。ベットガーは試行錯誤を重ねながら、磁器の原料の「カオリン」（珪酸アルミニウムを主成分とし、長石、雲母を含む）が磁器製造の鍵であることに気づいた。かれは「カオリン」をボヘミアのエルツ山地で入手し、１３００度以上の高温で焼成し、１７０９年にヨーロッパ初のマイセン磁器を誕生させる。

強王は翌年の１７１０年にマイセンのアルブレヒト城に窯を設営し、本格的に硬質磁器製造に乗り出す。マイセン焼きの成功はザクセン王国の興隆をもたらすが、その技術の独占は長く続かない。マイセン磁器の製法に大いなる関心をもった近隣の国王が、職人の引抜きや強制的な拉致すらおこなったからである。

ではマイセン磁器をめぐるトリビアについて、以下6点にまとめておこう。

1　初期のマイセン磁器の文様は、ハス、マツ、ザクロ、桃、芙蓉、孔雀など中国のデザインが模倣された。そのアジアのザクロや桃を模写する際に、適当な手本がなく、これらを身近なタマネギに見立てた。その結果、マイセン磁器独自のブルーオニオンが成立した。最初に描かれたのは１７３９年であり、人気が出て大量生産されるのは１８４５年以降である。

2　マイセン磁器のトレードマークは交差剣であるが、これはアウグスト強王の紋章デザインから採られた。ただし歴代同一でなく、時代によって微妙に変化している。交差剣のマークによって製造年を推定できるので、アンティークの磁器の鑑定に用いられる。

3　ヨーロッパ王室で磁器がもてはやされた理由は、磁器は毒を盛られると色が変わるという風説があったからだ。とくに王侯貴族は、暗殺を恐れ、毒に対する警戒心が高かったと見られ、招待された場合、毒味役を同行させたこともある。磁器だけでなく、宝石のルビーが曇れば毒が盛られているとか、銀食器が曇れば毒が入っているとか、ダイヤモンドの粉末が毒消しに効果があると

シノワズリー（中国風）とブルーオニオン

いう伝説が広まっていた。

4 「白い金」といわれた白磁のマイセンは、ロウソクの灯りを反射するため、料理を豪華に見せる効果を発揮したので、王侯に好まれた。ヨーロッパでは光沢があり、金彩をほどこした磁器が愛でられるゆえんである。17～18世紀にも専制君主は晩餐会をよく開いたが、ここではとくに王侯の権威や財力を誇示するために、景徳鎮、マイセン磁器が重要な役割を果たした。それはステータス・シンボルであったからである。

5 マイセン磁器は莫大な富をもたらすので、製法をめぐって産業スパイが暗躍した。秘密にされた製法はすぐに漏洩し、各地でマイセン磁器が製造されるようになる。たとえばウィーン（1716）、ヴェネツィア（1717）、フィレンツェ（1737）、コペンハーゲン（1737）、ペテルスブルク（1743）でも、同様な磁器がつくられた。

6 1608年からオランダ東インド会社は、本格的に中国の景徳鎮磁器の貿易をおこなった。ところが、明朝から清朝への王朝交代（1644年に明の滅亡）が起こり、この政変のため、景徳鎮の製造が中断される。景徳鎮の衰退によって、着目されたのが日本の伊万里であった。オランダ東インド会社は、1650年代の終わりごろ、取引先を景徳鎮から伊万里に替えた。とくにヨーロッパでは金彩をほどこした日本風色絵、柿右衛門の赤絵が人気を博した。これは当時のバロック・ロココ時代のヨーロッパの芸術風潮と合致したからである。このような歴史的経緯により、マイセンと伊万里焼を扱った有田市は後に姉妹都市となった。

（浜本隆志）

# 16

# ドイツの人形文化と「ドール系」

★惹きつけられる眼球★

ドイツの人形文化といえば、まずはテディベアが浮かぶだろう。マルガレーテ・シュタイフ（1847〜1909）が1880年にバーデン＝ヴュルテンベルク州東端の町ギーンゲン・アン・デア・ブレンツで設立した玩具会社シュタイフ社製のテディベアこそは、純正品として名高い。というのも、シュタイフ社は世界初のテディベアを生産したメーカーだからである。

もう1つは、王や兵士をかたどった木製くるみ割り人形である。玩具の町として知られるテューリンゲン州ゾンネベルク郡の郡庁所在地ゾンネベルク市とザクセン州エルツ山地東部でチェコ国境近郊のザイフェン村で製作されるくるみ割り人形はとりわけ有名である。

ドイツの職人が高品質素材を駆使して手づくりで1体ずつ製作するテディベアや、17世紀から続くドイツ山間部の伝統工芸品であるくるみ割り人形は、ドイツの伝統的人形文化といえるだろう。

ちなみに近年、日本では「ドール系」という高級フィギュアを趣味とする人びとやジャンルが台頭して久しい。価格帯が10万円単位という非常に高価な趣味なのだが、その同好の士たち

カニス・アウゲン社によるガラス製眼球を用いた人形（同社HPより）

にとって非常に有名なドイツの会社がある。

その社名は「カニス・アウゲン」(Kanis-Augen)。「カニスの眼」という意味であるが、文字どおり、フィギュア用の精巧なガラス製の眼を製作する家族経営の会社なのである（図参照）。

この会社は、くるみ割り人形の産地で著名なゾンネベルク市を郡庁所在地とするテューリンゲン州同郡に属する都市ラウシャ(Rauscha) にある。オーダーメイドを中心にした小規模経営で、おもにインターネット通販で受注生産している (https://www.kanis-augen.eu/)。テディベアをカスタマイズするためのガラス眼球の製造も受注している。カニス・アウゲン社の詳細は、そのホームページに詳しい。このラウシャ市は、日本ではあまり知られていないが、手づくりガラス職人の町として有名で、クリスマスツリーのガラス製飾りが生まれた町でもあった。

1597年1月10日に、ハンス・グライナー4世とクリストフ・ミュラーという2人のガラス工が、当時のザクセン＝コーブルクの領主ヨハン・カジミール公より、現在はラウシャと呼ばれる地でのガラス精錬所1軒の世襲制営業権を取得したことから、この町のガラスの歴史ははじまった。それ以来、この2つの家族を中心に、20ものガラス精錬所が軒を連ねるようになり、入植が本格化する。

17、18世紀には、薬局用ガラス器具、富裕市民や宮廷用のガラス容器といった高級なガラス製品を製造するに至る。19世紀のラウシャは、画期的な技術革新が進んだために、ガラス製品の高級化を図ることができた。記録によれば、19世紀末には、約70世帯がガラス製おもちゃを近郊のゾンネンベルク市の問屋に卸していた。この時代には、人形遊びのガラス皿の他、動物のぬいぐるみや人形用の眼などをつくっていたのである。

クリスマスツリーの飾りとして、それまでの小さなガラス玉の代わりに、ガラス工たちが大きめのガラス球を用いるようになったのも、この世紀であった。それゆえ、ラウシャは現在、クリスマスツリーにサイズが大きめのガラス球の装飾を最初にほどこした地として知られている。

もう1つ、画期的であったのは、動物や人形のガラス製の眼をつくる技術から、人間の義眼を開発するのに成功したことだ。１８３２年にヴュルツブルク大学の教授が、ゾンネベルクでラウシャ産ガラス製の眼を人形に埋めこんでいるのを見かけたことが契機となった。人形に使用される高品質の目玉を人間の義眼に転用するというアイデアが生まれたのである。ついに１８３５年、試行錯誤の末に、ルートヴィヒ・ミュラー＝ウーリという人物がはじめて、ガラスによる人間の高精度な眼球の再現に成功したのだった。

カニス・アウゲン社のホームページは、自社の眼球の精度についても言及している。眼球の白眼部分、虹彩《こうさい》、瞳孔の図解と説明が掲載されており、注文ごとに、この部分の色や配分を調整して、本物同様につくる技術は非常に高度なものだろう。

ガラス製義眼の発明は、ラウシャでの都市ガス普及ともあいまって、技術向上が図られた結果、21世紀に至る１８０年以上も、事故や病気、戦争で眼球を失った人びとの眼の代替物として役立ったのである。

ラウシャのこうしたガラス精錬技術は、特別な工具とともに、家族単位で若い世代へと継承されて、伝えられてきたものである。この慣習は現在も続いている。

その後、2度の世界大戦をへて、ラウシャは旧東独のガラス工場コンビナートとして、社会主義体制下で運営されるようになった。しかし、すでに時代の需要はプラスチック製の眼に移行していたために、ラウシャでは、ガラス製の動物の置物や花瓶を生産していた。

1989年のベルリンの壁の崩壊がさらなる転機となった。ラウシャは旧東独政府の管理から解放されたが、顧客も失った。そこでこの都市が選んだのは、かつての伝統の技術へと立ち返ることであった。

ちなみに、カニス・アウゲン社の現当主は、人形用のガラス製の眼をつくるラウシャ最後のマイスターを舅《しゅうと》にもち、かれから技術を直接学んだとのことである。

ドイツといえば、〈堅実な技術とマイスター〉の国というイメージが現在も厳然としてあるが、16世紀に誕生してから、ガラス製品を生産し、人形のガラス製の目玉をつくってきたラウシャの技術と職人はまさしく、そうしたドイツのイメージを形成してきたといえるだろう。

現在も、カニス・アウゲン社が世界中に顧客をもち、愛好家の趣味を満足させる精巧にして精密なガラス製の眼が「ドール系」の世界で高い需要を誇っているのは、この町の面目躍如たるものではないだろうか。

（森　貴史）

# 17

# 黒い森のカッコウ時計

★ノスタルジアを呼ぶ職人技★

ドイツに滞在したとき、友人と食事をすると、その後、かならずといっていいほど近くの森を通りぬける散歩に付き合わされる。ドイツ人は昔から森のなかを歩くのが好きな民族だ。森へ入ってみると、小径を外れても灌木や下草が少ないから思いの他《ほか》歩きやすい。巨木となったモミやトウヒが茂り、まばらにブナやオークが計画的に混植されている。ヘンゼルとグレーテルのような小さな子どもでも、たしかに森を歩きまわることが可能であるが、かれらのように深い森のなかで、迷って出られないことはよくある。それに対して、日本の森は灌木が茂っているので、なかへ入っていくことすら困難で、ドイツの森とは大きく異なる。

森の国といわれたドイツは、クリスマスツリーの習俗を生み出し、それはサンタクロースとともに、世界中に広まった。有名な西南ドイツの鬱蒼と茂った黒い森シュヴァルツヴァルト(Schwarzwald)は植林されたものであるが、森林官が手厚く森の自然を守っている。ドイツには木組みの家、家具、カッコウ時計、くるみ割り人形、子ども用木製玩具など、森の文化が育んだ木工品が多い。ここでは黒い森の特産品のカッコウ時計

(Kuckucksuhr) を取り上げよう。

日本では鳩時計と訳されているが、しかしドイツには正確にいえば鳩時計はない。この種のものはカッコウ時計といい、おもな製造地は黒い森である。時計本体は、ピアノの鍵盤材と同じトウヒ（スプルース）を用いるが、その理由は、音響がよくなるからだ。動力はもともと、ペンデル(Pendel) と呼ばれる振り子によって機械式で動く仕組みであった。電子式と区別するために、現在ではシュヴァルツヴァルト・カッコウ時計協会が、機械式のみを本来のカッコウ時計として認定している。なお錘《おもり》はトウヒの松ぼっくりをイメージしたデザインで、森の自然を連想させる。

カッコウ時計

カッコウ時計の外見は、ドイツ人のこころの故郷である山小屋をイメージしたものが多く、ほのぼのとした木のぬくもりを感じさせる。引用写真のように、ご当地定番の森の狩人、獲物のウサギ、キジ、シカなどのデザインは、ドイツ人を祖先へのノスタルジアに駆り立てる。

人気の秘密は、時計の上部の巣の扉が開き、なかからカッコウが飛び出し、ふいごによる鳴き声で時間を告げるメカニズムにある。カッコウは渡り鳥で、黒い森はその中継地にあたる。春から夏にかけて北アフリカ方面からヨーロッパへ飛来し、注意しておればドイツでも、そのシーズンになると日常的に見かける身近な鳥である。またカッコウは、鳴き声を模倣することが比較的容易であったので、時計のシンボルに採用されたといわれる。

# 第17章
## 黒い森のカッコウ時計

ドイツではカッコウは童謡や歌曲でも歌われ、愛らしい鳥でありネガティヴなイメージはない。しかし日本ではカッコウは閑古鳥、別名ホトトギス（不如帰）とも表現され、芭蕉の『奥の細道』（１７０２）の「郭公」（カッコウ）、正岡子規の句集の『ホトトギス』（１８９７）、徳富蘆花の小説『不如帰』（１８９８）において、別離や死と結びつくネガティヴな意味を含んでいた。したがって日本へ導入するときに、カッコウを童謡でもなじみある鳩に変え、鳩時計と変更したのではないだろうか。

カッコウ時計のルーツは、１６２９年に文献に登場するので、およそ４００年の歴史を有する。この原型はすでに１６５０年に、アタナシウス・キルヒャー（１６０１〜80）がオルゴールつきの構造を事典に描いている。かれはイエズス会の司祭であり、著名な博物学者であったが、音楽理論にも造詣が深く、引用図の解説から、このカッコウは曲に合わせて羽を広げ、嘴を開ける仕組みであることが分かる。

１６６９年ごろ、職人がこれを時計のメカニズムと合体させ、カッコウ時計を完成させたという。

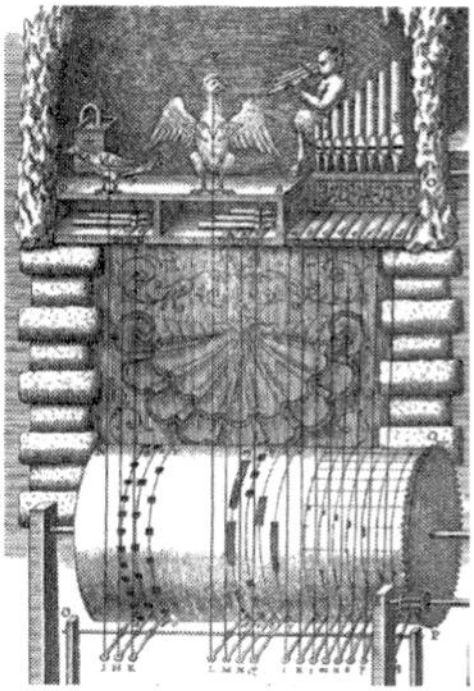

カッコウ時計のオルゴール図（ドイツカッコウ時計博物館蔵）

では黒い森と時計産業のかかわりについて見ておきたい。黒い森は山岳地帯で耕地が少なく、ここで林業、酪農、農業を営む人びとの暮らしは楽ではなかった。住民は冬場の農閑期の生活の助けのために木工品の製作をしていたが、市場的価値の高いカッコウ時計に目を付けた。まず各家内工房で、時計の木製部品が生産され、手工業職人がこれを一か所に集めて製品を完成させるという分業方式で製造しはじめた。

村人あるいは時計商が完成品を背負って、ドイツだけでなくヨーロッパ各地をまわって売り歩いたので、シュヴァルツヴァルトのカッコウ時計は有名になった。行商人をモデルにした木製人形がつくられ、現在、土産品として売られている。その後、時計製造では手工業職人による独立工房方式となり、生産量が急増した。黒い森の南に隣接するスイスの山地でも、時計産業が一世を風靡したのは同様な経緯による。

近年、ドイツではシュヴァルツヴァルトが保養地として脚光を浴びるようになってきた。さらに昨今では、グリーンツーリズムのブームのおかげで、自然のなかでの乗馬、サイクリング、散策、果樹や野菜の収穫などを目的に、観光客も多く訪れる。なおフライブルク東方の地方ルートを結ぶおよそ320㎞におよぶ「時計街道」があり、ここでもサイクリングが盛んである。

街道の途中のトリベルクには、世界一大きいカッコウ時計と称して、高さ15・3m、振り子の全長8m、時計装置は4・5×4・5m、重量6トンの実物を展示している。これはなかからも外からも見学でき、時間になれば実際にカッコウが飛び出してきて、時を告げる。トリベルクはこれを目玉にして客寄せをし、カッコウ時計や土産物を売っている。

なおフルトヴァンゲンでは、1850年にドイツではじめて時計工学校が設立された。ここには「シュヴァルツヴァルト時計博物館」があって、8000点以上の日時計から電子時計まで網羅したあらゆる時計が展示されている。これは1852年から同地の時計製作学校の校長先生が収集しはじめたのが発端である。数量が増えるにつれ有名になり、ここへ来ると森の国ドイツと時計産業の結びつきを実感することができる。ずいぶん前であるが、筆者もドイツのモノづくりに関心をもってこの町を訪れたとき、カッコウ時計のデザインが気に入り、かなり高価であったにもかかわらず、思わず衝動買いをしてしまった。

筆者の居間にドイツで買ったカッコウ時計がある。今も現役で動いており、クックウ、クックウと鳴いて時間を知らせ、オルゴールに合わせて人形が回転する。これが家に来てもう30年以上にもなるが、その鳴き声を聞くと、黒い森の風景が頭のなかをよぎっていく。

（浜本隆志）

# 18

# ドイツビール物語

## ★銘柄をめぐる歴史エピソード★

ローマの歴史家タキトゥスの『ゲルマニア』（98年）に、ゲルマン人の「飲料には、大麦または小麦より醸造《つくられ》、いくらか葡萄酒に似て品位の下がる液がある」（泉井久之助訳）と記されているとおり、ドイツ人は古代からビールと思しきものを飲んでいたようだ。

現在のドイツビールはおもに、ラガー（Lager）とエール（Ale）に大別される。前者は酵母が長時間かけて低温発酵した後、発酵層の下部に沈む下面発酵のビールで、ピルスナー（Pilsner）はこれに属し、現在は世界の主流となっている。ヴァイスビーア（Weißbier）などが代表する後者は、短期間で常温発酵すると、液面に浮かぶ酵母でつくられる上面発酵ビールであるが、ピルスナー登場までは、ドイツでの主流であった。

ところで、２つの歴史的事件が、ドイツビールへの絶大な信頼を生む契機になったと思われる。１つは、１５１６年４月24日、ヴィッテルスバッハ家のヴィルヘルム４世（１４９３～１５５０）がインゴルシュタットの州会議で発布したバイエルンの「ビール純粋条例」である。

とはいえ、23歳のヴィルヘルム４世の代わりに、この条例のテキストを実際に草したのは、顧問官レオンハルト・フォン・エックである。すでに地方都市レベルで存在した１４９３年のランツフートの純粋条例などを参考にして、エックはバイエルン公国全土で通用する条例を布告したというのが真相である。

「純粋条例」の根幹は、ビール価格の上限を決定していることと、「ビールづくりに大麦、ホップ、水以外を用いてはならない」ということに尽きる。不当な価格による暴利の獲得と、不純物を用いたビール醸造を禁止しているのであるが、実際には逆のことがよくおこなわれていたゆえであろう。

もう１つは、ピルスナーの発明である。今ではピルスナーというと、ドイツビールの代名詞のようになっているが、ドイツで発明されたのではなく、チェコのプルゼニ（ドイツ名ピルゼン）が最初であった。だが、ピルスナービールの元祖、「ピルスナー・ウルケル」（Pilsner Urquell）を開発したのは、バイエルン人のヨーゼフ・グロル（1813～87）である。

ヴィルヘルム４世

プルゼニでは、それまで上面発酵ビールをおもに製造していたが、住民に不人気であったために、ラガービールに切り替えることになった。そこで、下面発酵の技術で定評があったバイエルンのブラウマイスターを招聘することになり、グロルに白羽の矢が立ったのである。かれが地元プルゼニのホップと水の性質を活かして開発したピルスナーは、１８４２年から製造が開始され、ラガーの傑作として、今やドイツのみならず、世界を席巻している。

アインベッカー

ちなみに、日本のビール事情も、このラガーの世界的流行に影響されている。日本にビール醸造所ができたのは1876（明治9）年のことだが、これを主導した中川清兵衛はドイツのビール工場での2年間の勤務の後、日本人初のブラウマイスターになった人物であった。その際に導入されたのは、当時のドイツの最新式ラガー醸造設備なのである。

ドイツビールは、1都市に1地ビールといわれるほど種類が多く、6000とも7000種ともいわれてきたが、最近ではグローバル化の波が押し寄せて、小規模醸造所が大資本醸造メーカーに合併吸収されていくのは、時代の流れである。しかし、ビールブランドとレシピは引き継がれて、ライセンス生産されているビールも多い。醸造所がなくなっても、ビールは生き続けているのだ。

ここで、中世に誕生し、今なお存在するビールを1種、紹介したい。ドイツ北部の都市アインベック（Einbeck）で醸造される「アインベッカー」（Einbecker）である（写真参照）。この町には中世、数百のビール醸造所があり、その上面発酵ビール、アインベッカーは、ドイツ国内だけでなく、アントワープ、ストックホルム、リガ、イタリアといった国外にも輸出されるほどの名声を誇った。

この時代のアインベッカーをめぐる歴史的逸話が伝わっている。アインベックの領主、ブラウンシュヴァイク家のエールルリヒ公は、1521年のヴォルムスでの帝国議会で、アインベックのビールを高らかに誇ったとされる。

さらには、この帝国議会での議題は、かの宗教改革提唱者マルティン・ルターの喚問であったが、召喚されたルターに、このエールリヒ公はアインベックのビールを1樽贈って、勇気づけた。最終的には、ルターは国外追放の憂き目にあったが、プロテスタントの教義をついに撤回することはなかったのである。

ルターをめぐるもう1つのエピソードは、修道士ルターが尼僧院から逃走した修道女カタリーナ・フォン・ボーラと1525年に結婚した際のことである。このとき、かれの住むヴィッテンベルク市が結婚祝いとして贈ったのがアインベッカーであった。すなわち、アインベッカーは、あのルターもたしなんだ当時最高のビールとして知られていたのだ。

このビールはまた、現在も南ドイツで飲まれている「ボック」(Bock)というアルコール6~8度のビールの元祖でもある。ことの顚末は、1614年にヴィッテルスバッハ家のマクシミリアン1世がアインベックからエリアス・ピヒラーというブラウマイスターをスカウトしたことに発する。

代表的ボックのザルバトール

これによって、マクシミリアン1世は、現在もミュンヘンにあるビアホール、ホーフブロイハウス(宮廷醸造所)を建てた父ヴィルヘルム5世以来の悲願、上面発酵のアインベッカーを「下面発酵」でようやく実現できたのだった。このビールこそが「ボック」となったのだが、その名称は元祖醸造地アインベックの「ベック」に由来している。

(森　貴史)

# Ⅳ

# ドイツ語とドイツ人気質
## ——論理性・生真面目・冗談

# 19

# ドイツ語と牧畜文化

## ★名詞の性の悩み★

英語以外の新しい言語を学ぶということは、新鮮な感覚と興味を覚える反面、つい英語と比較してしまうので、その違いが大きいと面喰らってしまうことも多い。とくにドイツ語の名詞の性は、初心者がもっとも奇異に思い、とまどう問題である。授業中でも名詞には3つの性があって、たとえば父親（Vater）が男性名詞で、母親（Mutter）が女性名詞、子ども（Kind）は性が分化していないから中性名詞といえば、ここまでは初心者のほとんどが納得してくれる。

ところが教室を見渡し、机（Tisch）が男性名詞、壁（Wand）が女性名詞、窓（Fenster）が中性名詞といえば、一斉になぜだという疑問が広がる。教師は苦し紛れに、「自然の性から類推したり、また語尾の綴りや音韻によって見分けたりすることもありうるが、多くの場合困難であるので、まずは定冠詞のder, die, dasをつけて男性、女性、中性の名詞の性を1つひとつ覚えることですね」という。しかしそれは、初心者に困惑を招くだけで、ドイツ語はむずかしいという印象を与えてしまう。

つまずきの発端は英語の定冠詞、不定冠詞のtheやaにあった。中学校1年のとき英語教師は、「the はそのという意味、a は1つのあるいは不特定の意味があるが、訳さなくていい」というような説明をする。しかしここで英語教師を責めることはできない。かれらは、日本語にない冠詞の概念を中学生の子どもに教えても、受け付けてもらえるはずがないし、英語教師とて系統的に冠詞の成立、ドイツ語との関係など習ったことがないからだ。

あるときドイツ語の冠詞はどうして生まれたのだろうと考えていると、古代ゲルマン人の生活文化にヒントがあるように思えた。言語と日常生活が密接にかかわっているからである。冠詞研究者からは、何を今さらとお叱りを受けるであろうが、勝手な思い込みを披瀝してみたい。

仮説であるが、英語のルーツであるゲルマン語（インド・ヨーロッパ語）の冠詞や性は、もともと古代の牧畜文化（場合によれば狩猟文化）が生み出したのではないか。生活の糧である家畜のオスかメスかは、牧畜民にとって生存を左右する最大の関心事であるからだ。ドイツ語は同種の動物でも性を区別することがある。

性を明確に示すために、男性名詞の前に der、女性名詞の前に die、中性名詞はどちらにも分類できないもの、あるいは性が未分化のものとして das という冠の言葉、すなわち冠詞をつけたと考えられる。それを受ける人称代名詞も、男性は er、女性は sie、中性は es と区別していった。

たとえば雄ウシ（der Stier）、牝ウシ（die Kuh）、オンドリ（der Hahn）、メンドリ（die Henne）、雄ヤギ（der Bock）と牝ヤギ（die Ziege, die Geiß）、とわざわざ性を分けて表現する。中性名詞は数としては少ないが、性がまだ分化していない子ども（das Kind）、子ウシ（das Kalb）、子ヒツジ（das Lamm）と説明すれば、納得していただける。またまとめて集合的にあらわす場合、ニワトリ（das

Huhn）、ウマ（das Pferd）、ウシ（das Rind）と中性名詞で表現する。

さらに強い動物、たとえばクマ（der Bär）、オオカミ（der Wolf）、ワシ（der Adler）、サメ（der Hai）は男性名詞、小さくて優しい動物、ネコ（die Katze）、ネズミ（die Maus）、ナイチンゲール（die Nachtigall）、ツグミ（die Amsel）は女性名詞という一定の原則がある。それを基準に一般の名詞にも、尖ったもの、強いものを男性名詞に、女性的イメージのものを女性名詞と性の概念を拡大して適用し、性が分化していないもの、あるいは類推が不可能なものを中性とした……。

次に牧畜文化は数の概念を重要視する。1頭と2頭という頭数が財産の総量にかかわるからだ。したがってドイツ語は、名詞にも単数と複数形を生み出し、さらに複数の定冠詞をつくり、かたくなに単数、複数の違いを表現する。日本語は稲作文化に根ざすので、米粒を1つひとつ数えたりせず、数を集合概念で示す。日本語の単数、複数の概念はあいまいで、ふつう意識はしない。たとえば米や木の葉の複数はといわれれば、返答に困り、たくさんの米、葉としか答えようがない。

性や数とは関係ないが、「だいたい」überhauptという副詞ですら、ヒツジの群れを頭（Haupt）越しにさっと見渡すことに由来する。真偽のほどは定かでないけれども、ドイツ語の頭（Kopf）と英語のカップ（cup）も同根で、ゲルマン人が戦闘で勝利すれば、敵の頭蓋骨で酒盛りをし、その結果、ドイツ語にはもとの「頭」の意味が、英語には飲む容器の意味が継承されたという。昔、ゲルマン人の「獰猛さ」を表現するコンテクストで聞いたが、今ならこの解釈は、差別問題に抵触しかねない。

牧畜文化ではないが、よく指摘されるのは、ドイツ語では太陽（die Sonne）は女性名詞で、月（der Mond）が男性名詞であるのに対し、ロマンス語ではその逆であるという点である。それは緯度の差によって南ヨーロッパでは太陽はきびしく男性的、月は優しく女性的に受け止め、北ヨーロッパでは太陽は優しい女性、凍てつく冬空に顔を出す月はきびしい男性のイメージを与えるからという説明がなされる。これも地理的な生活文化に根ざす性の概念であるといえよう。ただし無生物、抽象名詞などになると、このような論理だけでは説明しきれない。

英語は性を捨て、冠詞の痕跡をthe、aにのみ残し、性の悩みを解消した。すると結果的に人称代名詞も簡略化できるし、形容詞の語尾変化も必要なくなる。このような「進化」の結果、英語はグローバルな「世界言語」になったといえる。ドイツ語の方は、かたくなに性や冠詞の格変化の伝統を守り、いまだに初心者を悩まし続けている。しかしそれを乗り越えれば、古代の言語形をも髣髴とさせるドイツ語の奥深い世界が広がっているのである。

ドイツ語が古い言語のかたちを大切にするのは、ドイツ人の伝統を重視する精神のあらわれでもある。名詞の性だけでなく、その他の文法においてもドイツ人の特徴を指摘することは可能である。たとえば名詞の性から、次はそれを基石として定冠詞類、形容詞の変化の文法体系をつくりあげていった。さらにドイツ語においては、枠構造という構文がある。分離動詞、助動詞構文、未来形、完了形、受動態、関係代名詞文、従属接続詞文などがそれにあたり、これらは揺るぎのないドイツの建築物を連想させる。

言葉から国民性を指摘することは根拠がないと、批判する向きがあるが、それでも長年ドイツ語と接していれば、ドイツ人の厳密性、法則性、伝統を重視する特徴と言語構造には相関関係があることが実感できる。

（浜本隆志）

# 20

# ドイツ的メンタリティの二極性

## ★デモーニッシュとコスモポリタニズム★

ドイツやドイツ人をあらわすキーワードとして、質実剛健、謹厳実直、ゲルマン魂、思索と詩人の国、森の国、技術大国、自己主張が強いなど、いささかステレオタイプ化した表現がある。ただしドイツの民俗学者バウジンガーは、その虚実をめぐってイメージだけでなく、具体的事例や習俗を示して国民性を考察しなければならないと説く。

どこの国にも国民性あるいは「民族性」というものが存在する。ただしドイツ的特性をピックアップすれば、その極端性は突出している。音楽の頂点に位置づけられるバッハ、ベートーヴェンをはじめ、哲学でもヘーゲル、カント、マルクス、文学ではゲーテ、シラー、自然科学でもレントゲン、アインシュタインという最高峰に評価される人びとが綺羅星のように並ぶ。その対極のネガティヴな事例として、魔女狩り、拷問、ヒトラー、２つの世界大戦、アウシュヴィッツ、これらがまた、悪の枢軸として名を馳せた歴史をもつ。この両極の根源にドイツ精神というものがあるとすれば、それはいったい何であろうか。あるいは両極は別々の異なるドイツ人がつくり出した歴史であったのか。

トーマス・マンは「ドイツとドイツ人」（1947）のなかで、デモーニッシュとコスモポリタニズムという概念で、ドイツやドイツ人の特性を説明している。すなわちナチズムに代表される「悪魔的ドイツ」と、ゲーテに代表される「世界市民的ドイツ」が存在するが、マンは悪しきドイツ、良きドイツは別々に存在するのではないという。

> 悪しきドイツと良きドイツと二つドイツがあるのではありません。ドイツは一つだけであり、その最良のものが悪魔の策略にかかって悪しきものになったのです。ですから、罪を負うた悪しきドイツを全く否認して、「私は良き、高貴なる、清廉潔白なる正しきドイツです。悪しきドイツを私は諸君が絶滅するに任せます」と宣言することは、不可能なことです。（青木順三訳）

トーマス・マン

マンがいうように、この二極性は根源的に1つであり、同根から派生したものと考えられる。事実、ドイツの宗教史、思想史、歴史学、文学史を通史的に概観すれば、以上の二極性が色濃くあらわれ、明瞭に認められるからである。

たとえばネガティヴな魔女狩りの歴史を振り返ってみても、典型的にデモーニッシュなドイツ的特性の系譜が見られる。魔女は神と対極の悪魔と結託した極悪人で、悪天候、死産、不幸、病気を引き起こす元凶とされた。神の世界を維持するためには、魔女を抹殺しなければならない。このような考え方に疑問をもつものは、魔女狩りの最盛期にはほとんど皆無であった。総出で魔女狩りに加担し、人びとは魔女の火あぶりを一種のショーのように見物した。

魔女狩りは中世にではなく、近代初期の16世紀から18世紀前半にかけて多発したが、魔女狩りの被害者は、統計資料が示すようにドイツがもっとも多かった。なぜこのようにドイツが突出するのであろうか。それは拷問を加えた尋問に原因があるといわれている。魔女は本来存在しないのであるから、嫌疑をかけられたものは、全面否認するが、ドイツでは徹底的な拷問の後、95％は自白したという資料もある。イギリスとの比較があるが、それはおよそ50％程度であった。

歴史的には魔女狩りの悪夢は、ユダヤ人虐殺で繰り返された。ナチスは強制収容所、絶滅収容所において、徹底的にシステマティックにユダヤ人を根絶やしにしようとした。約６００万人のユダヤ人、ロマ、同性愛者、「思想犯」などが虐殺されたという。これらも「アーリア民族」対「劣等民族」という人種論から、論理的に正当化された。

ところが魔女狩りが終焉を迎えたころ、カントは『永遠の平和のために』（１７９５）を提唱して、コスモポリタニズムの理想を説いた。ゲーテも「世界市民」を提起し、またシラーの「歓喜に寄す」(An die Freude) は、ベートーヴェンの第9を生み出した（最初の3行連はベートーヴェン作、79ページ参照）。ここでは有名な「人びとは兄弟」という崇高な理想が謳われており、現在、このメロディがEU歌になっている。

# 第20章
## ドイツ的メンタリティの二極性

おお友よ、こんな音ではない！
もっとこころよい
もっと歓びに満ちたものを歌いだそうではないか

歓びよ、美しき、神のきらめき、
楽園よりの乙女よ
われら火のごとく酔いしれて
ともに汝の天の如き聖堂におもむかん

汝の魔力は世の習わしが強く引きはなしたものを
再び結びつけてくれる
汝のやさしい翼のひらくところ
すべての人々は兄弟《はらから》となる

（渡辺護訳）

ドイツ史のデモーニッシュな世界は、悪魔的な世界を創出したが、反面、コスモポリタニズムはヒューマニズムの世界を生み出そうとした。このような近代から現代にかけての魔女狩りからナチズムという連鎖と、対極のコスモポリタニズムの大きな揺れは、さらにドイツ精神史のなかでさまざまなバージョンをつくり出してきた。

たとえばドイツ文学史でも、18世紀後半のレッシングは、理性を中心にして旧体制を批判し、人びとを啓蒙した。次の若きゲーテ、シラーのシュトゥルム・ウント・ドラング（疾風怒涛）時代は、理性ではなく激しい感情を吐露した。しかし2人はそれを克服し、理性と感情を統一したドイツ古典主義を完成させた。続くロマン主義は感情や非現実の夢の世界を描き、リアリズムや自然主義の現実の客観描写と対照をなす。表現主義はまたもや感情を発露させ、新即物主義は冷めた目で即物的にモノを見た。文学作品の創作においても、作家は理性と感情、合理性と非合理性の両極の揺れを繰り返してきた。

さらにドイツ史でも、第一次世界大戦によって、ドイツ帝国は崩壊した。その後、1919年に成立したヴァイマル共和国憲法は、当時、もっとも民主的といわれていた。しかるに1933年に首相に就任したヒトラーは、民主主義とは対極の独裁政治を遂行した。第二次世界大戦後、その反動で東西ドイツは徹底した反ナチス教育を実施した。これも極端な現代ドイツ史の揺れを示す事例である。

では激しく揺れ動くドイツの二極性の根源にいったい何があるのだろうか。ドイツ人を動かす振子の原動力ともいうべきドイツ精神とは何なのか。それはドイツ的「徹底性」（Gründlichkeit）というメンタリティであると考える。ドイツ人は中途半端なことを嫌い、物事を徹底して突き詰める。そこから崇高なドイツ思想、哲学、音楽、文学を生み出したが、悪魔に魅入られるとこれは、魔女狩り、ユダヤ人の抹殺にもなりえた。きびしい北方の自然が育んだ精神性は、人類の救世主にも悪魔にもなりえたのである。

（浜本隆志）

# 21

# ドイツ人と分類癖

## ★体系化と博物学★

「アレス・イン・オルドヌング！」(Alles in Ordnung!) というドイツ語句は、「万事問題なし」「すべて正常」という意味である。この「オルドヌング」(Ordnung) という語は、『独和大辞典』(第2版、小学館) によると、「順序よく並べること、分類、整理」「秩序、規律」を意味している (132ページ参照)。

すなわち、〈順序よく並んでいたり、分類されていたりする状態〉が「秩序」なのであって、すべてがそうした状態にあることが「正常」であるのが、その語句の含意なのだ。ここに、ドイツ人の分類や体系化、秩序に対する思考がよくあらわれているだろう。

西欧で最初に学問的体系の分類をおこなった人間として、古代ギリシャの哲学者アリストテレス (前384〜前322) の名が挙げられる。かれは、政治、文学、倫理学、博物学、物理学などほぼあらゆる学問領域の分類と総括をおこなったが、なかでも、全10巻の大著『動物誌』は、動物をその諸形態に着目して、段階的に配列した。

こうした分類学の考えは西欧全体に継承されて、18世紀の啓蒙主義時代には、カール・フォン・リンネ (1707〜78) とジョルジュ＝ルイ・ルクレール・コムト・ド・ビュフォン（1707～88）が登場する。この2人の博物学者が提示した分類方法によって、自然の事物・現象の特徴を記述し、分類する博物学は黄金時代を迎えたのである。これはヨーロッパ文明の根幹をかたちづくってきた。

そうした思考は、「論理的」とされる国民性のドイツ人によく根づいているといえよう。日常生活でいうと、たとえば、ドイツ人のオフィスの徹底した整理ぶりには驚かされる。国際規格のA4サイズのファイルホルダーがびっしりときれいに壁の棚に揃えられていて、壮観ですらある。それは19世紀末に、ルイ・ライツが金属リングを用いた「ライツ式ファイル」を発明した伝統であろうか。

さらにドイツの大学行政1つをとってみても、分類志向の性格はあらわれている。日本の大学とは異なり、ドイツの大学の学部、専修、研究所、行政施設はたいてい、街中に散在している。しかし、地理的・歴史的複雑さにもかかわらず、大学全体ではきっちりと縦割りがなされており、それぞれが独自に学則をもちながらも、全体的な統合管理によって運営されているのだ。

たとえば、ベルリン・フンボルト大学では現在、日本でいう文学部に相当する哲学部（Philosophische Fakultät）は、学問領域によって詳細に3分割されている。しかも、この3つの哲学部ごとに学則が存在し、それぞれ「国のように」異なっているにもかかわらず、学則が大学全体の運営には支障がないのであるから、みごとなものである。その延長線上に、学問体系、宗教組織、国家機構、さらにはヨーロッパ文明の体系が構築されているといっても過言ではない。

そうした分類好きなドイツ人の性格のまさしく面目躍如であるのは、やはり博物館や美術館である。ドイツの博物館や美術館を訪れた際に、いつも感動するのは、その使いやすさである。きっちり整然と時代や場所で分類され、1つひとつの展示物に丁寧な解説がついている。しかも、それが天井の高い広々とした空間に配置されており、親切な学芸員の適度な配置もあって、じっくりと落ち着いて鑑賞できるのである。

分類志向の国民性ゆえか、非常に多岐にわたるテーマの博物館がドイツには多い。小前ひろみ氏の『とってもドイツ博物館めぐり』（２０００年）をひもとくと、日本にはないような、とても愉快な博物館が掲載されている。

ミュンヘン近郊のシュローベンハウゼンには、ドイツ人にとって「春の七草」のごときアスパラガスの博物館（Spargelmuseum Schrobenhausen）があったり、マンハイム近郊のフースゲンハイムとミュンヘンには、日本人のお米にあたるジャガイモの博物館（Kartoffelmuseum Fußgönheim, München）があったりする。その他珍しいものとして、ドイツ人の幸運のシンボルであるブタと1ペニヒをくっつけたフィギュア「幸福のブタ」（グリュックスシュヴァイン）を収集した博物館（Sammler-und Glückschwein-Museum）が南ドイツのバート・ヴィンプフェンにある。

しかしながら、啓蒙主義が浸透した「博物学の世紀」といわれる18世紀以前の16、17世紀には、現代の分類とはかなり相違する収集志向も存在していた。

絵画館（ベルリン）

ヴンダーカンマー

いわゆる、「驚異陳列室」という意味のヴンダーカンマー(Wunderkammer)のことである。ルネサンス後期からバロック時代まで隆盛していた王侯君主たちのコレクションで、「自然物陳列室」(Naturalienkabinett)、「人工物（美術品）陳列室（Kunstkammer）」などとも呼ばれた。

ヴンダーカンマーの種々雑多《カオティック》な収蔵品は、以下の2種に大別されるだろう。1つは、ワニの剥製やサンゴといった、当時のヨーロッパでは稀少であった動植物や鉱物。もう1つは、これらを素材として加工した幻想的な芸術品（ユニコーンの角などのひどい贋作も含めて）、絵画、彫刻、機械じかけといったたぐいのものである。

それもそのはず、自然科学などの知の収集、理性の活用が人びとを幸福にするという啓蒙主義の理念があらわれる以前、世界がまだ迷信的で、不思議《ヴンダー》なモノで溢れていた時代のコレクションであるからだ。

現代的な分類思考とはまったく異なる分類方法で、たくさんの得体の知れないモノがところ狭しと配置されている。解説もないまま、圧倒的な種類と物量の光景こそが意義をもつ陳列室なのである。だが、これを展示した者は王侯貴族が好むように、かれらなりに一定の基準にもとづいて展示したはずである。その分類法則の手の内を我々に隠して、見る者の驚きを想定していたのではなかろうか。

しかし、啓蒙主義の18世紀から200年が経過して、世界は細分化しすぎたのだろうか、現代に至って、ヴンダーカンマーは再評価されて、復活の兆しが見える。21世紀になって、かつてのヴンダーカンマーを復元し、観光資源化しようとする動きが高まってきた。

現在のドイツでは、ハレのフランケ財団や、ランツフートのトラウスニッツ城のヴンダーカンマーが比較的訪問しやすく、見ごたえがあるだろう。

現代風の秩序が支配する整然と分類された博物館も魅力的ではあるが、独特の思考で分類された、ヴンダーカンマーのたくさんの奇妙なモノたちに圧倒されるのは、収集と分類の思考について考えるうえで、興味深い体験ではないだろうか。

（森　貴史）

# 22

# 秩序と義務

## ★格言に見る国民性★

ドイツの鉄道駅には改札口がない。近距離の場合、乗客は買った切符を駅の入り口にある自動改札機で、日時を刻印する。路面電車や地下鉄などでは、車内の自動改札機に切符を差し込みスタンプする。考えようでは無賃乗車も可能なように思えるが、時として私服の検察係が発車と同時に乗り込んで、次の駅に停車するまでのわずかな時間を利用して、抜き打ちで検札する。

無賃乗車が発覚すると、40ユーロの罰金を支払わなければならないだけでなく、名前や住所も記録され、度重なる不法行為に対しては警察に通報され、犯罪になってしまう。外国人はいざ知らず、なぜドイツ人はこの制度を導入し、みんな正直に切符を買うのだろうか。それにはドイツ人の法律、義務を重視するきまじめな国民性が大きい。

ドイツ人がもっとも好む表現の1つに、21章でも取り上げている、Alles in Ordnung. というのがある。さらには、Ordnung ist das halbe Leben.（秩序は人生の半分）といわれているほど、これらの言い回しは、何事によらず、秩序を大切にするドイツ人の国民性をうまくあらわしている。これは整理整頓が好きな几帳面なドイツ人の性格をも示している。ちなみに文豪ゲーテは、格言のなかで「秩序」や「正義」についての思いを次のように語っている。

――不正なことが不正な方法で除かれるよりは、不正が行われている方がまだいい。

（『格言と反省』高橋健二訳）

――無秩序を忍ぶよりは、むしろ不正を犯したい。

（『ゲーテ格言集』高橋健二訳）

わたしたち外国人にとって「秩序」という言葉が多少やっかいで、疎ましく思えるときがある。また外国人がドイツで生活しはじめて、最初に覚えるドイツ語の単語が、義務（Pflicht）と禁止（Verbot）であるともいわれている。それほどドイツ人の日常生活には、やたらと禁止条項や義務が多いのである。

ドイツ人は非常に細かいところまで規則をつくって、互いに社会生活を律しようとする。法に対するドイツ人の従順さは、いささか特異なものがあり、法は「伝家の宝刀」ともいえ、法をもち出せば何でも解決すると考えているようだ。法には、権利と公正さという意味も含まれており、ここにもドイツ人が法に寄せる信頼の深さを垣間見る思いがする。

一方、日本人の法意識はドイツ人とは大いに異なるといえる。日常の社会生活においても法による「裁き」を嫌う日本人は、示談や調停に向かう傾向が強い。日本は欧米に比して弁護士の出番が極めて少ない国である。刑事事件などにおいても情状意識が強く働くようだ。義理や人情といった情緒的判断は、日本人特有のもので、法意識にも深く内在していると思われる。「空き家問題」や「ゴミ屋敷問題」などといった市民生活に密接にかかわる案件においても、国はできるかぎり「民事不介入」の方針を貫いている。

さてドイツでは、社会生活を営むうえで、少しでも被害がみずからに波及すれば、相手が誰であろうと警察に訴え、裁判所の出番ということになる。ドイツでは民事訴訟のなかで隣人同士の訴訟が極めて多く、年間数十万件にも上る。日本では考えられないことだが、隣人同士の日常生活におけるデリケートな問題でも、ドライに割り切り訴訟に踏み込む。

ドイツでは幼少のころから、家庭でも学校でも個としての自立を促す教育がなされていて、言葉による自己主張を貫き通すことで、相手を打ち負かす訓練をする。こうして討論や議論を重んじる国民性が育まれていく。一見するとこれは、「秩序」を絶対視する特性と矛盾することのように思われるが、じつはドイツ人は相手と徹底的に議論し尽くすことで問題の所在を共有し、解決への方策を見出して新たな「秩序」を構築していくのである。

手順を尽くして「秩序」が形成されれば、それをルールとして皆で守るようにこころがける。それは市民としての義務である。このようなドイツ人の姿勢は、日常生活はもちろんのこと、政治家や官僚がかかわる政治や外交の場でも当てはまる。それゆえ、ルール違反に対してはきびしい制裁が加えられるのである。

ルールに対する関心が強いためか、ドイツでは法律関係の書物がよく読まれ、それが生活の手引きとなっている。一般の人たちも権利侵害に対処するすべを知っていて、前述の隣人同士以外の案件でも、紛争は訴訟にもちこまれることが日常茶飯である。それゆえドイツの町を歩いていると、弁護士事務所がやたらと多いことに気づく。

弁護士1人あたりの国民数は、日本の３１６２人（２０１８年）に対して、ドイツは４９９人（２０１８年）でその差は一目瞭然である。日本では弁護士は司法制度の改革後も依然として特殊な専門職といった感が強く、依頼料金も高額で弁護士事務所の敷居が高いのが現状である。ところがドイツには「権利保護保険」なるものがあって、裁判費用を保険会社が負担してくれるので、裁判が身近であるといえる。

日本では２００９年5月から「裁判員制度」が導入されたが、ドイツでは戦後間もなく制定され、すでに60年の歴史がある。これはご承知のように市民のなかから抽選で選ばれた人たちが審議に参加する。日本では刑事事件に関してのみであるが、ドイツでは刑事のみならず民事、労働、行政などの裁判にも参加する。

権利意識や個人主義的思考の高まりにともない、弁護士が市民にとって身近な存在となる時代がやがて到来することになるだろう。日本でも社会的弱者が行政や大企業と対等に争える法曹の枠組みが早急に確立されることを期待したい。

ところで、ドイツ社会はいうにおよばず、ヨーロッパ社会全般を規定する道徳・倫理観として、フランス語のノブレス・オブリージュ（Noblesse oblige、ドイツ語ではAdel verpflichtet、貴族は貴族らしくふるまうべし）という言葉がある。社会的に高い立場、地位にある人間には、それにふさわしい知性と品格を備えていなければならないだけでなく、より高い正義感や義務感が要求されるという社会慣習である。

ドイツ人が法律や警察に頼るのは、人間は時として過ちを犯す存在ゆえに、良識を守るためには法律が必要である、との見方に立っているからといえる。それに対して、日本人の考え方は、基本的に性善説に立っており、人間は誰しも良識をもっているものだということを前提にしているように思われる。このように社会生活に対する法律観や人間観が大きく異なるために、ドイツ人と日本人の相互理解のためには、根底にある世界観をじゅうぶん把握する必要がある。

（髙橋　憲）

# 23

# ドイツ人のメランコリー

## ★薄明（Dämmerung）と沈思黙考★

ドイツの冬はきびしくて長い。このような気候風土が精神面に大きな影響を与えるのはいうまでもない。ドイツ人は冬に耐え、陽光の降り注ぐ春を待ちわびる。しかしかれらは、逃れることができない冬の季節が生み出す薄暗い日の出や日没の黄昏の雰囲気を、むしろ安らぎに似たものと受け止めてきた。薄明(Dämmerung）はドイツ人が好きな言葉の1つであり、かれらはそのなかで物思いに耽り、音楽に耳を傾ける。このような気候風土とかかわる性向は、ドイツにメランコリーの色調を帯びた芸術作品が多く生まれたことと無関係ではないだろう。

たとえば、音楽でいえばシューマンやブラームスの室内楽曲など、絵画ならフリードリヒの風景画などがそうである。文学の分野でも数多いが、ここでは邦訳があり日本でも比較的名の知れた作品をいくつか挙げることにしよう。ゲーテ『若きヴェルテルの悩み』（1774）、ノヴァーリス『青い花』（1802）、ミュラー『冬の旅』（これにシューベルトが1827年に曲をつけ、ドイツ・リートの代表曲となった。83ページ参照）、ハイネ『歌の本』（1827）、シュトルム『みずうみ』（1849）、ゲルハルト・ハウプトマン『沈鐘』（1897）、ゲオルゲ『魂の四季』

デューラーの「メレンコリアⅠ」

（１８９７）、トーマス・マン『魔の山』（１９２４）など。これらの作品には、文学史でもよくいわれているように、ドイツ的「内面性」がさまざまなかたちで表出している。

とくに最後に挙げたトーマス・マンは、北ドイツのリューベック出身の20世紀の文豪だが、１９４５年5月に亡命先のアメリカで「ドイツとドイツ人」（１２３ページ参照）と題する講演をおこない、ドイツの「内面性」の歴史について語った。それは、ルターからロマン派、そしてヒトラーへと脈脈と息づいてきたものであり、「悲劇」ではなく「メランコリックな歴史」だと主張したのである。

マンと同時代に生き、ナチスに追われた末に自死した批評家のベンヤミンは、マンとは別の文脈でメランコリーについて語り、みずからが土星、すなわちメランコリーをもたらす星のもとに生まれたと述べた。また、かれはその主著『ドイツ悲劇の根源』（１９２８）の第3章をメランコリー論に充て、メランコリーとドイツ・バロック悲劇との結びつきについて論じている。

しかしドイツとメランコリーとのつながりについていうなら、ドイツ・ルネサンス美術の巨匠デューラーの銅版画「メレンコリアⅠ」（１５１４）を忘れてはならない。この銅版画は先に挙げたベンヤミンのメランコリー論でも取り上げられているが、そこには有翼の女性、大工道具、はしご、秤、鐘、魔法陣、虹、彗星などが謎めいて描かれている。

この銅版画に注目したのは何もベンヤミンだけではない。詩人たちはこの銅版画に描かれたメランコリーを題材に詩作し、美術史家たちはその意味を探り続けた。謎がたえず人びとを惹きつけたからである。その美術史家のうちでも傑出した研究を発表したのは、図像解釈学の大家パノフスキーである。かれはクリバンスキー、ザクスルという優れた仲間とともに、デューラーの銅版画に描かれた図像を解釈するため、ギリシャ古代からルネサンスに至るまでの長きにわたるメランコリーの歴史をたどり、大著『土星とメランコリー』（1964）にほぼ余すところなく綴ったのである。

パノフスキーらの研究をかいつまんでいうと、中世までは怠惰と同じ悪しきものとみなされていたメランコリーは、アラビアの占星術と結びつけられ、ルネサンス期には、不吉な悪霊であると同時に、知性の神でもある土星からの贈り物であると捉えられるようになった。そこからメランコリックな天才という観念が誕生し、デューラーの銅版画へと受け継がれていったのである。力強い眼差しをはるか遠方に向けながらも内面に集中している有翼の女性、これこそがメランコリーの擬人像であり、彼女は神からの霊感を今か今かと待ち望んでいるのだ。

天才とメランコリーを主題とした絵画は、デューラーのものがもっとも有名だが、他にもクラナハの「メランコリア」（1532）がよく知られている。マンがドイツの「内面性」の歴史を「メランコリックな歴史」だといい、ベンヤミンがみずからを土星生まれといったのも、このようなルネサンス以来の天才とメランコリーとの結びつきを背景としている。かれらにとってメランコリーは、ネガティヴなものでもポジティヴなものでもあり、つねに両義性をはらんだものなのである。

以上のようにドイツでは、芸術家のみならず、思想家や研究者までもがメランコリーに魅せられている。それほどメランコリーが身近であったからであろう。精神医学の分野でも病としてのメランコリー、つまり鬱病の画期的な研究がドイツ人によってなされている。その1つがテレンバッハの『メランコリー』（1961）である。かれは、多くの症例からメランコリー患者が病気になる以前に几帳面な性格を備えていたということを導き出し、その性格を「メランコリー親和型」と名づけた。

もっとも、テレンバッハ自身も述べているように、メランコリー患者の多くは病気になる以前に、几帳面な性格であったというデータが得られているだけであり、几帳面な性格の人が皆メランコリーになるというわけではない。この理論は、多種多様な鬱病の臨床例が提示されるようになった現在の精神医学では、もはや重視されなくなっている。しかし、当時は何カ国語にも翻訳され、日本でも一世を風靡した。かれの著書の扉絵に用いられていたのも、他ならぬデューラーの「メレンコリアⅠ」である。

メランコリーを対象にした目立った研究は、他に社会学の分野にも見られる。レペニースの『メランコリーと社会』（1969）である。レペニースは、テレンバッハと違いメランコリーを気質の問題として扱うのではなく、他者や社会との関係性のうちで生じるものとして問題にした。そしてこのレペニースに深く影響を与えたのが、かの「土星の人」ベンヤミンであった。

パノフスキーといい、テレンバッハといい、レペニースといい、ドイツ人のメランコリー研究に傾ける情熱は計り知れないものがある。かれらのメランコリーを探究する姿勢は、デューラーの銅版画に描かれた、神からの霊感を待ち望みつつ沈思黙考するあの有翼の女性の姿と重なりはしないだろうか。そしてまた今日もドイツ的メランコリーは、かの地の人びとを深い暗闇へとつつみこもうとする黄昏時の薄明（Dämmerung）のなかで、生み出されているのかもしれない。

（藤井あゆみ）

# 24

# ドイツ人の政治ジョーク

## ★ナチスと旧東ドイツの「笑い」★

頑固で勤勉、几帳面で理性的……と、わたしたち日本人が一般的に頭に描くドイツ人のイメージはとかく堅苦しい。ルターやベートーヴェン、バッハ、カントなど、学問・芸術の分野で世界に知られたドイツの偉人の風貌や名前からは、およそユーモアや笑いを連想することなどできない。

ところが実際のところ、ドイツ人はかなりのジョーク好きで、リラックスした仲間内の酒席などでは、かならずといっていいほどジョークが語られる。まるでカラオケの持ち歌のように、誰もがレパートリーとするジョークをもっていて、話し方の上手下手にかかわらず、語られたジョークは打ち解けた笑いの場をつくり出す。

ジョークのことをドイツ語で「ヴィッツ」(Witz) というが、この言葉は本来、笑いとは何ら関係がなく、理性や知識、精神力などを意味し、中世のドイツ語では「理性」や「賢さ」と同じような意味で使われていた。

その後、18世紀中期に、「文学的才能」や「明敏な連想能力」などの意味がつけ加えられ、19世紀になってようやくこの言葉に、笑いや滑稽さというニュアンスが入ってくる。この時期から、瞬時に反応し、物事の意表をついた側面を照らし出す、いわゆる「機知」としての使用法と、人を笑わせることを目的として語られる短い笑い話、つまり現代のジョークとしての意味が併存するようになるという経緯をたどる。

民俗学者のルッツ・レーリッヒは、ジョークを「現代社会において絶滅の危機に瀕していない唯一の民話のジャンル」であるとしているが、ブロンド女ジョーク、医者ジョーク、弁護士ジョーク、オッシージョーク（オッシーは東ドイツ人を揶揄した表現：筆者注）、アンゲラ・メルケルジョーク、ドナルド・トランプジョークなど、ジョークのネタにはこと欠かない。

なかでも秀逸なのは「囁きジョーク」と呼ばれるナチス時代の政治ジョークと、分断されていたころの旧東ドイツの政治ジョーク、すなわち「DDR（東ドイツの正式名称の略）ジョーク」である。この章ではこれらの政治ジョークをおもに取り上げよう。

1人の男が通りを歩いていると、向こうから友人がやってきた。見ると、鼻に包帯を巻いている。男が、いったいどうしたのかと尋ねると、友人は、歯医者にいって歯を抜いてもらったのだという。
「いやね、きょうびおちおち口なんて開けられないんでね」。

ナチス体制下では極めてきびしい言論統制が敷かれ、ゲシュタポ（秘密警察）による監視、仲間による密告の不安が日常的に存在していた。日ごろの言動によっては反体制的な政治ジョークを話すことが、極刑や収容所送りにつながった。このような状況下でジョークを語ることは、聞き手が信頼できる人物かどうかを見極め、「おかしさ」を共有できる境界線を探りながらおこなう極めて危険な行為であった。

それにもかかわらず、当時おびただしい数の「ナチスジョーク」が囁かれ、人びとの口から口へと伝えられていった。それらのジョークは、戦後すぐ書き留められて、現在ジョーク集となって残っているが、じつはすでにナチス時代にも亡命した人たちによって、チェコやパリで出版されていた。

卓越した政治ジョークの文化は言論の自由が制限され、民衆が抑圧された独裁体制の下で花開くといわれている。「社会主義統一党」(SED)の実質的な一党独裁、シュタージと呼ばれる国家保安省による監視体制下にあった東ドイツの市民の間でも、多くの政治ジョークが囁かれた。

ウルブリヒト(東ドイツ国家評議会議長)とブラント(西ドイツ首相)が会った。ブラントがいった。
「わたしはわたしをネタにしたジョークを集めているんだよ」。するとウルブリヒトはこう答えた。
「わたしはわたしをネタにしたジョークを話した奴らを集めているのだ」。

これは東ドイツのきびしい言論弾圧を皮肉ったジョークだが、次に紹介するジョークは、経済的に破綻した共産主義体制が崩壊する直前の自分たちの日常を嗤ったものである。

空っぽの買い物袋をもって立っている東ドイツ人は何を考えているか。——はて、わたしはこれから買い物にいくところだったのかな、それとももう買い物し終わったのかなあ。

☆首相、国境にたくさん難民がいます。
★シリアから？　入れてあげなさいよ。
☆違います。ドイツ人たちなんです。出ていこうとしているんですよ！

「DDRジョーク」には「ナチスジョーク」と同じパターンのものも多いが、これも東西ドイツが統一し、東ドイツが実質的に消滅したのち、多くのジョーク集が発表された。統一後、失われた祖国東ドイツとその文化を懐かしむオスタルギーという現象があらわれたが、これらの政治ジョークは旧東ドイツの国民的文化として、20世紀末の市場経済の世界に放り出され、あまたの困難に直面することになった東ドイツの人たちのアイデンティティの要《かなめ》ともなったのである。

ジョークには著作権が存在しない。現在、ジョークはインターネットという新しい生存圏とコミュニケーションの手段を獲得して、人類の記憶力の衰えと反比例するかのように生み出され、言語やユーモアの感覚を同じくする人びとの間で共有され、拡散されていく。現在ネット上で多く共有されているジョークを紹介しよう。

メルケルがいった。「イスラームは今やドイツの一部となっています」。するとトランプははじめて世界地図を開いてこう考えた。「いまいましい。ドイツ人め、いったいまたどこに侵攻しやがったんだ」。

かつて笑いとして直接返答された聞き手の反応は、ネット上の「いいね」マークやツイッターのリツイートの数で数値化され、あるいはコメントとして言語化されてフィードバックされる。コミュニケーションの形態は変わったが、歴史や社会の側面を切り取って権力者の素顔を垣間見せる政治ジョークのだいご味は健在といえる。

（佐藤裕子）

コラム3

## ドイツ語における「ナウい」英語語法

細川裕史

日本と同様に、ドイツの新聞のスポーツ欄は、英語のオンパレードだ。「トレーナー」(Trainer)は「トップ」(Top)を目指して「チーム」(Team)を育てている、といった具合に。スポーツの分野ほど極端ではないにしても、英語は、借用語としてドイツ人の日常、とくに「クールな」(cool)流行を追い求めている若者たちの日常に浸透している。かれらは、「スタイリッシュに」(stylisch/ stylish)「ショッピング」(Shopping)を楽しむ。

英語や英語風の言葉を多用する書き方・話し方は、英語語法(Anglizismen)と呼ばれている。ドイツ語圏における英語語法の歴史は、17世紀半ばにまで遡ることができるほど古く、英語語法は単なる「ナウい」ヤングたちのトレンドというわけではない。しかし、英語が国際語としての地位を確立した現在、ドイツ語に対する英語の影響力はこれまでよりも大きくなっている。英語語法はとくに若者向けのメディアで乱用されており、こうした傾向を「言葉の乱れ」とみなす知識人によって、反対運動がおこなわれてさえいるほどだ。

英語が好んで用いられる理由としては、国際語としての地位やドイツ語との類似性以外にも、英語の借用語の方がより手短に特定の事柄や概念をあらわすことができる、という点が挙げられる。英語からの借用語の方が本来のドイツ語の語彙より多用されているケース、たとえば「ホビー」(Hobby)と「大好きな活動」(Lieblingsbeschäftigung)や「セックス」(Sex)と「性的交渉」(Geschlechtsverkehr)などを見比べてみれば、歴史的・文化的な背景をもち出さなくても、なぜ英語語法が盛んなのか想像がつくだろう。

## コラム3

## ドイツ語における「ナウい」英語語法

　ところで、日常でお手軽に使える英語からの借用語のせいで、ドイツ人が混乱することもある。というのは、和製英語ならぬドイツ製英語「デングリッシュ」（Denglisch/Denglish）が借用語に混じっているからだ。こうした語彙には、英語本来の意味とはズレが生じているケースが見られる。

　その代表格が「ハンディ」（Handy）で、これは「便利な」という意味ではなく、ドイツ語では「携帯電話」（Mobiltelefon）という意味。本来の英語（cellular phone）よりもよっぽどお手軽なので幅広い世代に広まっているが、もちろん、ドイツ人がイギリス人に「ハンディ」の番号を尋ねても教えてもらえるわけがない。ドイツ人がうっかり英語だと思って使うと恥をかく言葉には、他に「市の中心部」という意味の「シティ」（City）や「プロジェクター」という意味の「ビーマー」（Beamer）などがある。

　「オーケー」や「バイバイ」といった日常的な語彙が日本でもドイツでも通用するようになったことは、国際的なコミュニケーションをとるうえでは楽になったといえるが、英語語法には影の部分もあるということを意識しないといけないようだ。

# V

# 市民のライフスタイル
## ――質実剛健

# 25

# ドイツのパンと家庭料理

## ★忘れられない味★

ドイツビールの銘柄ほどではないが、ドイツパンは400種類もあり、ヨーロッパでもっとも種類が多いといわれている。それはドイツが地理的に小麦、ライ麦の穀倉地帯にあるだけでなく、大麦などの雑穀、くるみ、ヒマワリの種、カボチャの種、ハーブの種までパンに利用するという、食文化の多様な生活習慣と深くかかわっている。ドイツ人の創意工夫がパンの食文化にもあらわれているのである。

ドイツは食文化では、粉文化圏に属するといわれている。すなわち小麦であれ、ライ麦であれ、パンにするためにはすべて粉末にしなければならない。その労力は日本の米という粒文化圏と比べると、格段の差がある。それゆえヨーロッパの大西洋岸では風車が、内陸部では水車が発達した。とくに現在、北海沿岸では偏西風を利用した風力発電が盛んであるが、これもめぐりめぐってパンの粉文化とかかわりがあるのだ。

筆者がドイツではじめてパン食をはじめたのは、もう20年以上も前のことになるが、ゲッティンゲンにあるゲーテ・インスティトゥートで夏期講座を受講するため、1996年7月にミュンヘン空港に降り立ってからである。その日はミュンヘンの郊外に宿泊したが、翌朝、ホテルの朝食で出たブレーチェン（Brötchen）は、焼きたてで香ばしかったので最高においしかった。

ブレーチェンは小麦粉でつくられた手のひらサイズのパンであるが、ふつうドイツ人は、朝食時に横からナイフを入れて切り、なかへバターかジャムをたっぷり塗って食べる。フランスパンのバゲットに味と食感が似ていて、表面が硬くなかは柔らかい。このパンの呼び名とかたちは地域により異なり、南ドイツではゼンメル（Semmel）、ベルリンではシュリッペ（Schrippe）というが、味は何ら変わりない。

日本ではフランスパンに比べて、ドイツパンの人気は今ひとつである。しかし本物の黒パンの味を知れば、病みつきになるのは請け合いである。黒パンと呼ばれているのは、ふつうライ麦70％、小麦30％が使用されたものであるが、少し酸っぱいのは、ザウアータイクというパン酵母が入っているからである。レストランで黒パンを食べようと思うと、たとえばハンガリーを起源とする牛肉と赤パプリカの入ったグーラシュ（Gulasch）、レンズマメをふんだんに使ったリンゼンズッペ（Linsensuppe）、茹でソーセージが上に載ったジャガイモのスープを注文すれば、付け合わせとして出てくる。

このパンは焼きたてを店頭で買い、すぐもち帰って包丁で切ると、なかがまだ乾燥しきってない状態で、パンの一部がナイフに引っ付いてくるほどしっとりしている。この生温かい状態のパンにバターを塗ると、さっと溶けて、そのおいしさは筆舌に尽くしがたい。さらにライ麦を90％以上使った黒パン、プンパーニッケル（Pumpernickel）は、円盤状のパンで薄く切って食べる。酸味のなかに甘みもあり、栄養価は高くて長期保存ができる。

我が家の週末の朝食用のパン（筆者撮影）

ブレーツェル（Brezel）は、南ドイツでよく食べられるパンで、8の字型の奇妙な格好をして、表面に岩塩をまぶしてあるので少し塩辛い。また表面に重曹水を塗って焼いてあり、それが濃い茶色の艶を生む。なかは柔らかくて白く、味も外皮とずいぶん違う。かたちの由来には諸説あるが、一般に修道士が手を交差してお祈りをしているのを模したといわれている。イーストを使用しているが、発酵しないように工夫し、かつては断食（最低限パンと水は許された）のときに食した。なかなか味わい深く、ドイツの子どもたちが大好きなパンである。

さて、食生活の習慣はドイツ人のなかで暮らしてみて理解できることが多い。先述のゲッティンゲンで夏期講座受講期間中、もう1人の日本人女性といっしょにドイツ人家庭に間借りすることになった。平日はスーパーで6個入り1パックの白いパンを買って帰る毎日であった。ある日、台所で2人でお茶を飲んでいると、家主の奥さんがそのパンの包装パックをもってあらわれ、「あなたたち、このパンをいったいどうやって食べているの」と聞かれた。「バターを塗ってハムとかチーズを載せていただいている」と答えると、「では、オーブンで焼いてないの？」という。「これは焼いて食べるパンで、そのまま食べるものではない」という答えである。

たしかに比べてみると、食感と味に格段の差がある。パンや冷凍のブレーチェンがスーパーで販売されていても、家庭では焼き直すという、焼きたてのパンにこだわるドイツ人の生活習慣を知った。

たしかに店頭で売っているもののうち、何といおうと、パン屋の焼きたてパンが一番おいしい。伝統的なパン屋ではふつう対面販売していて、マイスターが毎朝焼く数十種類のパンが、香ばしい香りを漂わせている。日本人でも炊き立てのご飯と冷ご飯と比べれば、その差は歴然であり、ドイツ人の「主食」のパンも、このこだわりなのかと思うと妙に納得した。

最後にドイツの本格的な郷土料理である家庭料理を1つ紹介しておきたい。北ドイツ出身の友人コーラの実家に招待されたときに、彼女の母親が北ドイツの郷土料理の1つ、グリューンコール（Grünkohl：ケール）を使った料理を出してくれた。この野菜は、日本では青汁の原料になっているケールというアブラナ科の野菜に似ていて、冬季限定である。初霜が降り甘みが増してから収穫されたものが、味が濃くておいしいとされる。

ケール料理

みじん切りにしたケールとタマネギをいっしょに炒め、最後に燻製のソーセージピンケル、同じく燻製された豚肉カッスラー、そして厚切りの豚のばら肉を載せて1時間ぐらい煮る。味付けは塩コショウだけとシンプルであるが、肉類から出た味がケールにしみこみ、たいへん美味である。北ドイツではアイントプフ（Eintopf）という煮込み料理が好まれ、長くて寒い冬を乗り切る生活の知恵が感じられる。時間をかけてつくるドイツの料理は、地味で素朴であるにもかかわらず、じつに味わい深いものがある。

このように煮込み料理やオーブンでじっくりローストした肉料理が、本来のドイツ人の家庭料理である。温かいうちに食べるが、家庭料理でもボリューム、食べる温度、そして手づくりソースの味にこだわる。ドイツは地域の伝統を大事にするだけに、各家庭にもその家の伝統があり、それは地方の郷土文化を育んでいるのであろう。

（金城ハウプトマン朱美）

# 26

# ドイツの肉料理

## ★ところ変われば品変わる★

ヨーロッパの国のなかでも、フランスやイタリアに比べると、ドイツは美食家にはあまり縁のない国と思われている。「ドイツ人は働くために食べる」と揶揄されるように、伝統的には「食」よりも「住」を重視する傾向にあるようだ。しかしながらドイツにもフランス料理やイタリア料理にも負けないおいしい料理が各地に数多くあり、結構奥が深いことが分かる。

ドイツの肉料理といえば、まずビールによく合うソーセージから話を進めなくてはならない。肉屋の店にはソーセージ類だけでも種類が多く、血入りのブルートヴルスト（Blutwurst）、レバーペースト（Leberpastete）など、中身を聞くと食べるのに少し勇気がいるものもある。どうしてこのようなソーセージが多いのか、やはり長い冬場に備えて、ドイツ人が生きぬく知恵を働かせた結果である。

今では少なくなったが、ドイツの農村ではかつて冬に備えてブタの屠畜をおこなっていた。12月ごろ村総出で、一種のお祭り騒ぎのように、人びとが集まり、屠畜マイスターがやってくる。屠畜には免許がいるからである。その後は役割分担をし、肉を切り分ける、湯を沸かす、ヒツジの腸を使って器用にソー

ドイツのソーセージとチーズの店
（出所：German sausages and cheese.jpg）

セージづくりをおこなうといった作業をする。よく見ていると血の1滴でも粗末にしない。サラミ・ソーセージは血入りということでなく、血の1滴も利用し尽くすことから生み出されたものである。

ソーセージといえば、ミュンヘン名物の白ソーセージはとりわけ有名で、わたしたち日本人の口によく合う。他にもニュルンベルクやレーゲンスブルク、さらにはチューリンゲン地方の焼きソーセージは味のよさで人気がある。露店では炭火で目の前で焼いてくれるから、ウナギのかば焼きほどではないが、集客力抜群だ。しかしドイツでは、ふつうは茹でソーセージが多い。旅行中、構内や町の屋台でソーセージを注文すると、握りこぶし大のブレーチェンや塩味の8の字型のブレーツェルが付いてくる。もうこれだけで腹の足しになり、急ぎの旅行者には安くて手軽な食事といえるだろう。

生ハムはイタリアが本場のように思われているが、ドイツ産のシンケン（Schinken）、プロシュート（生ハム、もとはイタリア語のprosciutto）もワインと相性がいい。街のワインケラーでは、これらのハムとライ麦パンを肴に、シュタムティッシュ（常連客用テーブル、Stammtisch）を囲んで、辛口のワインに舌つづみを打っている年配客をよく見かける。しかしドイツで不思議なのは、ハムの薄切りがあるのに、なぜ肉の薄切りがないのかという疑問である。

第26章

# ドイツの肉料理

ドイツで暮らす日本人にとって、すき焼き用の肉がなかなか手に入らず、不便だという話をよく聞く。肉屋の店員にスライスを頼むと、一応努力はしてくれるが、満足なものが手に入らない。それというのも、ドイツでは肉は塊でナイフとフォークを使って切って食べるものだ、という固定観念が通用しているからである。歯の丈夫なドイツ人は、大きな肉の塊でも噛み応えがある方がよく、堅いのは苦にはならないらしい。その一方で、日本の高級牛肉は絶品だといわれ、どの外国人でも神戸牛、松阪牛を食べさせれば、これほどうまい牛肉は食べたことがない、と異口同音にいう。

さて肉の食材としては牛肉、豚肉、ニワトリ、ヒツジはありふれているが、その他、カモ、シカ、イノシシ、ウサギなどの肉も見かける。またローカル料理として、山岳地帯のレストランへ入ると、「猟師風」という名前のキノコをあしらった焼肉料理によく出くわす。またここではシカ料理も一般的で、慣れると癖もなく美味である。

食文化の違いといえば、パーティなどではブタより小さいものは、頭から丸ごと飾ってあって、ぎょっとすることがある。ところが、妙齢の女性がそれを見て、「まあおいしそう！」というのは、日本でいえば尾頭付きの刺身の盛り付けという感覚であるのだろう。魚が口をパクパク開けていても、日本人なら新鮮だと思うが、外国人であれば残酷だと顔をしかめるということになる。

日本は稲作文化の国であるから、米、玄米、白米、ご飯、餅、モミ、イネなど、米にまつわる表現が豊かであるが、欧米ではたとえば、ウシやブタの体の部位にそれぞれ名前がついている（日本でもその表記が定着しつつあるが）のは、読者諸氏もご承知のとおりである。ここにも生活習慣と言語表現の密接な関係が認められる。

一般的な肉料理として、ウィーン風カツレツ、リンダーブラーテン（Rinderbraten、ローストビーフ）、シュヴァイネブラーテン（Schweinebraten、ローストポーク）、シュヴァイネハクセ（Schweinehaxe、豚のスネ肉料理）、ザウアーブラーテン（Sauerbraten、酢漬けの牛肉の表面をローストして蒸し煮したもの）などがある。アイスバイン（Eisbein）は、塩漬けした豚肉の脚の部分を丸ごとボイルしたもので、脂っこく少々グロテスクだが、数人の仲間で食卓を囲む際には、一興かと思う。

ヨーロッパの東方料理もドイツに流入しており、ハンガリー風グラシュがその代表であるが、野菜や牛肉のコクがわたしたち日本人の口にとても合う。シャシュリク（Schaschlik）という東欧の串焼き風焼肉もまた一般的だ。また1960年代以降、急速なトルコ人労働者の流入によって、トルコ風のドネルケバブ（ドイツ語ではDönerkebab）というテイクアウト料理も、ドイツに広まった。現在では駅構内ですら見られ、これがドイツの食文化のなかへ浸透している。

イギリスに端を発した狂牛病騒動の影響からか、ヨーロッパでもベジタリアン宣言をする市民が増えている。その延長線上にビオ食品（162ページ参照）にも関心を寄せる人が多い。さらに肉の代わりに、ドイツでも魚料理が健康にいいということで、注目が集まっており、日本のスシ（367ページ参照。回転ズシが多い）がブームになっている。内陸部の南ドイツやオーストリアでは、川魚のマス料理が代表格で、新鮮な素材であれば、ムニエルがお勧めである。

北海やバルト海に面した北ドイツ、オランダ、それにスカンジナヴィア各国では、魚料理が楽しめるが、食材は日本に比べるとそれほど多くなく、タコやイカなどは一般に受け入れられていない。ヒラメ、カレイ、それにニシン、サケが一般的で、とくに酢漬けのニシン料理は、ドイツ帝国初代宰相として名を馳せたビスマルクが好んで食したことで「ビスマルク・ヘリング」と名づけられているが、日本人の好みに合う。なおシュネルインビス（Schnellimbiss）と呼ばれるファストフードの店では、燻製にしたニシンやサケなどの載ったオープンサンドイッチがテイクアウトできる。

ニシンやサケと同様に、北ドイツの魚屋ではウナギも見かけるが、これは日本のより大型で脂っこく、燻製ものが多く出まわっている。北の港町ハンブルクでは、名物はウナギのスープだ。とはいっても、現在のドイツ全体の食文化は、やはり肉食が中心である。しかしドイツの肉食料理も、伝統的な郷土料理と並行して、他地域の食文化の影響を受けながら、徐々に変化しつつあるといえよう。

（髙橋　憲）

# 27

# 自然食品と食の安全

## ★食品スキャンダルからビオ志向へ★

筆者が20年以上前にドイツへ来たころは、スーパーマーケットの野菜や果物はしなびたものが多かったが、まだ国産が主流であった。しかしドイツでも、次第に輸入野菜や果物が目につくようになり、一年中、EU産だけでなく、イスラエル、モロッコ、チリ産のパプリカ、オレンジ、ブドウなど、外国産の生鮮食料品が買えるようになってきた。

日本で見慣れた「とれたて」で「新鮮」なものは、青空市場で入手できたけれども、当時、学生だったわたしには値段が高く、またそれほど食の安全も気にしていなかったので、スーパーの食料品をよく利用した。しかし妊娠し、子どもが生まれてから、食料品などへの関心が高まってきた。これは個人的な問題だけでなく、近年、食品をめぐるドイツのスキャンダルが頻発した関係からか、一般のドイツ人にもいえる傾向である。

食品スキャンダルについては、日本で報道されたものもあるが、そのうちおもなものだけ以下に列挙しておこう。2000年にイギリスで発生した狂牛病は、ドイツにも波及して大騒ぎになった。輸入肉だけでなく国内でも2010年までに、合計400頭以上の狂牛病に感染した牛が確認されたので、人びとの間に牛肉離れがはじまった。

またドイツ人が大好きなお菓子グミキャンディーには、牛製品のゼラチンが入っていると噂され、ゼラチン含有の食品も倦厭《けんえん》された。ただし肉食中心の人びとの誰もが、菜食主義者になることもできないので、牛肉以外の豚肉の消費が増えたが、今度は養豚場の不衛生さや、抗生物質とホルモン剤を使用した飼育方法が問題になった。

その流れのなかで、さらに鶏肉の飼育環境にも目が向き、これまた劣悪な飼育環境が明るみに出てくると、鶏肉も避けられた。同様にドイツで人気のファストフードである、トルコ料理ケバブの肉は、肉屑を寄せ集め、香辛料で味付けしたものであることも分かった。これが健康上、有害であると報道されると、当然、ケバブが売れなくなった。

肉類だけではない。２０１１年５月には原因不明の下痢が流行し、死亡者も数人出た。これはＥＨＥＫと呼ばれるＯ１０４菌感染が原因とされたが、その感染源の確定が急がれた。最初は北ドイツ産のトマトとキュウリ、次にスペイン産のキュウリ、最後にはエジプト産のもやしのような野菜の種が感染源とされ、ようやく事態は収束した。

最近では、２０１２年９月にベルリンなど東ドイツを中心に、給食配膳センターによる集団食中毒が問題になり、被害者数が１万人を上回った。わが子はこの日に給食を注文していなかったので（給食は希望制）被害を免れた。原因はデザートに使われた中国産冷凍苺と判明したときには驚いた。給食配送料や材料費など考慮すると、一食２・５ユーロ（３５０円）の給食費は安すぎる。それ以上の金額だと保護者から苦情が出るとのことだが、給食の安全確保に対する政府の対応が望まれる。

ビオマークの小麦粉
(筆者撮影)

こういった食品スキャンダルが起こるたびに、脚光を浴びるのが有機農法(化学農薬、化学肥料、遺伝子組み換えの種を使用しない)で栽培された食料品、いわゆるビオ製品である。これには酪農と組み合わせた農法、独特の堆肥づくり、ミミズや益虫を利用した土づくりなど多様な農法がある。そのうち有名なものは、20世紀のはじめに人智学者ルドルフ・シュタイナーが唱えたビオダイナミック農法を取り入れたデメータ、EUよりもさらにきびしい基準を課しているビオランドなどがある。

こういうビオ製品は、通常の商品よりもおよそ2倍以上高い。それでも最近の消費者の健康志向、ならびに環境意識向上により、ビオ製品だけを取り扱うスーパーが人気で、高くても食の安全を確保したい人が増えている。このビオブームは、ドイツ連邦食料・農業・消費者保護省が2001年よりビオを推進していることが背景にあり、それが時代の潮流をつくっているようである。

5年ぐらい前から、何とディスカウントスーパーでもビオの野菜、パン、ジャム、ハム、チーズ、クッキーなど日々消費するものが比較的安く販売されるようになり、ビオが買い求めやすくなったこともビオ人気に拍車をかけている。ディスカウントスーパーのビオと聞くと、少し胡散臭く聞こえても仕方がない。ビオ食品だけでなくそれ以外の製品でも、あまりに安いと質が劣っているのではないかと懸念する人が多い。

しかしながらこの不安感を払拭すべく、ドイツでは民間研究所が『テスト』と『エコ・テスト』という2種類の雑誌を出版している。これらの機関がさまざまな食料品の安全性を定期的にテストし、結果を公表しているが、この制度は、自動車などの工業製品の品質テストと同様である。なお『テスト』は1964年に、当時の西ドイツ連邦政府の独立商品検査機関であったヴァーレンテスト財団によって刊行されており、おもに雑誌売上金で運営されている。

　こうして乳製品やハム、パン、肉、野菜や果物、油、インスタント食品、水、ビールなどほとんどの食料品や飲料水の栄養価、残留農薬や細菌の含有率などが検査され、その結果を公表前に製造元に通知し、問題点があれば改善を要求する。また検査結果に対する回答を求め、生産・製造業者に商品の質の向上を働きかけている。

街のマルクトの野菜売り場（チュービンゲン、筆者撮影）

　その報告によると、値段の高いビオ食品や高級商品の質がかならずしも優れているとは限らない。むしろディスカウントスーパーの商品の方が、安くて質もよい場合もある。いずれにせよ、これら研究機関のテストに優良合格したものには、ロゴがパッケージに印刷されているので、雑誌を購読しなくても売り場でよい商品が見分けられるようになっていて、消費者が購入する目安になる。

　ビオといっても、すべてドイツ産とは限らず、全商品に産地や生産国が表示されているわけではない。またビオだから栄養価が高いと評価されることもあるが、各種検査結果のデータが異なるため、かならずしもふつうの農畜産物よりも優れていると断定できないので、ビオに対する否定的な意見もある。しかし一般の人びとのビオ志向は明らかで、それはエコロジー農法の作付面積の増加からも実証できる。

ビオ志向からビオ店以外でも、新鮮で安全な野菜や果物、豚肉や鶏肉や玉子を買う場合、冒頭に述べた青空市場が人気である。また生産者や生産地をみずから確認できる農家や畜産農家の直売店を利用して、納得したものしか口にしない消費者もいる。またささやかな自衛策として、自宅の庭やバルコニーで、あるいはクラインガルテン（市民農園）などの家庭菜園で、有機農法を楽しむ人たちも増加している。これらの風潮は、根っこの部分ではドイツの環境問題や自然保護運動と連動していることが明らかである。

（金城ハウプトマン朱美）

# 28

# 消費税の二重構造

★弱者への配慮★

日本では消費税の議論が喧《かまびす》しい昨今である。2019年10月1日から現行の8%が10%へ引き上げられ、同時に軽減税率制が導入された。その際、政府与党の推進派は、ヨーロッパの消費税が日本より高いといい、スウェーデンやノルウェーの25%などを引き合いに出し、増税の根拠にした（なお、ヨーロッパでは消費税を付加価値税と呼ぶが、ここでは日本の慣例にしたがって、消費税と表記することにする）。

消費税は収入に応じた累進課税と違って、原則として金持ちや貧乏人にかかわらず、国民に一様に税金をかけるシステムである。その意味では低所得者の貧困層に過酷な負担を強いる税制であるといえる。ヨーロッパの消費税は、原則として日常的に用いる食料品に低く、高級品に高いという、貧困者に配慮した軽減税率制を導入し、二重構造になっていることが多い。これはある意味では、ヨーロッパ人の合理的発想であるといえる。次ページに2019年時点の主要国の消費税比較を挙げておこう。

とくにイギリスやアイルランドでは、生活必需品には消費税無料であり、スイスも2・5%と安い。実際に、高級品を買う

各国の消費税比較（2019年、%）

| 国名 | 消費税 | 食料品など |
|---|---|---|
| **ドイツ** | **19** | **7** |
| フランス | 20 | 5.5 |
| イタリア | 22 | 10（4） |
| イギリス | 20 | 0 |
| オランダ | 21 | 9 |
| アイルランド | 23 | 0 |
| ポルトガル | 23 | 6 |
| スペイン | 21 | 10（4） |
| スイス | 7.7 | 2.5 |
| ノルウェー | 25 | 12 |
| スウェーデン | 25 | 12 |
| ロシア | 18 | 10 |
| ハンガリー | 27 | 18（5） |
| メキシコ | 16 | 0 |
| アメリカ | ※ | ※ |
| **日本** | **10** | **8** |

筆者作成。軽減税率は国によって品物の種類別に、さらに分けられている場合がある。
※アメリカの消費税や軽減税率は州によって異なり、もっとも高い消費税でも10%を超えない。

金持ちには高い税金を課し、低所得者に配慮していることが分かる。それにとどまらず、税金の負担の軽重は、日欧で単純に云々することはできない。もし相対比較をするなら、教育費、社会福祉、医療費など、トータルに考えなければならないからである。ヨーロッパでは教育費や社会福祉費などに還元されるので、高い消費税でも人びとは容認している。

現在、ドイツの消費税は19％であるが、生活必需品、たとえば食料品、水道費、書籍、新聞、雑誌、観劇チケット、医薬品、旅客輸送、宿泊施設の利用などは、軽減税率が7％である。

とくに新聞、書籍、観劇チケット

は、文化的生活に必要ということで、ドイツでは優遇されており、ここにドイツ人の文化や教養を重視する国民性がよくあらわれている。さらに話題になるのは、同じ食べ物であっても外食は19％、テイクアウトは7％という違いである。外食は贅沢という解釈なのである。

ロブスターやキャビア、ワインが高級品として19％というのは分かるが、各種ジュース類まで19％であり、またビールも19％、これと相性がいいソーセージが7％というのは、納得がいきかねる。また税率決定のときには、根拠が示されたのであろうが、以下に挙げる例は、その線引きが不明確で理解できない（数字は％）。

| | | | |
|---|---|---|---|
| トマト | 7 | トマトケチャップ | 19 |
| 補聴器 | 7 | 眼鏡 | 19 |
| ジャガイモ | 7 | さつまいも | 19 |
| タクシー | 7 | レンタカー | 19 |
| 映画 | 7 | DVD | 19 |
| 水道水 | 7 | ミネラルウォーター | 19 |

ドイツは2007年1月1日から、従来の消費税を16％から19％に値上げしたが、その際、国民の強い反対に遭い、すんなり認められたわけではない。まず生活必需品などは、減免税率7％とし据え置いた。また当時は「キリスト教民主同盟」（CDU）と「社会民主党」（SPD）という2大政党が連

立政権を担っていた時代である。本来、消費税値上げはCDUの選挙公約であったが、SPDが選挙で公約した高額収入者の所得税を42％から45％に増額する案とバーター取引をし、両政党が同調して国会を通過させた。

消費税は目的税ではないから、いうまでもなくヨーロッパにおいても、この財源が福祉目的のみに使われているわけではない。たとえばドイツの場合、2007年度からアップした3％のうち、1％は福祉部門の失業保険料の引き下げの財源としたが、2％は財政赤字の補填に使うという割り振りをした。

世間では増税をすれば経済が冷え込み、不景気になると危惧されたが、シュレーダー政権時のハルツ改革（228ページ参照）を中心とする、新自由主義的な構造改革、財政再建の効果があらわれ、あわせてユーロ安など、これらの相乗効果によって、消費税導入後、ドイツ景気はむしろ好転し、失業率も減少するという結果になった。

日本でもこのような生活必需品や新聞などとそれ以外を区別する、軽減税率がようやく導入された。たしかに消費税はヨーロッパ諸国に比べると安いが、食料品などの軽減税率は8％で、ヨーロッパ諸国に比べるとかなり高いといえる。さらに消費税を上げると消費が落ち込み、景気が悪化するので導入には慎重であるべきだという意見も多い。

さて、最後に消費税に関する話題を付言しておこう。日本人がドイツで品物を買ったとき、未使用であれば消費税を還付してもらえる制度がある。ご存知の人も多いと思うが、ドイツ大使館東京のホームページには、次のような説明が載っている。

ＥＵ圏外に在住する方がＥＵ圏内で物品を購入した際、支払った付加価値税は還付の対象となります。（免税手続きに対応する小売店で購入した場合のみ。宿泊・飲食などのサービスにかかった付加価値税は還付の対象外です。）

輸出・購入者証明書の交付は本来、ＥＵ加盟国の税関の業務です。

大使館および総領事館では、国境の税関での検査が不可能だった正当な理由がある場合にのみ、この証明書を例外的に交付します。

輸出・購入者証明書の発行には一通につき25ユーロ相当（支払いは日本円）の手数料が必要です。

実際には品物を購入した店で、免税申請用紙を請求し、書類に必要事項を記入してもらう。出国の際に、税関で未使用の購入品を見せ、書類にスタンプの押印を頼む。空港に払い戻し窓口があるので、そこで書類を提示し、還付金を受領するという手順である。ただしある一定金額以上の買い物でないと、この制度のメリットはない。

（浜本隆志）

# 29

# 休暇・同好会・ボランティア

## ★人生を楽しむために働く★

日本人は会社のために、そしてドイツ人は休暇のために働くといわれるように、ドイツ人は長期休暇やアフターファイブをいつもこころ待ちにして生活している。企業では新年がはじまると、従業員たちがその年の休暇プランを提出し、上司が休暇を調整する。子どものいる従業員は、学校が夏休みの時期に優先的に休暇を取得でき、家族いっしょに1〜3週間旅行に出かけることができる。就学児童のいない人は、シーズンオフに旅行にいけるので旅行代金も通常より安く、観光地が混み合っていないのでお得である。

週休2日の被雇用者には最低年20日の有給休暇が保障されており、日本の夏のボーナスに相当する休暇手当は100ユーロから数千ユーロと、企業によりかなりの差がある。ドイツでは、日本のように病気欠勤でも有給休暇を消化することはない。病欠休暇は医師の診断書にもとづいて認められ、病欠期間中は有給である。

もし残業した場合、あらかじめ雇用主と交わした契約にもとづいて、残業手当が支払われるか、あるいはその代わり、追加休暇を取得することができる。幼稚園や保育所、学童保育の多くは、学校休暇中、年に合計12週間閉鎖するところが多いので、共働きにせよ、ひとり親にせよ、祖父母など子どもの面倒を見てくれる人が近くにいない場合は、追加休暇があるとたいへん助かる。

休暇の過ごし方は千差万別であるが、基本的に自宅を1週間以上離れ、移動をする。アウトドア派で日光浴が好きな人は、バルト海や北海、地中海やマジョルカ島などを訪れ、浜辺で寝転んで本を読んだり、あるいは海辺の景色を楽しんだりし、何もせず日常の喧騒から逃れて過ごす。山が好きな人は、南ドイツやオーストリアのアルプスまで出かけ、山歩きを楽しみ、キャンプをしてテントで過ごす人もいれば、3食付きのホテルに宿泊する人もいる。

移動手段も自家用車から飛行機まで、予算と時間により異なる。我が家はベルリンから電車でオーストリアまで出かけるが、最近では毎回電車が遅れ、10時間以上かけて目的地に到着するので疲れてしまう。しかし翌日から保養地の木々の間には木洩れ日が射し、心地よく涼しい森のなかを静かに散策すると、本当に癒やされた気分になる。前日の疲れもすっかり忘れてリフレッシュでき、次の休暇まで頑張って働く活力を得ることができる。

とはいえ、仕事上の電話やメールが休暇中に入ってくることもあるので、完全に休養できない人たちも近年増加中である。そのためウルズラ・フォンデアライエンが労働大臣時代に、「ボタン1つ押せばすぐに呼び出される」という新しい労働文化に反対の姿勢を見せており、雇用者に勤務時間外に被雇用者と連絡をとる際の規定を制定するよう促している。このような規制は、仕事とプライベート生活を区分するドイツらしい発想であると思う。

仕事の後や放課後には、同好会（Verein）に週1回、通う人がほとんどである。ドイツ人は1人が

1つの同好会に属しているといわれているほどで、田舎にいくほどその傾向が強い。同好会というとどういうところか、イメージが湧きにくいかとかと思うが、習い事や同じ趣味をもつ人たちが集まる場といった方が分かりやすいかもしれない。

わが子は1歳のときから体操同好会に通っていた。そのころはまだ体操などできる年齢ではなく、他の子たちといっしょに体を動かしているだけであったが、他の母親と知り合える交流の場になった。この会のおかげでわたしも「ママ友」ができ、社会とつながりを保つことが可能となった。社会との関係を強く求めるのは、母親だけに限らず、一般人も同様であり、これは個人主義の反対の現象ではないか。つまり、ドイツ人は孤独には耐えられないから、同好会が多いといえるのである。

大人だけでなく、子どもたちも地域の同好会とかかわっている。未就学の女の子は創作ダンスや乗馬の会に、男の子は5歳からサッカー同好会に入会でき、また水泳や体操の同好会も人気である。小学校に入学してからも、生徒はそれらの習い事を続ける。ドイツでは基本的に日本のように学校のクラブ活動や受験用の学習塾もないので、会費が手ごろな（ひと月10ユーロから100ユーロ）同好会が繁盛するのである。

大人が同好会に参加する場合でも、子どものころから親しんできたチェスクラブなどへ入会し、趣味を継続している人が比較的多い。また職場と家庭の往復だけだと同僚以外の人と知り合う機会がないので、同好会に入会して、新たな知人や友人を得る格好の場所にもなっている。ここ数年はインターネットのフォーラムなどでネット上の付き合いを好む人も増えているようであるが、いずれにせよ先述のように、人とのつながりを求めている人が多いことには変わりない。

余暇を有効に使おうと考える人は、老人ホームの手伝いや介護ボランティアの活動に従事する。キリスト教の伝統により、ドイツ人はボランティア活動にも関心が高い。ちなみに連邦家族・高齢者・女性・青少年省の２００９年の統計結果によると、14歳以上のドイツ人の約40％は、長期的に何らかのボランティア活動に携わっているというデータがある。ドイツ国民すべてがキリスト教信者ではないけれども、キリスト教を地盤にした奉仕の精神が人びとに浸透していることがよく分かる。キリスト教系の福祉団体としてはカリタス、ディアコニーやマルテッサーが有名であるが、それ以外でもボランティア活動範囲は広い。郷土博物館や人口10万人以下の都市の消防隊は、ボランティアによって運営され、かれらの存在が不可欠になっている。

若者たちのうち、アビトゥア（大学入学資格）を取得後、すぐに大学に進学しないで、ボランティアに従事する者もいる。かれらはここで、将来の進路を考える時間と機会を得るのである。たとえば、エコロジカル・ボランティアといって、1年間、環境にかかわる施設、森林保護団体や森の幼稚園で、ボランティアとして数百ユーロの小遣いを得ながら働くケースや、病院や老人ホーム、障害者施設で働く社会ボランティアをする者もいる。高校卒業とともに大学進学するのが当たり前になってしまっている日本の若者にも、このような社会学習の機会が得られるならば、若者の社会に対する考え方も変わり、明確な人生目標を見出すことができるのではないかと考える。

（金城ハウプトマン朱美）

# VI

# ドイツの教育
## ——伝統と革新

# 30

# 変わりゆくドイツの初等・中等教育

## ★柔軟な複合型教育システムへ★

ドイツでは初等教育が終わると、10歳で能力と適性から将来の方向性を決めて中等教育の学校に進学する。また子どもたちは、午前中に学校で授業を受け、午後は家庭で親による教育を受ける。こうして子どもたちはゆっくりとではあるが、将来役立つ知識と技能を確実に身につけ、こころ健やかに育つ。ドイツの伝統的な教育はときに批判にさらされることもあるが、このような長所ももちあわせている。しかし、社会の状況がめまぐるしく変わるこの動向に合わせて、ドイツの伝統的な教育制度もそれに適応することが求められている。

２００１年はドイツ教育界にとって衝撃的な年であった。ＯＥＣＤ（経済協力開発機構）は、加盟する32カ国の15歳の生徒を対象にしたＰＩＳＡ（Programme for International Student Assessment）能力調査をおこなった。ドイツは「読解」で21位、「数学」と「科学」でそれぞれ20位と予想をはるかに下回った。この「ＰＩＳＡショック」を契機にドイツは現代の社会に対応するため、長い間守ってきた教育制度の改革に本格的に乗り出した。

ドイツの教育制度は、初等、中等、高等教育の３段階に分か

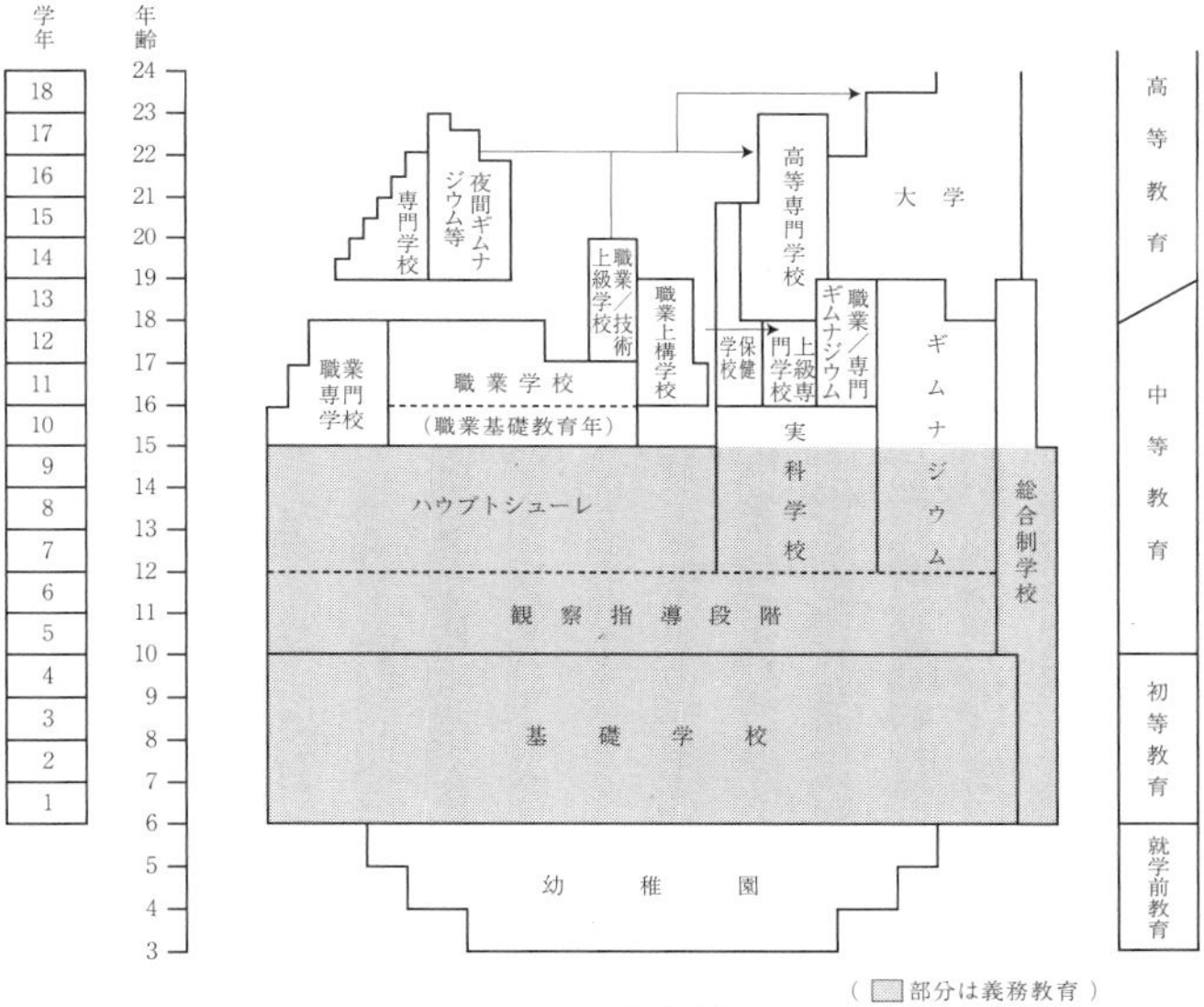


ドイツの学校制度
（出所：明石書店『諸外国の教育動向2018年度版　文部科学省』）

れている。初等教育は基礎学校の4年間、中等教育はハウプトシューレ、実科学校、ギムナジウムの3タイプの学校があり、どの学校に進学するかによって将来の方向性が決まる。ハウプトシューレ（5年制）であれば職人や販売員、実科学校（6年制）は企業の管理事務職員またはサービス産業の従事者、ギムナジウム（8年制または9年制）は総合大学進学コースで、修了時に大学入学資格の試験を受けて大学に進学することになる。ドイツは日本と違って州ごとに教育制度が少しずつ異なるため、じつは他にも総合制学校などの学校があるが、その普及度は州によって異なる。

　教育制度でもっとも問題となっているのは、先に挙げた中等教育の3つの学校間の学力の差が大きいことだ。生徒は安

中等教育Ⅰの生徒数の割合（%）

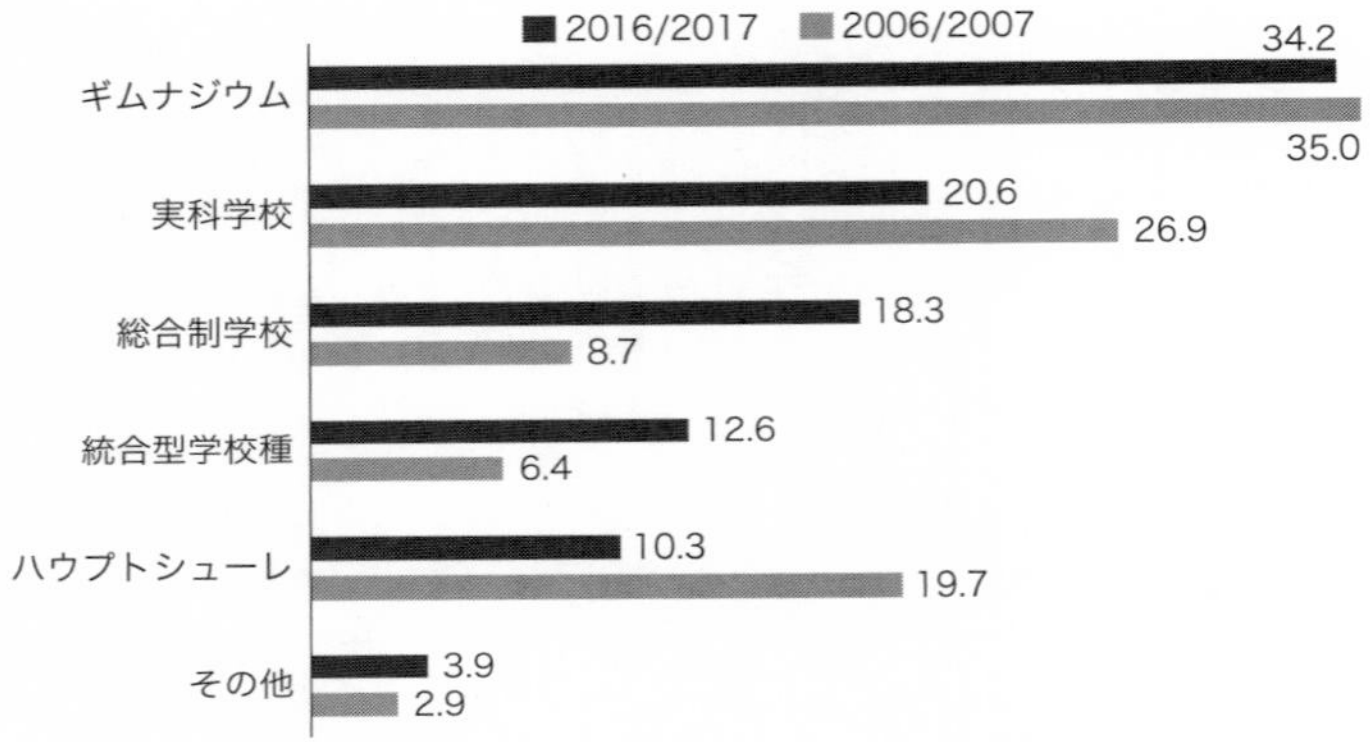


（出所：ドイツ連邦統計局）

定した就職を求めて高学歴の学校へ進学する傾向が強い。例年、実科学校の生徒数は安定していたが、ここ15年で大幅に減少し続けているのがハウプトシューレである。

ハウプトシューレの生徒の多くは、社会的あるいは経済的に不利である場合が多く、生徒のおよそ24％は外国人である。ちなみにギムナジウムと実科学校の外国人の割合は、5％と8％である、このままではハウプトシューレの運営が成り立たないので、近年、ハウプトシューレと実科学校の統廃合が進められている。これにより最初の2年は共通する課程で学び、その後、どちらかの進路を選択する統合型学校種が設置された。また早期に進路を分岐せずに、従来の3タイプの学校形態を包括した総合制学校の生徒も増加している（グラフ参照）。こうしてこれまでの教育システムに柔軟性を加え、進路変更の可能性や個々人に応じた教育の選択幅が広がっている。

この他にも共働き、ひとりっ子、移民の家庭が増え、家庭で子どもにじゅうぶんな教育をしてやれないケースも多くなった。こうした状況を克服するために、連邦政府は2003年から全日制の教育プログラムの支援をはじめた。全日制では、子どもたちは午後も学校に残って授業や宿題のサポートを受けたり、スポーツや課外活動に参加したりすることができる。また、生活指導や社会教育など、今までは家庭でおこなわれてきた領分にも範囲が広がっている。2017年には、すでに全国の69％の学校で全日制が導入されるまでになってきた。

筆者は2008年、バイエルン州のミュンヘン郊外にあるギムナジウムで、日本語を課外授業として教えることになった。そのとき、校長先生に「午後の授業に子どもたちは来ませんよ。よっぽど日本語に興味がないとね」といわれたことがあった。当時はまだ半日制（定時制）で、午後は教師も早々に姿を消し、学校には掃除人と管理人だけという殺風景さがあった。人気のない静まりかえった学校で授業をしたことをよく覚えている。

ところが2012年春に同じ学校を再び訪問してみると、午後3時にもかかわらず、おおぜいの子どもたちが学校に残って学習に取り組み、教師の人手が足りずに校長先生が忙しく動き回っていた。保守的で知られるバイエルン州でも、伝統的な半日制から全日制へと移行する学校を目の当たりにした。

ドイツでは各州の文化を尊重するという原則にもとづき、教育に関する権限は州政府に委ねられている。それがドイツ教育の特色を成す1つの要素でもあったが、欧州基準に合わせるために、州によって異なっていた制度を統一しようとする動きが見られる。その1つが、ギムナジウムの教育期間の短縮だ。州によっては9年（G9：ゲーノイン）あったものを、2014年までにほぼ全州で8年

（G8：ゲーアハト）に統一した。

しかしその分、授業時間が増えて子どもの負担は高まっている。ギムナジウムに通う生徒たちの会話に耳を傾けると、ゆっくりと着実に学習できたG9を評価する声が多い。近年、複数の州で9年制が再導入されており、学習と生活時間を確保できる新たなカリキュラムが模索されている。

もう1つの改革は、ギムナジウムの修了時に卒業試験をかねる大学入学資格試験（アビトゥア）の共通化である。アビトゥアを取得すると無試験で大学に入学できる。アビトゥアは今まで州独自に作成し実施されてきたが、州ごとの成績の格差が問題とされたため、2017年からほぼ全州で共通問題プールを利用した「中央アビトゥア」の実施がはじまった。今のところドイツ語、数学、外国語（英語とフランス語）の教科に限定されているが、今後は理系教科でも実施予定であり、全国共通教育のスタンダードにもとづいて、全体の学力水準の維持と向上を目指している。

PISAショックを契機にはじまった全日制などのさまざまな教育改革は、その後、一度も順位を下げることなく、学力の向上に功を奏している。ドイツは今後もとくに教育弱者への支援を中心に力を入れ、財政面でも充実させていく政策をとっている。

しかしその一方で、家庭での教育の時間が少なくなった影響も憂慮される。今、日本に目を転じると、子どもたちが日夜勉学に追われる姿は当たり前であり、深刻な「いじめ」問題も頻繁に起こっているのは、ご承知のとおりである。こうして見るとドイツには限らないが、家庭教育は普遍的に大切であり、これからもそうあってほしいと願っている。

（舩津景子）

# 31

# 技術立国ドイツを支える職業教育

★若者を育てるコツ★

ドイツはEU域内の国際特許出願数が断然トップである。定評あるモノづくり大国ドイツの実力は、充実した職業教育が支えているといっても過言ではない。この章では社会へ巣立つ若者たちのプロ意識を生み出す職業教育の実態と、グローバル化への対応を探ってみたい。

ドイツのジーゲン大学に留学していたとき、特色あるドイツのモノづくりに惹かれ、技術を支える人づくりに関心をもつようになった。たまたま借りていた部屋の家主がエンジニアであったので、かれが勤務する近郊の工作機械工場を見学したとき、訓練生を受け入れている場面にも出くわした。かれらは皆、一人前の技能工を目指す若者たちであった。

中世からの伝統に根ざすドイツの徒弟制度も、19世紀の半ば以降、工場制生産方式によって壊滅的な制度崩壊を経験したが、その後、20世紀において学校教育とリンクさせて職業教育は生き延びてきた。そこでマイスター制も従来の手工業マイスターと工場マイスターの2種類に分割した。

さらに2004年1月に、マイスター制度が規制緩和された。たとえば94職種のうち、ベーカリー、左官、大工、道路工事、

ドイツの教育制度とデュアルシステム

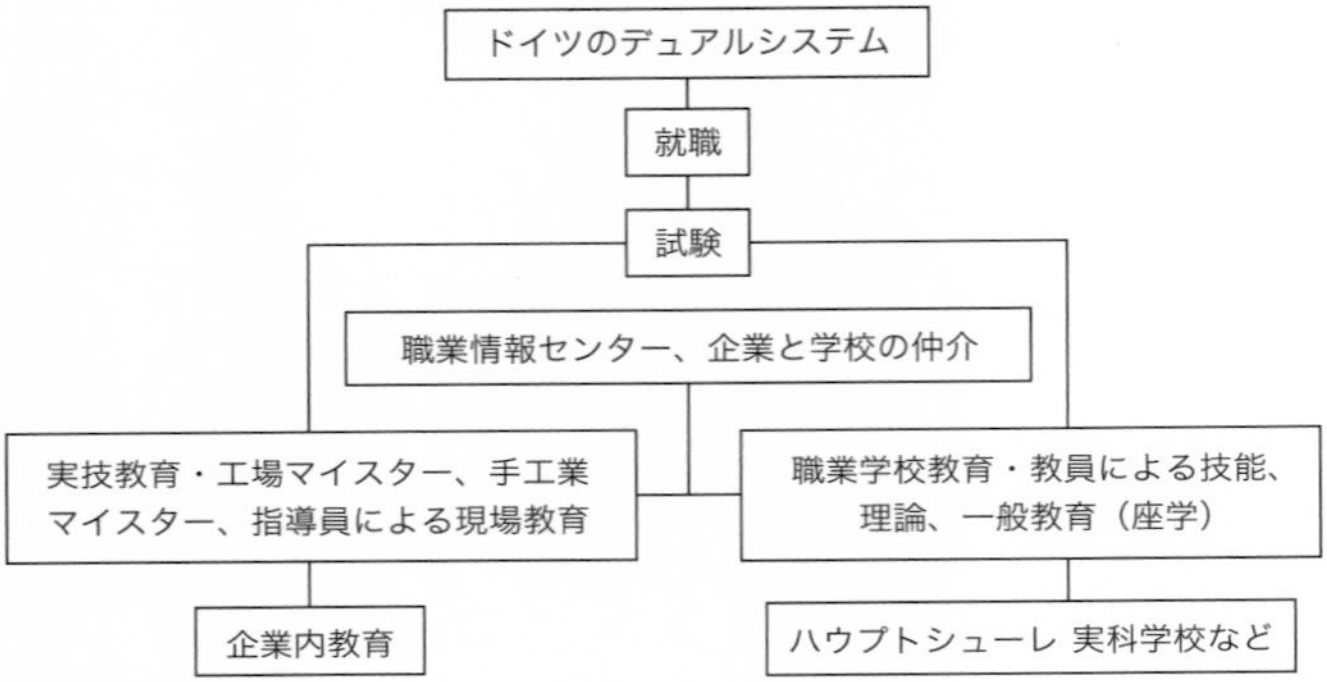


（出所：筆者作成）

精密機械工、眼鏡技師など41職種はマイスター制度を存続させたが、その他、タイル工、コンクリート、塗装、鋳造、仕立て、理髪師など53の職種は大幅に規制がはずされた。一般に安全、高度な技術、特殊かつ伝統的な業種以外で自由化が進んだ。こうした規制緩和によって失業者の救済を図ったといえる。しかし近年、急速なＩＴ化と職業教育との関係も大きな課題となっている。

　現代ドイツの職業教育の根幹は、デュアルシステム（二元教育）といわれ、学校教育から社会人教育への橋渡しをする制度である。このシステムは中世以来の徒弟制度を現代的にアレンジし直したものである（上の略図参照）。まずハウプトシューレ（中学校）、実科学校（職業高校）卒業生は、公立の職業学校に進学し、おもに座学での授業を受ける。と同時に、企業に応募して実学的な訓練をしてもらう。

　受け入れ企業に生徒を仲介するのが、連邦雇用庁が統括する「職業情報センター」（ジョブセンター、日本のハローワークに相当）である。訓練生は週の1～2日は職業学校で学び、後の3～4日は企業の実務的訓練を受けながら働く。職業学校の学費は無料であるが、企業は訓練生に手当を支給しなければならない（企業によって異なるが、上限は月額900ユーロ程度）。2018年には約53万人の若者が企業と契約した。

企業の実務教育は、工場マイスターか有資格指導者が現場での指導にあたる。手工業会議所に属している個人企業の場合、手工業マイスターが教育を担う。マイスターは現場教育のプロでもあるので、日本のようにインターンシップで学生の訓練生を受け入れても、教育に不慣れということはない。職業教育はみっちり2〜3年半続き、試験は商工会議所が実施し、最終的に試験に合格すれば、職業教育修了国家資格が取得できる。

職業訓練の現場（「ザールラント州政府広報」より）

ドイツは資格を重視する社会である。訓練生にとっては、職業教育は将来を左右するものであり、かつ有資格者は、受け入れ先企業に正式に採用される可能性もある。訓練を怠り、資格なしで転職したとしても、単なる手伝いとしかみなされない。このことがかれらに忍耐力とプロ意識を養う大きな理由となっている。

他方、企業側のメリットとしては、有能な人材を選別して採用できるチャンスがあることだ。もちろん訓練生をかならず採用する義務はない。逆にいえば訓練生が他社へいくことも自由である。なかには落ちこぼれる訓練生もいるし、安い労働力として使い捨てするような企業がないわけではない。しかしこのシステムは競争原理が作用し、おおむね有効に機能している。

現在定められている350の公認訓練職種のうち、男子は自動車工、機械工などの技能員、料理人、女子は店員、事務員、医療、美容などの職種に人気がある。このシステムは公立の職業学校にすれば、実務教育を企業が引き受けてくれるので、経費の面で大きなメリットがある。訓練生としても生産現場における実務教育が、企業の最新の設備のもとで受けられるから、訓練の質が担保される。

以上が職人への導入教育であるが、もちろんその後の継続教育によって、マイスターへの道も開かれる。ドイツでは、現在でも職人から叩き上げたマイスターの社会的地位は高い。それが若者の目標になり、励みにもなっている。モノづくりの原点に位置する職業教育は、価値ある資格と連動し、技術立国ドイツを下支えしているのである。

さらに、職業教育は、ドイツ国内に閉じたかたちだけでおこなわれるのではない。ドイツのODA（政府開発援助）額は世界有数を誇り、ドイツの開発省（BMZ）は海外援助教育システムをも統括する。しかしこのグローバル化のなかでは、ドイツ独自のデュアルシステムを外国にそのまま適用するのは困難である。したがって、経験を活かしながら援助国の実情に即したフレキシブルな職業教育を工夫し、国際貢献をしている。

ところが近年、ハウプトシューレを選択する生徒が急速に減少し（177ページ参照）、その結果、卒業後、デュアルシステムのコースへ進む数も減ってきて、ギムナジウムや総合制学校（進学コース）への希望者が増加した。当然、ドイツの大学進学率が急速に上昇し、2000年に22・8％であったのが、2018年で55・9％に達した。この地殻変動によって職業教育の根幹を支えていたデュアルシステムが揺らぎはじめている。そのためドイツは2015～18年にかけて、デュアルシステムの改善と強化に取り組むことを余儀なくされた。

さてEUの大学教育は、ボローニャ・プロセスで各加盟国大学における学士、修士の基準化・統一化を図っている（193ページ参照）が、職業教育の分野ではコペンハーゲン・プロセスがこれに対応する。すなわちEUの「シェンゲン協定」によって、現在、EU域内労働者の自由化という新たな状況が生まれたので、2002年にEUスタンダードの設定が採択され、さらには2017年には移動を想定したヨーロッパの資格枠組みを改訂した。このようにEUを含む32カ国とEU委員会が職業教育の目標、資格の認定をし、EUの統合化を目指している。

ドイツは、ヨーロッパを視野に入れた職業教育や資格の問題だけでなく、国内でも産業の構造変化や移民や難民の職業教育という課題も抱えているのは事実である。ドイツの職人教育は一方ではグローバル化のなかで、他方では伝統と革新にもとづき、しなやかな対応と問題解決を迫られている。

（浜本隆志）

# 32

# 創設100周年を迎えたシュタイナー学校

## ―★「エポック授業」「フォルメン」「オイリュトミー」とは★―

シュタイナー教育は日本でも注目する教育関係者が多い。懸案の教育問題を抱えている現代であるからこそ、よりよい教育のあり方に関心が寄せられるのであろう。シュタイナー学校（ドイツでは「自由ヴァルドルフ学校 Freie Waldorfschule」と呼ぶが、日本では通常「シュタイナー学校」というので、以下この表記にしたがう）は、ルドルフ・シュタイナー（1861～1925）によって創設された。このユニークな教育は、教育問題を原点に立ち返って見直す示唆を与えてくれる。

もちろんドイツにも、シュタイナー学校に対して賛否両論がある。問題点の第1は、ドイツでは公教育は無料であるにもかかわらず、シュタイナー学校は私立であるため、親の収入に比例して、授業料が必要なことだ。また一部では、シュタイナー思想の神秘主義的な内容が誤解を招き、物議を醸したこともなかったわけではない。ただし2022年現在、世界でシュタイナー学校は1270校あって、そのうちヨーロッパでは862校である。本場ドイツでは256校、アメリカ合衆国が124校、オランダに126校、スイスに32校、オーストリアに22校となっている。現在でも、ドイツだけでなく世界的に増加傾向にあるのは、それなりに評価されている教育方法であることを示唆している。なお２０１９年は創設１００周年にあたり、各地で記念行事がおこなわれた。

シュタイナー教育の歴史は古く、第一次世界大戦の敗北で人心の荒廃したドイツの再生を願って、シュタイナーが新たな教育のあり方を模索したことにはじまる。シュタイナーはもともとオーストリア出身の思想家であったが、人智学（アントロポゾフィー）の実践の場として、１９１９年９月７日、シュトゥットガルトのウーラントの丘にある「アストリア・タバコ工場」の用地内に、学校を創設した。なお「人智学」は、シュタイナーの思想の中核をなすものであり、難解であるが、生死を超越した永遠の精神の実在を認め、そこから社会の成り立ちを捉えて、教育も含めた実践活動をおこなう運動である。

自然と親しめるシュタイナー学校の校庭

シュタイナーは人間の成長を7年ごとの周期に分け、肉体、精神、自我の完成を目指して、教育を連動させた。たとえば0歳から7歳までは身体の健全な発達を促し、体を動かすことを主眼とする。7歳から14歳までは情緒教育、芸術活動によって思考力を養う。14歳から21歳までは抽象的思考方法、知的習得を目指す時期とした。要するに幼児期から知識を詰め込むのではなく、肉体と精神の発達に合わせて、一定段階をへて自我を確立させるべく、知識教育をおこなう方法と考えれば分かりやすい。幼児期における知識偏重の教育は、伸び伸びとした精神の発達を妨げ、思春期の知力の伸びを阻害するからである。

シュタイナー教育では、12年制の一貫教育をおこなうが、ふつうの学校教育ではなじみのない「エポック授業」「フォルメン」「オイリュトミー」という言葉に出くわす。まずエポック授業は、通常の授業の2コマ分の90分を4週間にわたり集中して学ぶことである。この学習方法はシュタイナー学校の根幹をなすものであるが、断片的ではなく系統的に学習を深めることができる。

またフォルメンの授業では、子どもたちは芸術の授業の際に、絵や線を描いて精神やこころの集中と解放のリズム、さらにはこころの内と外との相関関係を感じ取る。これは他の科目のなかでも実践され、たとえばアルファベットなどの学習も、鉛筆やペンを使わずクレヨンで描いていくことで、文字の感触を頭だけでなくこころでも味わうのである。

さらには、シュタイナーが考案したオイリュトミーは、音のリズム、音色、メロディをみんなといっしょに体で表現し合って、五感を研ぎ澄まし、協調性を養うことを目指す授業である。思考、身体、感覚の連動が仲間にもつながっていく感覚を味わう。

次に下位年次の算数の授業では、計算の速さや唯一の答えを出すことに主眼が置かれているのではなく、数の世界の不思議さや奥深さに出会うことを大切にする。日本のような5＋3＝　という問題設定ではなく、8＝○＋○とすれば、8＝5＋3はその1つにすぎない。それ以外の答えも8になれば全部正解なのである。少し上級になれば、

4＝1＋2＋1
9＝1＋2＋3＋2＋1
16＝1＋2＋3＋4＋3＋2＋1

という例を挙げ、この二乗法則にしたがって、25＝?、36＝?という設問をみずから生徒に気づかせ展開を促す。こうして数の法則性を考えさせ、算数のおもしろさを生み出していくのである。

原則として外国語は下位年次（英語は1年生）から2か国語を学ぶが、はじめは会話や歌うたい、読み書きは4年生からである。また体育、音楽なども毎日少しずつ学んでいく。

シュタイナー学校は前述のように12年制の一貫教育がその基本にあり、1年生のときから8年間担任が替わることなくもち上がる。子どもに接することで教師は子ども1人ひとりのこころの成長過程を知ることにより、それぞれの児童に見合った教育指導がおこなえる。日本的な発想では、親としては、シュタイナー学校は教師の力量や人間性に大きく依存するので、もし問題のある教師にあたれば、悲惨なことになるのではと考えるが、そのような話は聞かない。

というのも「すべての教育問題は教師の問題」とシュタイナーが述べているように、シュタイナー学校における教師の役割は大きく、教師は生半可な取り組みでは務まらないことをみずからよく自覚しているからだ。また「教育は学問であってはならない。教育は芸術でなければならない」という、シュタイナーの言葉からも察することができるように、あたかも芸術家が絵画や音楽の創造に携わるかのごとく、教師は子どもの魂に入り込み、各人の個性を尊重しつつその精神的な成長を助けることを目指す。単なる知識の総量や、決まった解答を得る速さが重要なのではなく、精神やこころのあり方が教育の中核をなしているのである。

教師自身は尊敬に値するよい意味での「権威」「威厳」を備えていなければならない。さらに教師は一個の人間としての資質・人格を高める努力を日々怠ってはならない。子どもとともに教師も成長しなければならないからである。教科書がなく、またマニュアルもないことで教師の負担は想像以上に大きく、子どもたちと接することで授業素材や進度を決めてゆかなければならない。教育に情熱をもつ者にはシュタイナー学校は魅力的であるが、そのような人材の養成も大きな課題である。

日本でもシュタイナー学校に関心をもつ父母は多い。今日、知識偏重の受験教育体制のなかで、その問題点を実感しているからである。ところが子どもをいざシュタイナー学校へ入れようとしても、数も少なく決断がつかないというのが実情である。とくに日本では、シュタイナー学校の教師の養成が困難であるし、ドイツで考案された教育法であるので、日本への導入に工夫が必要である。とはいえＮＰＯ法人のシュタイナー学校も徐々に増え、一部の教育大学でも実験授業がおこなわれている。また幼児教育段階では、日本でもその教育理念が受け入れられやすい傾向にあるので、長い目で定着を見守ることが肝要であろう。

（髙橋　憲）

# 33

# ドイツの大学とボローニャ・プロセス

★岐路に立つ大学教育★

ドイツ語のUniversitätや英語のuniversityなどの語源は、もともと教師や学生たち学究の徒が集う自治共同体を意味するラテン語のUniversitas magistrorum et scolariumである。それは一種のギルドのような職人組合組織であった。

ドイツ最古の大学は１３８６年創設のハイデルベルク大学で、大学での教育は職人の養成と同様、教授と学生は親方（マイスター：Meister）と徒弟との関係に似たものであった。親方になるために徒弟たちに課されていた遍歴修業に見られるごとく、学生たちは１人の決まった教授に師事するのではなく、別の土地の教授のもとで学問の研鑽《けんさん》を積んだものであった。

この伝統を受け継いで、ドイツの大学生は１９７０年代、80年代ごろまで、複数の大学をまるで渡り鳥、ワンダーフォーゲルのごとく渡り歩き、卒業することが決して珍しいことではなかった。それにはドイツの大学は日本のように大学間の優劣がなく、国家試験による卒業資格は一律であるということが挙げられよう。

ドイツでは「教育は本来等しく国民の享受すべき権利である」との趣旨から、初等・中等教育はいうにおよばず、大学・

大学院などの高等教育においても「教育無償」の大原則に則《のっと》っている。その原則は、ドイツ人はもとより外国人生徒・学生にも適用されている。しかし、授業料無償の原則は、今日56％（２０１８年）に達した大学進学率を前にして揺らぎはじめている。

ドイツは地方分権、地方自治の国なので教育行政は16の州政府が司《つかさど》るが、近年、多くの州で大学の授業料の有料化（1学期５００ユーロ、ドイツの大学は1年2学期制）が導入された。当然のこととして学生の反発も強く、各地でデモンストレーションや授業料のボイコット運動も頻発している。各州議会も有料化にはかならずしも同意しておらず、野党政党の多くは授業料徴収には反対の意を表明している。基本法で保障された文教予算の逼迫《ひっぱく》する今日の状況に鑑《かんが》みれば、教育費を誰が負担すべきか、ということの根本的問いかけであろう。

ドイツの大学は入学試験がなく、アビトゥアと呼ばれる卒業試験の合格が大学（総合大学、単科大学など）への入学資格となる。日本で実施されているような、全国統一のセンター試験や大学の個別の入学試験などといったものはおこなわれない。またアビトゥアの不合格者は、一度しか再受験が認められない。アビトゥアの試験問題は、日本のような暗記による知識の総量と解答の速さが問われる客観テスト形式によるものとはまったく異なり、論述式で論理的思考力や討論などの能力が重視される。ドイツの学校教育の目標は自己の立場をロジカルに表明できるような、個人主義に立脚した思考力やディベート能力を養成することにある。

ドイツの大学は第二次世界大戦後も永らく、アカデミックな学問研究の場として社会的エリートを養成する機関として存在感を堅持してきた。しかしながら、今やドイツのみならずヨーロッパの大学は一大転機に立っているといえよう。ヨーロッパの大学改革はＥＵの拡大と深化の過程と軌《き》を一にしている。産業構造の変化や、通貨統合の実現による域内の経済統合が進行するなか、ヒト、モノの流れが活発化することで、教育分野においてもＥＵ加盟国共通の高等教育エリアの形成の必要性が問われることとなった。各国の大学の学位授与基準の均質化は、ヨーロッパの大学の国際競争力を高めることになるからだ。

１９９９年６月、ヨーロッパの大学発祥地イタリアのボローニャに29カ国の教育大臣が参集し、大学改革に関して協議し「ボローニャ宣言」を採択した。その骨子は以下のとおりである。

1. 理解しやすく比較可能な学位制度の採用。
2. 大学教育の学部課程（最低３ヵ年の学習）と大学院課程（修了は修士号か博士号）の２段階制をすべての国に導入。
3. 大学間の単位互換制度（ECTS—European Credit Transfer System）のような単位ポイント制度の導入と普及。
4. 大学間の学生・教員の自由な移動を促進すること。
5. 大学教育の質が保証できるよう、ヨーロッパレベルでの協力を促進すること。
6. ヨーロッパ的次元に立ったカリキュラム・研究プログラムの共同開発や大学間における協力を念頭に、高等教育において要求されるヨーロッパレベルを達成すること。

これによれば、アメリカ型の「競争原理」や「評価基準」の波がヨーロッパの大学行政にも押し寄せてきたことが見てとれる。ドイツでは、ボローニャ・プロセスにもとづき、アングロ・サクソン系大学制度に見られる学位制度により、単位制を導入するとともにバチェラーやマスター履修課程が設けられ、従来のマギスター（Magister）、ディプロム（Diplom）制からの移行が進行している。

たしかにこのプロセスには、ヨーロッパの大学の教育レベルの向上と、科学・技術イノベーションの強化を目標とするヨーロッパの教育戦略が盛り込まれている。ドイツ連邦教育研究省は、公募で選ばれたトップレベルの大学に助成金を支給し、世界のエリート大学の仲間入りをさせるとともに、世界中の優秀な頭脳を惹きつけるような目標を掲げている。

今日、学問の場にもグローバル化の波が押し寄せ、ヨーロッパの大学にハーバード大学やスタンフォード大学など、アメリカの大学を範とするエリート大学構想や大学改革を余儀なくさせている。ドイツの大学でも積極的に優秀な教授スタッフや学生を集めることで、質とともに人気を高める努力が払われるようになった。毎年発表される大学ランキングも評価と競争原理のあらわれである。

しかし一方的にそのような傾向に流されるのではなく、時勢に即応する大学像が求められようとも、即効性のある実学に傾斜しすぎることは、学問の発展にとって好ましいことではない。ドイツの大学の伝統である学問研究の場として、社会的エリートの養成機関としての基礎学問への配慮も同時に求められる。

この点について、ドイツの学生からも、「ボローニャ宣言」は大学がアカデミックな研究の場ではなく、職業訓練の場と化してしまい、大学の序列化を助長するなどの批判が出ている。

「ボローニャ宣言」に賛同する国々はEU加盟国以外にも広がり、会議への参加国は今日、48カ国におよんでいる。この「宣言」の声明からはや20年以上が経過したが、ヨーロッパの大学教育の一元化は賛否両論があり、評価は割れている。新制度の導入により、大学間の提携や学生の交流は盛んになったが、各国独自の伝統的教育制度に誇りと愛着を有する古い世代からは、批判の声が上がっている。

たとえば「ボローニャ宣言」の影響で、大学における修学期間が短縮されることになり、以前の牧歌的な学生生活は「夢物語」になったからである。また大学入学資格（アビトゥア）に必要な中等教育期間も9年から8年へと短縮されるなど、教育への不満がくすぶっている。さらに大学教育の一元化は、教育への価値観の平準化をもたらすことになるだろう。各大学がその特性と個性を活かすことにより、多様性のなかでの教授、学生の自由な移動を促し、ヨーロッパの大学をより魅力のあるものにすることが、今後とも問われているのである。

（髙橋　憲）

# 34

# ドイツのスポーツクラブと教育

## ★主体性を育む指導★

日本人の友人が「子どもが朝練にいくから、朝4時半に起きて弁当をつくり、それから仕事に出かけている」と満足げに語っていた。それを聞いたわたしは内心驚いた。自分が好きで朝早くから弁当をつくるのであれば問題ないが、それが主婦の仕事の1つと解釈され、まわりに期待されているのであれば、本当にそれでいいのかと考えてしまう。

昔は何とも思わなかったが、長いドイツ生活を終え、日本に帰国してからは、週末に制服を着てスポーツバックを提げている中高生を電車のなかで見かけると違和感を覚える。と同時に、子どもも親も、そして顧問の先生も気の毒に思ってしまう。ドイツでは週末は家族と過ごすためにあるといっても過言ではない。その貴重な週末に子どもが家にいない、あるいは親が（教員であれば）家にいないとなると、いつ親子の親密な時間をもてるのだろうか。

ドイツの学校教育に正科の体育の授業はあるが、教育の一環としての部活動は、学校に取り入れられていない。もちろん自主的な部活動はあるとしても、子どもたちは基本的に体育の時間にしか体を動かさない。だから放課後に好きなスポーツをお

郵便はがき

料金受取人払郵便

神田局
承認

7846

差出有効期間
2024年6月
30日まで

切手を貼らずに
お出し下さい。

101-8796

537

【受　取　人】

東京都千代田区外神田6-9-5

株式会社 **明石書店** 読者通信係 行

お買い上げ、ありがとうございました。
今後の出版物の参考といたしたく、ご記入、ご投函いただければ幸いに存じます。

| ふりがな<br>お名前 | 年齢 | 性別 |
|---|---|---|
| ご住所　〒　　- | | |
| TEL　（　　）　FAX　（　　） | | |
| メールアドレス | ご職業（または学校名） | |

| *図書目録のご希望 | *ジャンル別などのご案内（不定期）のご希望 |
|---|---|
| □ある<br>□ない | □ある：ジャンル（　　　）<br>□ない |

書籍のタイトル

◆本書を何でお知りになりましたか？
□新聞・雑誌の広告…掲載紙誌名［ ］
□書評・紹介記事……掲載紙誌名［ ］
□店頭で □知人のすすめ □弊社からの案内 □弊社ホームページ
□ネット書店［ ］ □その他［ ］

◆本書についてのご意見・ご感想
■定　価 □安い（満足） □ほどほど □高い（不満）
■カバーデザイン □良い □ふつう □悪い・ふさわしくない
■内　容 □良い □ふつう □期待はずれ
■その他お気づきの点、ご質問、ご感想など、ご自由にお書き下さい。

◆本書をお買い上げの書店
［ 市・区・町・村 書店 店］

◆今後どのような書籍をお望みですか？
今関心をお持ちのテーマ・人・ジャンル、また翻訳希望の本など、何でもお書き下さい。

◆ご購読紙 (1)朝日 (2)読売 (3)毎日 (4)日経 (5)その他［ 新聞］
◆定期ご購読の雑誌［ ］

ご協力ありがとうございました。

ご意見などを弊社ホームページなどでご紹介させていただくことがあります。 □諾 □否

◆ご 注 文 書◆ このハガキで弊社刊行物をご注文いただけます。
□ご指定の書店でお受取り……下欄に書店名と所在地域、わかれば電話番号をご記入下さい。
□代金引換郵便にてお受取り…送料+手数料として500円かかります（表記ご住所宛のみ）。

| 書名 | 冊 |
|---|---|
| 書名 | 冊 |

| ご指定の書店・支店名 | 書店の所在地域 都・道 府・県 市・区 町・村 |
|---|---|
| | 書店の電話番号 （ ） |

こなえるスポーツクラブに通う子どもは多い。地域のスポーツクラブ（Sportverein）と連携している学校もあるが、ドイツでは実質的に、日本の学校の部活動をスポーツクラブが担っているといえよう。

スポーツクラブの数は２０２２年では８万７０００を数え、会員数は２３４０万人である。なかでもサッカークラブに７１７万人（男性６０５万人、女性１１２万人）と体操クラブに４８６万人（男性１５２万人、女性３１６万人）所属しており、これらは人気が高い。その他、水泳やハンドボール、フィットネスや腰痛予防体操のクラスなど、多様である。

１カ月の会費は、未就学児の場合５～８ユーロ（７００～１１２０円）、小中高生が７～10ユーロ（９８０～１４００円）、大人だと12～17ユーロ（１６８０～２３８０円）と低価格である。というのも各スポーツクラブは公益を追求する登記団体フェアアイン（Verein）であるために、クラブ運営費が極力抑えられているからだ。すなわちトレーナーもボランティアであったり、最低賃金しかもらっていなかったり、事務作業も通常はボランティアでおこなわれたりしている。

こうしたスポーツクラブへの入会は、学校が薦めることも強制することもなく（ある競技能力が優れている子どもは別であるが）、あくまでも自由意思である。わたしの息子を例に挙げると、はじめてスポーツクラブに入会したのは１歳になってからだった。１～２歳半ぐらいまでの子どもが入る体操クラブだった。まだ歩けるか歩けないかの子どももいるクラスだったので、お母さんといっしょに練習する項目が設けられていたり、子どもが体育館の一角でボビーカーを乗り回したり、そのボビーカーを次に乗りたい子に喧嘩せずに渡せるのか親は見守っていたりしていた。

親が子どもを見ているが、過干渉することはなく、知り合いになった大人と話をしていたので（こういう場に来るのは母親とは限らない）、子どもも大人も交流ができる社交の場であった。小学生用体操クラスからは、トレーナーは男子高校生に代わり（未就学児クラスのトレーナーは、子育て経験のある女性だった）、子どもたちはトレーナーとも年が近いからか楽しそうに器械体操を習っていた。

ドイツのサッカーといえば、ワールドカップで優勝するほど強いが、若いサッカー選手を育ててきているのも、このスポーツクラブである。ブンデスリーガのチームもスポーツクラブであり、ユースクラブや未就学児が通うクラブも設置されており、早い時期に才能のある選手を発掘できる。サッカーに限らず、プロのスポーツ選手が専門の競技で活躍できる年数は限られているため、引退後にもキャリア形成がしやすいように、アビトゥア（高校卒業試験）を取得できる特別な時間割が組まれた公立の学校、スポーツギムナジウムもあり、将来をスポーツだけに頼らせない教育が提供されている。

ドイツの青少年サッカースポーツクラブ
（Wikipedia より）

サッカーであれ、他のオリンピック競技であれ、その種目をはじめるのは子どもが希望したことがきっかけで、いやになればまた子どもの意思を尊重し辞められる。日本の部活動のように「根性」や「我慢」ではなく、ドイツでは子どもの「主体性」が求められている。これは、スポーツに限らずあらゆる場面でいえることであり、ドイツでは、オリンピックを目指さない子どもにつらい練習を我慢させて根性をつけさせるという教育は考えられない。

わたしがドイツで生活していたときに感じたのは、1人で我慢するのではなく、「団結する、助け合う」（zusammenhalten）ことの方が、さまざまな場面で要求されているということであった。これはスポーツ活動を通じて学ぶことができ、学校生活、家庭生活でのコミュニケーションに欠かせない能力である。一方、日本のような過酷な部活動を経験しなくても「頑張りぬこうとする力」（Durchhaltevermögen、日本語でいう「根性」とは少し異なる）はふだんの生活や子どものころのしつけや、学校教育などにより養われている。

さて第二次世界大戦後のスポーツクラブの歴史のなかで、1つの転機があった。1970年代から当時のドイツスポーツ連盟（現在ドイツオリンピック・スポーツ連盟）が「若者の競争スポーツ」から「みんなのスポーツ」運動を展開した。すなわち子どもだけではなく、広い世代にすそ野を広げ、余暇スポーツを普及させたのは、それなりに意義があることである。健康促進・疾病予防の観点からも、老若男女を問わず気軽にスポーツできる機会が提供されている点は、日本も見習うべきであろう。

こうして気軽にスポーツができることは、じつは問題点もないとはいえない。つまりフィットネスクラブ感覚でお客さんのように参加する人が増えたが、スポーツクラブ活動の本来の理念（公益性や相互扶助、連帯性重視）を理解する人が減り、会員としての所属意識が薄れているという傾向が生まれてきたからである。その結果、クラブ運営が会員のボランティア活動によって支えられてきたという側面が見失われるようになった。スポーツすることは持続可能な余暇の過ごし方の1つではあるが、それとセットにボランティアで運営に携わるという風にはいかないようである。

これはもう一種のノスタルジアなのかもしれない。現代ではさらに社会的・政治的観点から、移民の人びとが地域社会に溶け込む入り口としてスポーツクラブが注目されている。たとえばサッカーをすれば、どこの国の人とでも打ち解けられるといわれているように、ルールさえ知っておれば、スポーツには言葉はいらないからである。地域のスポーツクラブの役割は今後も多様化するであろうが、筆者はそのさらなる展開に期待を寄せている。

（金城ハウプトマン朱美）

# 35

# ドイツの大学生の就職活動

★自力で拓く勤務先★

崩れつつあるとはいえ、ご存知のとおり日本では新卒一括採用、終身雇用といった「エスカレーター」式の構図が見られる。日本の大学は就職活動に積極的に関与し、至れり尽くせりのサポートをおこなう。さらに大学ではキャリア教育が、教育の根幹の1つに組み込まれており、卒業生の就職先が大学宣伝として利用されている。ではドイツはどうなのだろうか。

ドイツでは大学は就職活動に直接関与しないし、卒業生の就職先を宣伝することは皆無である。大学は教育・研究をおこなうところであるというのが確固たる理念に据えられており、学生の就職活動はあくまで学生の個人に委ねられているのである。ドイツの入社志望者の就職活動について、以下に順を追って見ていこう。

まずは、就職先をどのように探すか。日本では複数の大手求人情報サイトがあり、まずはそれらに登録するところからはじめる人が多いが、ドイツにも同様のサイトが存在し、それらは大いに活用されている。サイト間のシェア争いが激しく、栄枯盛衰を繰り返しているが、とりわけ「Indeed」「Monster」等のサイトが有名である。仕事上のつながりを広げることに特化したSNS「LinkedIn」「XING」では近ごろ、企業サイドからの求人広告掲載も積極的におこなわれており、双方のマッチングに威力を発揮しつつある。

また、志望する会社についてある程度見当をつけている段階であれば、その会社のウェブサイトを確認し、企業紹介ページのなかなどにある「Job Suche」ページからアプローチをすることもできる。年々減りつつはあるものの、地方紙（新聞）の求人情報コーナーからコンタクトをとる方法もまだ有効である。

就職活動の時期（シーズン）も日本と大きく異なる。先にも述べたが、まずドイツには「新卒」「中途採用」「就職活動解禁」などという概念がなく、各社、求人が必要となった時期に随時募集を開始する。傾向としては、10月中旬〜12月上旬（クリスマス前）の求人募集が多いが、5月〜7月（夏休み前）もまた、比較的たくさんの企業が募集広告を掲載するなどしている。

日本のように一斉に就活をスタートすることがない分、入社志望者にとっても「働きたい！」と思ったときに、すぐに就職活動ができる。その後、その会社で働けるかどうかは、いくら適任であっても会社の席の空き具合にも左右されるわけで、「めぐり合わせ」や「縁」次第であることに日独の相違はない。ちなみに日本も徐々にそうなりつつあるが、ドイツではキャリアを積んで転職をする人が非常に多い。30代の転職も一般的である。

さて、求人情報を吟味した後、働きたい場所が見つかったら「Initiativbewerbung」と呼ばれる履歴書等の3点セットを志望する会社に送付する。これらのドイツの「履歴書」は、日本のそれよりもだいぶん分厚く、各自苦心しながら自分自身をPRするための資料作成をすることになる。日本にあるような、完全なまでの雛型はほぼ存在せず、日本のコンビニに売っているようなかっちりとした履歴書も存在しない。

このInitiativbewerbungセットのなかにはおもに、1．Curriculum Vitae（履歴書、よく「CV」という略称を用いる）、2．Motivationsschreiben（志望動機）、3．Zeugnis（成績証明書）が入っていなければならない。これらを志望する会社に自発的に送付する。文書作成にもコツがいる。就職を希望する業種や自身のＰＲしたいことによって創意工夫して作成することが必要となる。

たとえば金融業志望の場合は、できるだけシンプルで信頼性が高まるアレンジをする。顔写真にも工夫を凝らす。デザイナー志望はこれまでの創作物や自身の活動コンセプトを表現するなど、アピールをおこなう。学術系は顔写真に書籍をもった写真を用いることも多い。余談ではあるが、顔写真は日本では正面を向くのが主流だが、ドイツでは斜めを向くことが多い。完成した書類は、文房具店等で売っている「Bewerbungsmappe」というバインダーにとじて送付する。ただし最近は、ＰＤＦ添付のEmailにて受け付ける会社も増えている。

書類を志望する会社に送付した後は、返答を待つことになる。返答がない場合も、残念ながら実態として多い。しかしかなりの場合は、会社から面接の案内がある。面接では大いに自分自身をＰＲする。ちなみに最近はそうでない場合が増えてきたものの、面接時の交通費は会社が負担をしてくれる。面接後の採用可否については、1週間以内に返答がある場合が多い。

先にも述べたが、日本では新卒・正規雇用が主流ではあるが、ドイツはそうではなく、まずは「Praktikum（インターンシップ）」という試用期間をへて本採用をする場合がほとんどである。おおむね3カ月のインターンシップ期間があって、これは就職希望者も、採用する会社も、お互い「様子見」をすることができる合理的なシステムである。もちろん職種によって本採用までの流れはさまざまであり、たとえばエンジニア職はすぐに正規雇用となる場合が多い。ちなみにMaster（大学院卒）はドイツでは、日本よりも優遇される傾向にある。就職後、自身の名刺に「Master」またはその略称「ＭＡ」と記載する人が多い。

日本と同様、フルタイムの仕事だけに限らず、近年はライフスタイルの多様化が進み、違った雇用形態で働く人も増えてきた。１週間あたりの労働時間が20時間に限定される「Teilzeitjob」は、このスタイルで週４日（5時間×４日）だけ仕事をするという若者も増加傾向にある。かれらは仕事以外の時間を自身のライフワークとなる趣味に時間を費やしたり、自然のなかで可能なかぎりお金を使わずに生活したりしている。日本の「アルバイト」に相当する、１カ月の収入が４００ユーロ未満に制限されている「Minijob」という働き方もある。

余談であるが日本語の単語「アルバイト」は、ドイツ語「Arbeit（アルバイト）」に由来する。ただしドイツ語「Arbeit」は「仕事」そのものを意味するので、日本語「アルバイト」のドイツ語訳は「Teilzeitjob」や「Minijob」、あるいは「Nebenjob」が近いであろう。なお日本の留学生がドイツで就職活動をおこなおうとすれば、もちろんドイツ人と同じ行動パターンになる。

（角谷俊昌）

VII

# 女性と社会問題

## ――ジェンダーとセーフティネット

# 36

# 女性の社会進出

## ★クオータ制とパリテ法★

ドイツで女性の社会進出、男女同権が社会の課題として市民レベルで主張されはじめたのは、１９６０年代の終わりから70年代にかけてである。これはアメリカを中心に広がった「ウーマンリブ」の影響を受けた新しい価値観の主張でもあった。現在、再び多くの若者たちの支持を集めている「緑の党」結成の源流となった社会運動は、環境保護・反核・反戦・男女同権を求める運動であった。

ドイツでは伝統的な女性の役割の表現として、３Ｋ――Kinder（子ども）、Küche（キッチン）、Kirche（教会）という言葉がある。この表現は第二帝政期、19世紀末から20世紀初頭にかけてはじめて使われたとされている。女性は率先して教会の仕事に携わり、家事を取り仕切り、子どもを養育すべきである、という伝統的な女性の役割分担をあらわした言い回しであるが、現実的にはこの役割は、ある意味で限られた階級の女性たちにのみ通用していた。

当時、家庭で家事や子どもの養育に専念できた主婦たちは、経済的に裕福な市民階級の女性であった。農家の女性たちはむろん農業の重要な担い手であり、都市の労働者の女性たちは家内工業で家族の生活の糧を稼いでいた。彼女たちは子育てや家事など伝統的な家庭内の役割に加えて、生きるために、何よりも労働力として家族の重要な経済活動を担っていたのである。

20世紀、東西ドイツが分裂していた期間では、女性の就労率が高く、働く女性をサポートする保育制度が充実していた東ドイツに比べて、西ドイツの保育施設の数が圧倒的に不足していたのも、背景には子どもは3歳までは自宅で母親が養育すべきであるという、伝統的な考え方が根強く残っていたためといわれている。

現在ドイツでは政治の中枢である連邦政府の内閣に、２０１１年から２０１８年にかけて8回連続「世界でもっとも影響力のある女性」の首位に選ばれているアンゲラ・メルケル首相を含め、16人中7人の女性閣僚がいるが、社会全体では、依然としてジェンダー格差が存在するのが現実である。ジェンダーの問題は女性の社会参加や就労と貧困、年金問題などとも密接にかかわっているが、政府はこれらの問題を、ＥＵレベルで推し進められるジェンダー・メインストリーミングの政策として、長期的に男女格差の是正に取り組んでいる。

ジェンダー・メインストリーミングとは、国家的課題として公的行政機関主導で長期的に男女同権を目指す戦略、あるいは政策である。北京で開催された１９９５年の第4回世界女性会議ではじめて提唱されたこの概念は、１９９９年アムステルダム条約でＥＵ加盟国にジェンダー・メインストリーミング政策として、男女同権への積極的な政治的取り組みが義務付けられた。

ドイツでは北京での世界女性会議の前年、１９９４年に憲法第3条第2項の改正により、それまでの「男性と女性は同等の権利を有する」という文言に、男女同権実現と性差別廃止に向けての国家の義務が付加された。一貫したジェンダー・メインストリーミング政策促進の根底には、男女同権は基本的人権の範疇にあり、社会正義や民主主義の実現、ひいては社会の発展や質の高い人材の獲得にもつながるという考えがある。そこでよく引き合いに出されるのが「クオータ」(割り当て)という考え方である。政府は2015年、女性クオータ法を成立させ、翌16年1月から大手企業に監査役会の女性比率を最低30%とすることを義務化した。

クオータ法が施行されて、産業界の女性参画はどのように変わっているのであろうか。2018年の統計局のデータによると、ドイツのトップ企業200社で監査役会に女性が占める割合は26・9%、アディダスやバイエル、ジーメンスなどが名を連ねる株式上場企業DAX30社においては、監査役会に女性が占める割合は33・3%であり、クオータ法の目標は一応達成されたかに見える。ところが、役員会となると、まだ明らかに男性優位が続いている。上記200社で女性役員の占める割合は9・0%、DAX30社でも13・8%にとどまっている。

それでは政界では女性はどのような位置を占めているのだろうか。前述のメルケル首相や、2005年の第一次メルケル内閣から第四次まで閣僚を歴任し、国民の安定した支持を得ているウルズラ・フォンデアライエン元国防相(現EU委員長)、若手では「緑の党」代表のアンナレーナ・ベアーボック(261ページ参照)など、傑出した女性の人材を輩出しているドイツであるが、数から見ると、女性の進出はまだじゅうぶんに達成されていないといえる。

たとえば、16ある州の州首相のうち、女性はメクレンブルク＝フォアポンメルン州のマヌエラ・シュヴェーズィヒとラインラント＝プファルツ州のマル・ドライヤーの2人で、彼女たちは知名度、

ドイツ国会の女性議員比率（1949～2017年）

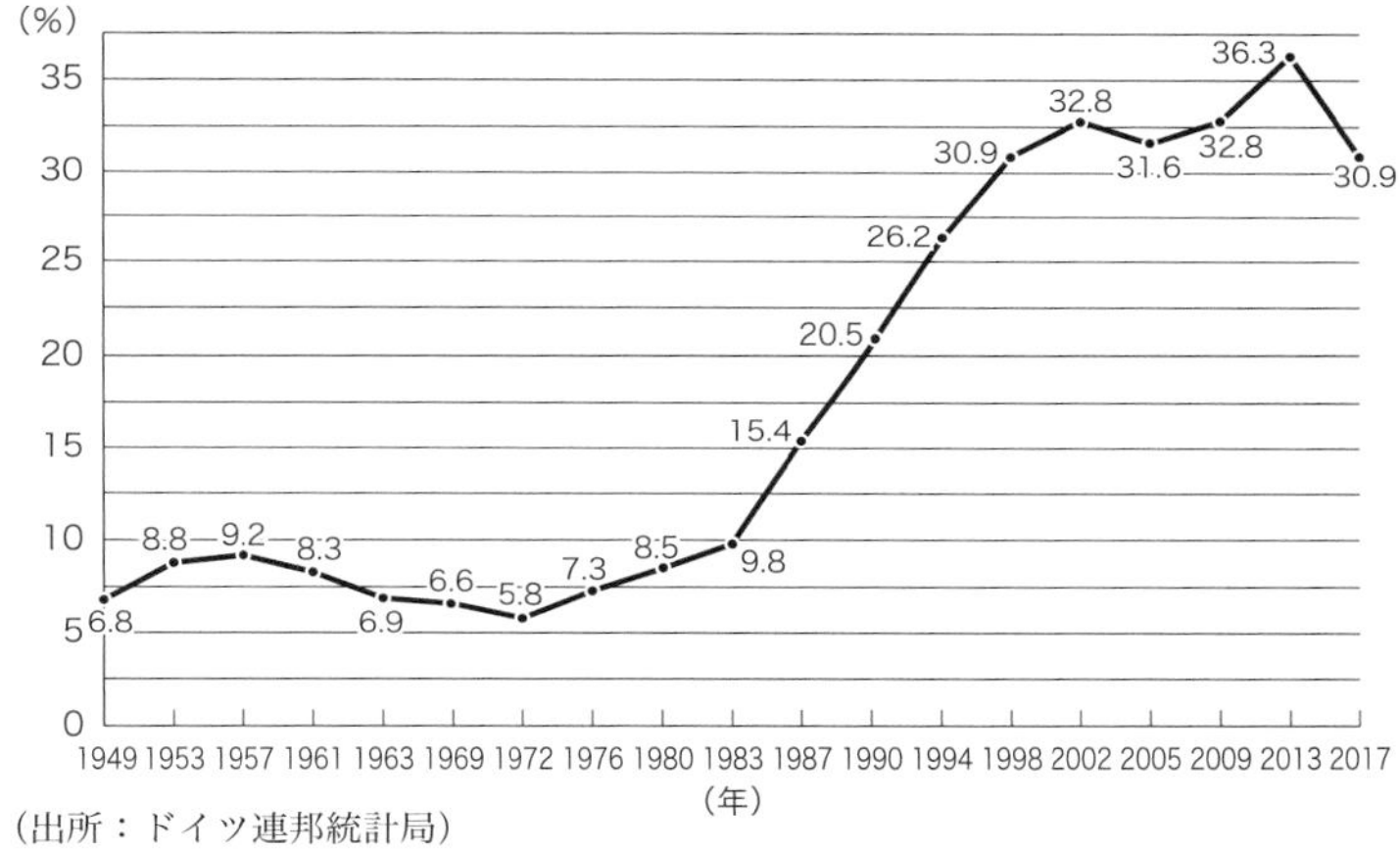


（出所：ドイツ連邦統計局）

人気、実績ともに現在のドイツを代表する政治家ではあるが、全体から見ると少数派にとどまっている。連邦議会で占める女性議員の比率は、２０１８年の統計庁データによると30・7％であり、これは世界のなかでも29位と決して高くはない。上位1～3位はルワンダ、キューバ、ボリビアと、すでに女性クオータ制を導入しているアフリカや中南米の国々であり、人権意識に関して先進的でリベラルな姿勢で知られるドイツとしては、産業界同様に意外な結果である。

女性の参政権獲得１００周年にあたる２０１９年１月、ブランデンブルク州で、ドイツ初の男女平等政治参画を目指す法案が成立した。この法律は「緑の党」の発案によるもので、それぞれの党が、比例代表選挙用候補者リストに交互に男女の候補者を入れ、結果的に男女同数の議員が選ばれるというものである。２０００年に成立したフランスの同様の法律にちなんで「パリテ（parité）法」、あるいは「パリテート（Parität）法」と呼ばれるこの法律は、２０２０年1月1日から施行された。この法案を成立させたのはブランデンブルク州議会の与党である「社会民主党」と「左翼党」、野党の「緑の党」であるが、女性の政治参画を進めるこの試みは、州や党派を超えて肯定的に受け止められている。女性参画の試みが政治・経済の中枢部で本腰を入れて動きはじめているのである。

（佐藤裕子）

# 37

# 結婚・離婚・婚外子・非婚

## ★多様化する男女のあり方★

次ページのグラフは、1950年以降のドイツの結婚と離婚の件数の推移を示す。これは多くのことを我々に語ってくれるが、まず結婚の傾向は1950年の75万組からほぼ下降線をたどり、2017年には40万7000組になっている。ちなみに結婚年齢も1960年では男性24・9歳、女性23・2歳であったのが、2017年ではそれぞれ34・2歳、31・7歳と晩婚化している（ドイツ連邦統計局データ）。

次に離婚はかつて上昇傾向にあったが、2003年の21万4000組をピークに次第に減少子傾向を示すようになり、2017年ではおよそ15万4000組である。離婚の場合、半数以上が妻側からの申請で、理由は夫に対する尊敬や信頼感の欠如、経済問題、心理的暴力（侮辱的暴言）、不倫などである。

ただしドイツでは離婚は容易ではない。まず1年間、別居期間が必要であり、弁護士を介して裁判で、財産や子どもの養育の問題に決着をつけねばならない。さらには高額の訴訟費用を覚悟しなければならないので、「婚前契約」を交わして、条件を決めておくケースもある。このようなやっかいさを勘案して、正式結婚をせず、事実婚にすることも増えている。その結果、

結婚件数と離婚件数（1950～2017年）

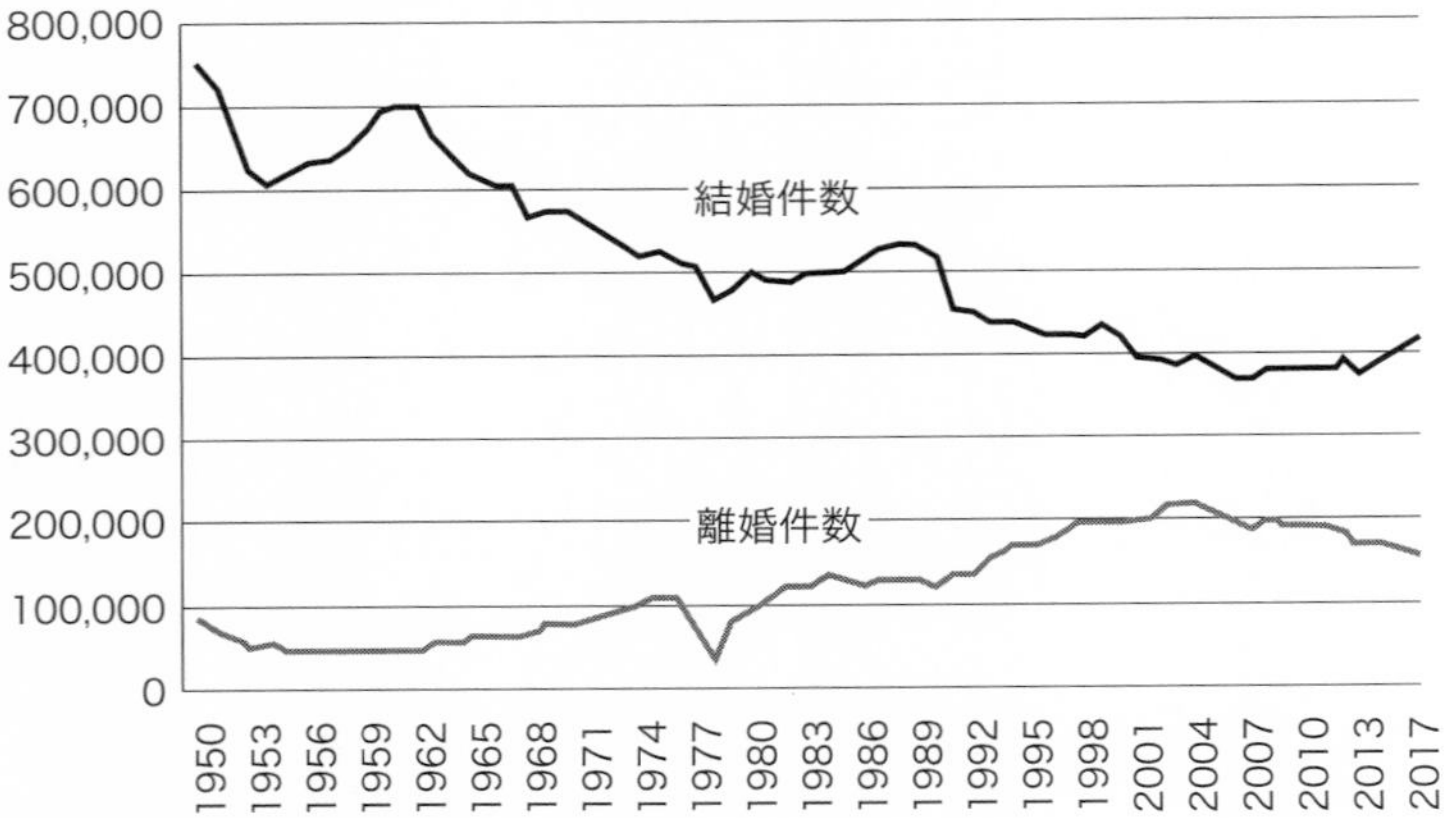


（出所：ドイツ連邦統計局）

結婚数は当然減少することになる。

結婚問題や家族のあり方を概観すると、大きな構造的変化が認められる。20世紀後半から従来の結婚制度に加えて、多様なパートナーとのあり方がクローズアップされてきた。たとえば同性同士の結婚「同性婚」も、ドイツをはじめ、オランダ、ベルギー、スペイン、デンマーク、ポルトガルですでに認められている。

いささか旧聞になるが、２０１０年9月にドイツの外務大臣ギド・ベスタベーレ氏が男性のパートナー、ミヒャエル・ムロレンツ氏と結婚したと報じられた。日本の有名政治家が同じような行動をするなら、マスコミではこの事例を、政治的スキャンダルとして報道し、世論もそれに同調するであろう。しかし同性婚と政治的手腕はまったく別問題である。ドイツにおいて同性婚は、報道では話題になるとしても、人びとは政治とは無関係なプライベートな問題と理解し、ネガティヴ・キャンペーンに発展する

EU と非 EU の婚外子（2016 年）

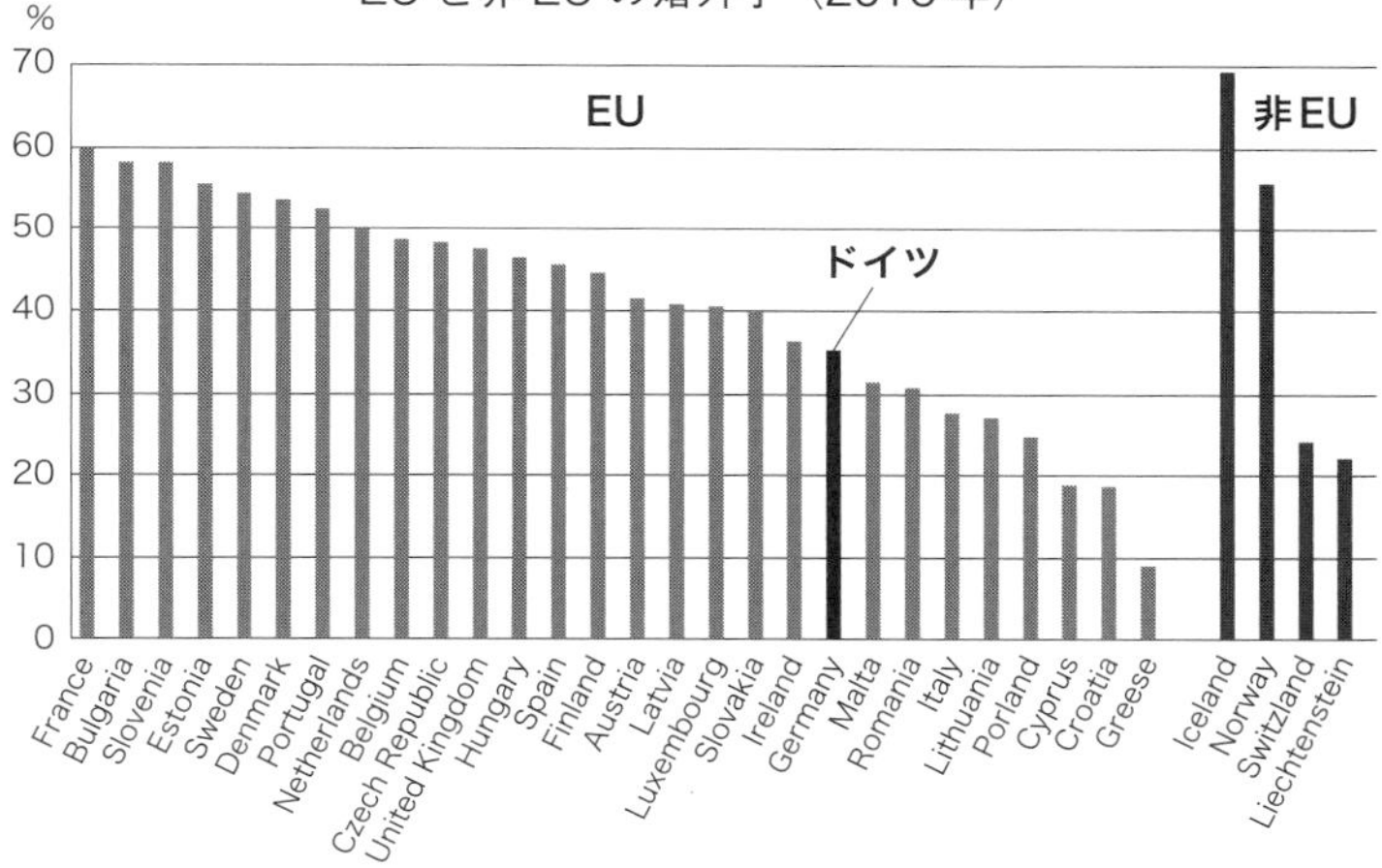


（出所：Eurostat）

ことはない。

次に婚外子について見ておこう。２０１６年のデータであるが、ＥＵと非ＥＵのヨーロッパ各国の婚外子のデータを示しておきたい（数字は出生率に占めるパーセンテージ）。

ここにははっきりとした北欧と南欧の差という傾向が認められる。一般にカトリックは性道徳にきびしく、かつては離婚も認められていなかった。したがって婚外子は少なく、北欧は自由主義的・個人主義が広がっているので、結婚形態にこだわらないという傾向がある。ただフランスなどはカトリックが多いにもかかわらず、婚外子が50％を超えているのは、例外というより「パックス制度」（異性・同性の共同生活契約）や保育所の充実によるものであろう。

次ページの図のように、ドイツでも出生数が減少しているにもかかわらず、婚外子のパーセンテージは高止まりの傾向を示している。とくに旧

ドイツの婚外子の年次推移（1991 ～ 2018 年）

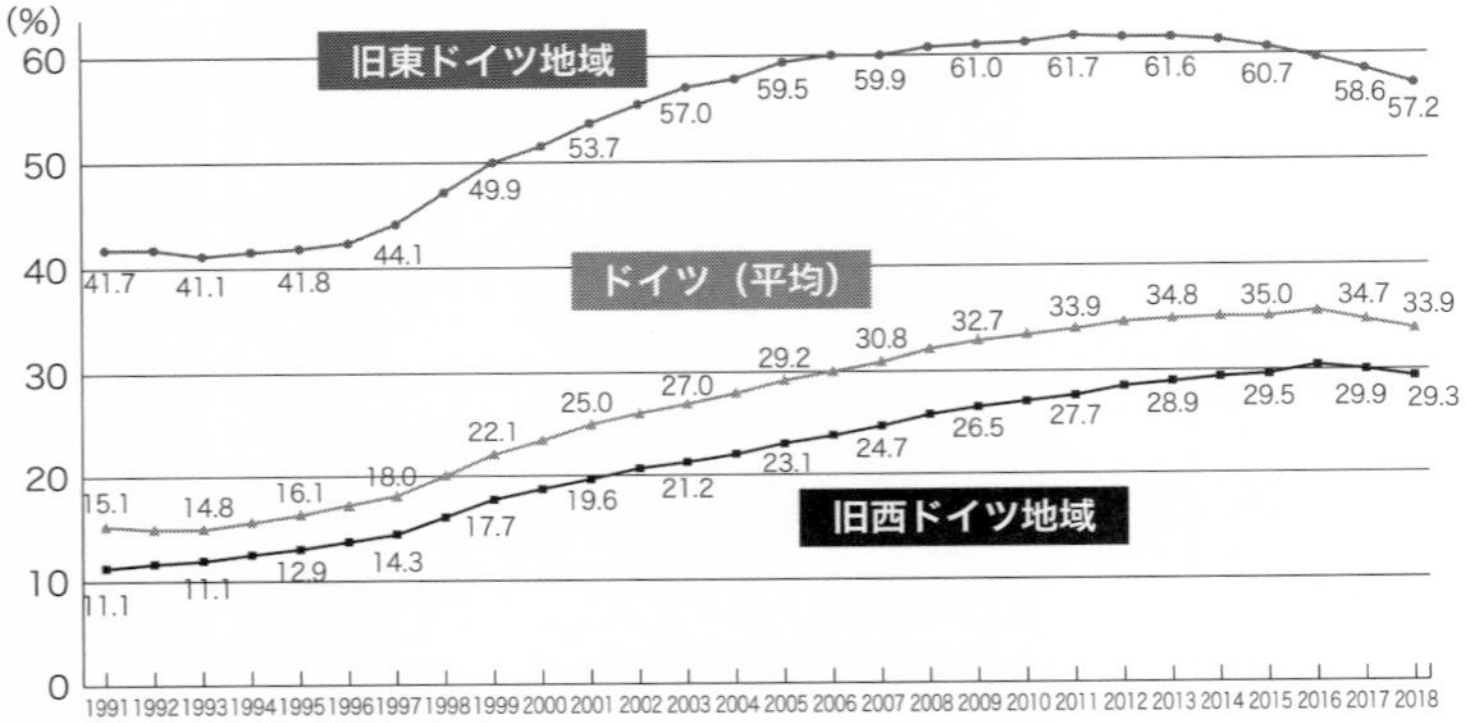

（出所：ドイツ連邦統計局）

東ドイツ地域と旧西ドイツ地域では極端な差が認められるが、２０１８年では平均で33・9%である。これは非婚、未婚であっても子どもを産み育てることは、タブーではなく、市民権が得られてきた証拠である。ドイツもそうだが、とくに北欧では、婚外子は結婚の間に生まれた子どもと同等の権利を保障されている。

なおドイツの婚外子について、もう少し掘り下げておきたい。上のグラフをご覧いただいても、婚外子は旧東ドイツ地域が旧西ドイツ地域の倍くらい多いことが分かる。それは旧社会主義体制で男女平等が謳われ、女性も働くことが当たり前であった。そのため、結婚という制度にそれほどこだわらない風潮が醸成されてきたのではなかろうか。このような価値観は旧東ドイツ地域で再統一後も継承されてきた。それに対して旧西ドイツ地域は、やはり宗教的倫理意識や従来の伝統が存続し、結婚にこだわる風潮が残っているからではないか。

いずれにしても婚外子のデータを見ると、日本人にとっては目を疑うような印象を受ける。ちなみに日本の場合、現在、婚外子が2・3％であるから、極めて保守的であるといえる。日本がヨーロッパと決定的に異なる2つの根拠がある。1つは結婚観であり、もう1つは法律問題が挙げられる。

一般に日本では、「同棲」とか「内縁関係」「未婚の母」というと、まだ後ろめたい差別感情をともない、社会的認知がじゅうぶんなされていない。妊娠後、正式に結婚するのが多いのもそのためである。もう1つ法律問題というのは、民法900条4号のただし書きにおいて、非嫡出子の相続財産が2分の1であるという条項である。

これをめぐって裁判があり、2013年に最高裁は、この条項をはじめて違憲と判断した。また戸籍の表記において、婚外子は差別されている事実もある。これには国内でも問題になり、国際的にも強い批判がなされ、婚外子差別として改善勧告がなされている。しかし日本では伝統的世界観を維持しようとする力学が働き、民法改正に歯止めをかけ続けている「抵抗勢力」があるというのが現状である。

さて従来から、家族が社会を形成する基盤であると考えられてきたが、このような婚外子の増加は、ヨーロッパでは伝統的な家族観、宗教的な倫理観が変化していることの証しでもある。たしかに婚姻をへた家族は、長年の伝統であり、そのなかで子どもが育まれるのが望ましいあり方であるといえる。それでも時代は移り変わり、新たなパッチワーク・ファミリーの確実な増加が認められる。これらは子連れ再婚だけでなく、通常の婚姻関係以外で、同性同士のパートナー関係を含み、未婚の子どもをもつシングル、里子であっても、共同生活をしている家族を指す。

さらに非婚というシングルの生き方も、男女とも選択肢として存在する。シングルの増加の内実は多様であるが、結婚ということが人生の目標ではないという選択肢を選んで、生活しているということである。これはドイツだけの現象ではなく、ヨーロッパ全体についていえることであるが、とくに北欧にその傾向が強い。結婚形態や男女のあり方が多様化しており、従来の伝統的家族形態が崩れてきているのは事実である。だからといって社会が混乱したり、モラルが乱れていたりするのかといえば、そうでもない。結婚観の変化がその根底にあると考えられ、日本も早晩この傾向に向かうであろう。

（浜本隆志）

# 38

# ドイツのセクシュアル・マイノリティ

## ★権利獲得の軌跡★

現在ドイツは、セクシュアル・マイノリティの人びとには比較的寛容な国とみなされている。たしかにベルリンのカフェに入ると、しばしば男性同士、女性同士が、テーブルの下で手をつなぎ、談笑している。しかもときどきキスをするので、目のやり場にも困ったりするほどだ。ここは「シュヴーレス・ムゼーウム」(Schwules Museum) 近くのカフェである。「シュヴール」とは「ゲイ」の意味なので、「ゲイ・ミュージアム」とでも訳せようか。世界でも類を見ないミュージアムが、ベルリンにはある。それにしても、なぜこの街にゲイの人が集まってくるのだろうか?

さて、「ゲイ」という語は肯定的な意味をもつとされるが、一方でときおり、「ホモセクシュアル」という語は、否定的なニュアンスを含む場合もある。近年では「性同一性障害」(gender identity disorder：ＧＩＤ) という言葉があるが、これは「性自認」に関する医学上の疾患名だった。しかしＷＨＯ (世界保健機関) の国際疾病分類が２０１８年に改訂され、精神疾患から除外された (現在これは「性別不合」(gender incongruence) という仮訳で呼ばれている)。ちなみに「同性愛」

というのは、「性指向」に関する言葉なので、「性同一性障害」とは異なる。ここでは、細かい分類がまだない時代からはじめるので、一応「同性愛（者）」や、「ホモセクシュアル」という用語を使用することを断っておく。

一般に「同性愛者」に代表されるセクシュアル・マイノリティは、近ごろはＬＧＢＴという略語で表現されることが多い。レズビアン・ゲイ・バイセクシュアル・トランスジェンダーの頭文字をとったアメリカ生まれのこの言葉は、１９８０年代から使用されている。だが性にまつわる事情は、もっと多様であり、実際にはこの４つにカテゴライズできない人も存在する。ＬＧＢＴにＱ（クエスチョニング、つまり性的指向などの自問状態）、Ｉ（インターセックス、性分化疾患ともいい、外見は女性だが、卵巣の代わりに精巣があるなど）、Ａ（アセクシュアル、男女ともに魅力を感じない無性愛者）を追加する総称もある。

ドイツと「ホモセクシュアル」という言葉はそもそも縁があった。この語は、ハンガリー系の出自をもち、ドイツ語圏で活動したカール・マリーア・ケルトベニー（１８２４〜82）という作家による造語である。かれは、「プロイセン刑法１４３条」を撤廃するよう求めた。すなわち、中世では死罪相当だった男性同士の同性愛行為を規制する法律は、啓蒙主義の影響もあり、徐々に緩和されたが、当時まだ同性愛は、「6カ月から4年の禁固刑」に処される「犯罪」であった。ドイツが統一された１８７１年以降は、この「１４３条」を内容的に踏襲した「帝国刑法１７５条」が同性愛者を脅かし続けた。

その後、医者たちのなかから同性愛者を治療対象と捉え、処罰するような存在ではないと考える者も出てきた。同時期に、性科学者マグヌス・ヒルシュフェルト（１８６８〜１９３５）や雑誌編集者アドルフ・ブラント（１８７４〜１９４５）といった活動家らが、「１７５条」の撤廃を求めて、同性愛に関する啓蒙活動をおこなった。しかし、同性愛者をこころよく思わない者は多く、世界ではじめての同性愛をテーマにした映画を監修したヒルシュフェルトは、ミュンヘンでの講演後、暴漢に襲われ負傷した。かれは自分の死亡記事を病院で読んだという。ブラントの雑誌も何度も発禁処分を受けるなど、同性愛解放運動は決して順風満帆には進まなかった。

ナチス政権時代（１９３３〜45年）には「１７５条」の内容は強化されることになる。それまで男性同士の肛門性交と考えられていた「自然に反する猥褻行為」は、「他人と猥褻行為をおこなったり、みずからを猥褻行為に利用させ」たりする行為へと再定義され、幅広く性行為を指すようになった。たとえば、相互オナニーなども含まれた。ところで、女性同士、つまりレズビアンは「１７５条」では言及されなかったが、ナチス政権は「反社会的」という別の理由で、彼女らを逮捕した。

戦後、ナチス政権が法律の名のもとに執行した非人道的行為に対して、検証がなされたが、同性愛に関する法律は引き続き有効と判断されていた。１９５６年に西ドイツで成立した「連邦補償法」は、ナチスの犠牲者への補償を担っていたが、その対象は人種、信仰、政治的な理由から迫害された者に限られており、「刑法１７５条」と暴力などによる強要を禁止する細目規定である「１７５条ａ」違反により収容所へ移送された同性愛者への補償はなかった。

１９５０年から65年にかけては、約４・５万人の同性愛者が有罪判決を受けた。驚くべきことにこの人数は、ヴァイマル共和国時代のそれを何倍も上回っている。この事実を考慮すれば、同性愛者への迫害は第二次世界大戦後も続いていたことが分かる。その時期にホモフォビア（同性愛嫌悪）が激しさを増した背景には、当時、保守的なアデナウアー政権だったことと、さらに50年代アメリカの「赤狩り」の影響が指摘されている。

冷戦時の反共ヒステリーは、同性愛者に対しても向けられた。ロサンゼルスで設立された全米初の同性愛権利団体「マタシン協会」は、マルクス主義者を中心に組織され、共産主義者らと微妙にリンクしていたこともあり、共産主義者と同性愛者は同一視された。69年、西ドイツでは「キリスト教民主同盟」と「ドイツ社会民主党」の連立政権が成立して、刑法は若干緩和され、成人同士の同性愛行為は罪に問われなくなった。

東西ドイツでは、同性愛に関する法律上の取り扱いは異なっていた。東ドイツではナチスの刑法は廃止され、それ以前の刑法が再度採択された。ここでは同性愛は西側の資本主義の負の遺産とみなされ、同性愛関連の書籍は原則禁止となった。医学関係であれば許可されたが、統一までに出版された本はわずか3冊だった。規制はたしかに多かったとはいえ、東ドイツでは、「175条」は西ドイツより早く削除された。代わりに「151条」という同性愛行為の保護年齢制限（18歳）が設けられたが、東ドイツの同性愛者らは水面下で活動を続け、同性愛団体設立にこぎつけた。

アメリカの女性解放運動や黒人らの公民権運動の盛り上がりを受けて、68年にはパリでも学生運動に端を発した「5月革命」が起こる。これまでしいたげられていた人びとが変革を求めて声を上げはじめた。日本とは違い、歴史を通じ幾多の革命を経験してきたヨーロッパやアメリカの人びとには、権利は自分たちで戦い取るという意識が根づいているのかもしれない。同性愛に関しても同様に、レズビアン・ゲイの権利向上のためにデモなどの市民運動が起こりはじめた。

ドイツでは、70年代にいくつかの大学都市に同性愛者の団体が組織される。最初のデモがおこなわれたのは72年のミュンスターである。このような運動の契機となったのが、71年の映画『倒錯しているのは同性愛者ではなく、かれが生きている状況だ』（ローザ・フォン・プラウンハイム監督）だった。同性愛者たちはそれまで陰で活動していたが、勇気をもって公衆の前に出てきたのだ。ようやく「ゲイ」という語が肯定的な意味をもち出したのである。

ベルリン・クーダムでの同性愛団体「西ベルリン・行動する同性愛者」のデモ行進（1973年）

１９８５年5月8日、ドイツのヴァイツゼッカー大統領は、戦争終結40周年記念講演のなかで、ナチスに虐殺されたシンティ・ロマ（いわゆる「ジプシー」、２８２ページ参照）や、精神病患者らとともに、犠牲となった同性愛者について、はじめて「公の場で」言及した。この発言の影響は大きく、以降、かれらへの補償問題が本格的に検討されることとなった。その9年後にはついに「１７５条」が撤廃された。

21世紀になって新しい動きが見られた。２００1年に「ライフパートナーシップ法」が成立し、同性間でも男女間の婚姻に近い権利が得られるようになったが、相続税の優遇措置などはなかった。５年後には「一般平等待遇法」がＥＵ主導により実現し、性指向や宗教などを理由にした不利益待遇を禁止することが義務付

ベルリンにあるナチス・ドイツによって迫害された同性愛者を追悼する記念碑（筆者撮影）

けられた。ついに２０１７年10月1日、ドイツでも同性婚が合法化され、かれら、彼女らにも養子縁組や男女の夫婦と同様の税優遇が認められるようになった。

　このようにヨーロッパでは、性的少数派の生活面での法的整備が進んでいるが、アフリカやイスラム圏には、同性愛を極刑に処する国もまだ存在する。日本では現在、「おネエ」と呼ばれるタレントらがもてはやされる一方、同性のパートナー関係には、婚姻の権利はまだ認められておらず、一部の区・市町村で「パートナーシップ制度」が導入されているのみである。

　１９９０年代前半からドイツのいくつかの街に、同性愛の犠牲者を追悼する記念碑が建立《こんりゅう》された。ベルリンのティーアガルテンに碑が設置されたのは２００８年のことだった。このコンクリート製の碑には、同性愛者同士のキスシーンを繰り返し映すスクリーンが埋めこまれている。だが何度か破損され、それはまだ同性愛に否定的な者がいることを物語る。

　しかし少なくとも、ドイツは同性愛者の迫害の歴史を共有して、その記憶を風化させないように努めている。第二次世界大戦後、たしかに同性愛文化の中心地はニューヨークやアムステルダムに移ったとはいえ、ベルリンは依然としてＬＧＢＴの人びとを惹きつける魅力をもっている。元市長のクラウス・ヴォーヴェライトもカミングアウトしたゲイだった。多様な性指向、性自認をもった人を許容していることが、この街の懐の深さを示しているのではないだろうか。

（須摩　肇）

# 39

# 少子化への取り組み

## ★特効薬はあるのか★

ドイツの出生数と死亡者数の年次推移
（1950 ～ 2017 年）

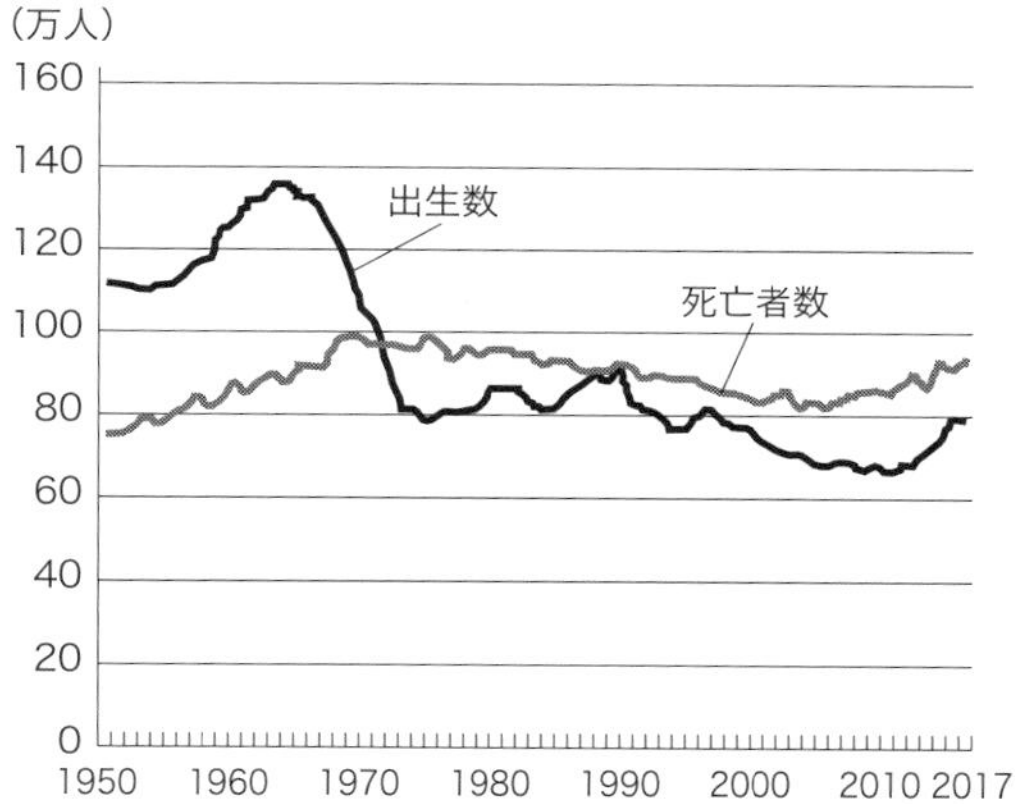


（出所：ドイツ連邦統計局）

少子化は成熟社会の大きな課題となっているが、それが人口減少と結びつき、高齢化問題、ＧＤＰ、社会保障、年金問題などと深くかかわっているので、人びとの関心が高い。まず左の第二次世界大戦後の出生数と死亡者数の推移をご覧いただきたい。２０１７年現在、死亡者が95万５０００人で、新生児が78

万8000人、すなわち約16万7000人の人口減ということになる。今後の出生者数の逆転現象は困難で、推移は同様な傾向をたどるものとされる。このまま単純に推移していくと、2050年にはドイツの人口が7000万人を割り込むと推定されている。

人口減少の最大の原因は、いうまでもなく少子化にある。これは単にドイツだけでなく、ヨーロッパの大多数の国の問題であり、日本も他国の話ではなく、極めて深刻な問題を抱えているのはいうまでもない。ドイツでも「キリスト教民主同盟」(CDU)のフォンデアライエン家族担当大臣がこの問題を解決すべく、2005年の就任以来、子ども手当、とくに両親手当、育児所の増設など、諸政策を打ち出してきたのは目につく努力である。彼女は医学博士で7人の子持ちで知られているが、メルケル首相もその手腕を買って、第二次内閣でも労働社会大臣、第三次内閣では彼女を国防大臣に抜擢した。

左ページに示すのは、1991年から2017年までの合計特殊出生率(1人の女性が一生に産む子どもの数、以下、出生率と略記)の推移である。これには、移民と本来のドイツ人の出生率の年次比較も含まれているので、データの解釈の仕方で、デリケートな問題を引き起こす。すなわち移民政策に賛同する人たちは、かれらがドイツの出生率を上げていると考えるが、それに反対する「ドイツのための選択肢」などの政党では、移民のために税金が投入され、社会保障費を圧迫していると批判するからである。ドイツ国籍を有しておれば、同じ国民であるはずであるのに、少子化問題でも移民政策は政治化するのである。

ドイツの場合、近年では経済的・設備的な少子化対策を試み、かなり抜本的に取り組んできたが、

ドイツの合計特殊出生率の年次推移（1991 ～ 2017 年）

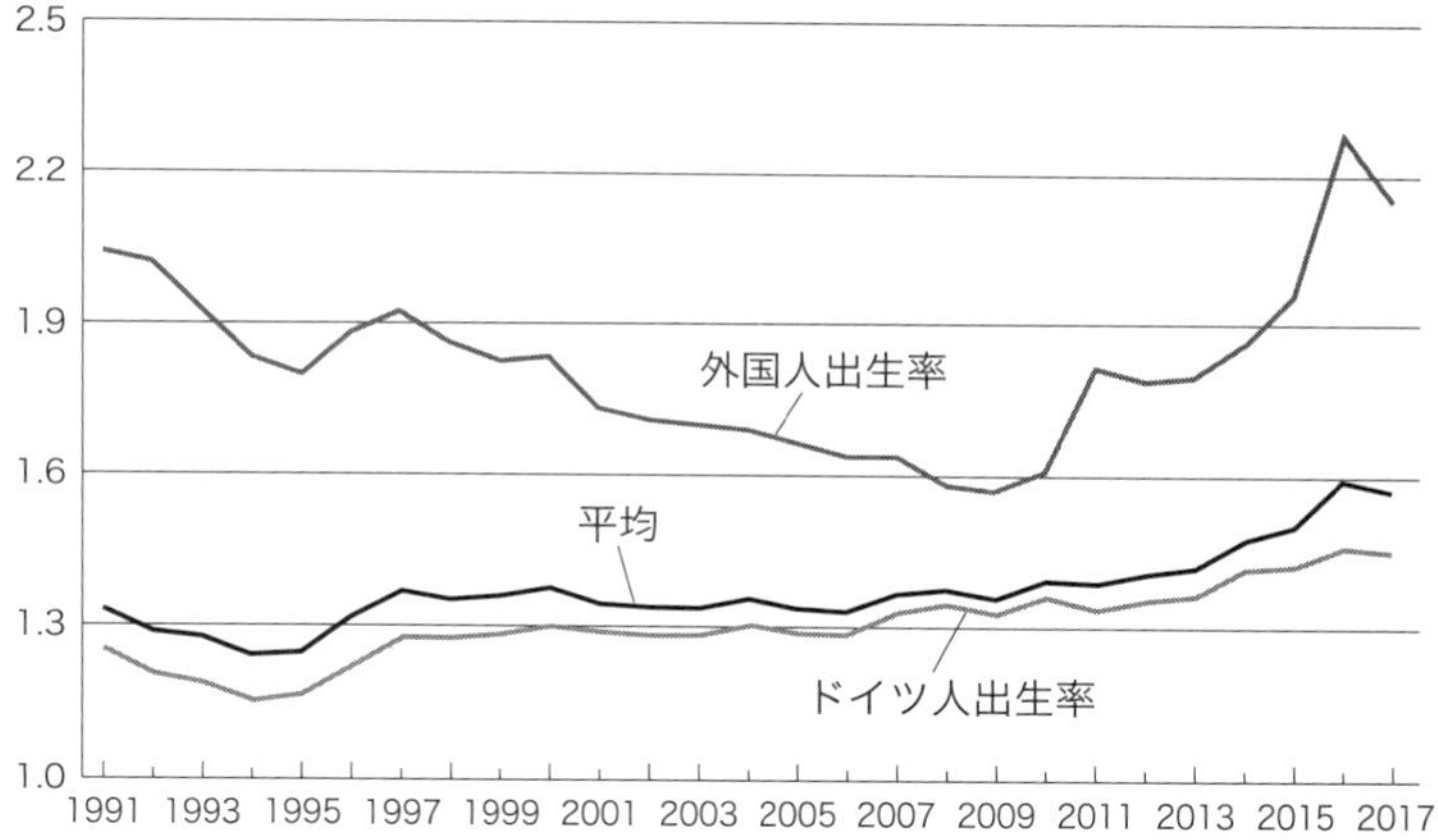


（出所：ドイツ連邦統計局）

その結果、出生率はゆるやかな上昇傾向を示すようになってきた。しかし現在、かならずしも出生率の大幅な向上につながっているとはいえない。原因は旧東ドイツ地域の出生率が低く、それはこの地域の高失業率と、若い女性が就職口の多い旧西ドイツへ移住するという現象のためだといわれている。

ヨーロッパ諸国も大なり小なり、移民問題、域内移住問題を抱えているが、次ページの図で２０１７年の各国の出生率を確認しておこう。

トップのフランスでもかつて人口増減の目安の２を超えていたが、２０１７年ではそれを割り込んでいる。ドイツは１・57でＥＵの平均値に近い。北欧と南欧の地域で見ると、例外はあるが、北欧の方が高く、南欧が低いという傾向が見られる。

フランスの子ども手当の影響を受けたドイツのそれは、２０１８年から第1子、第2子が月額１９４ユーロ（2万７１６０円）、第３子２００ユーロ

EU 各国の出生率（2017 年）

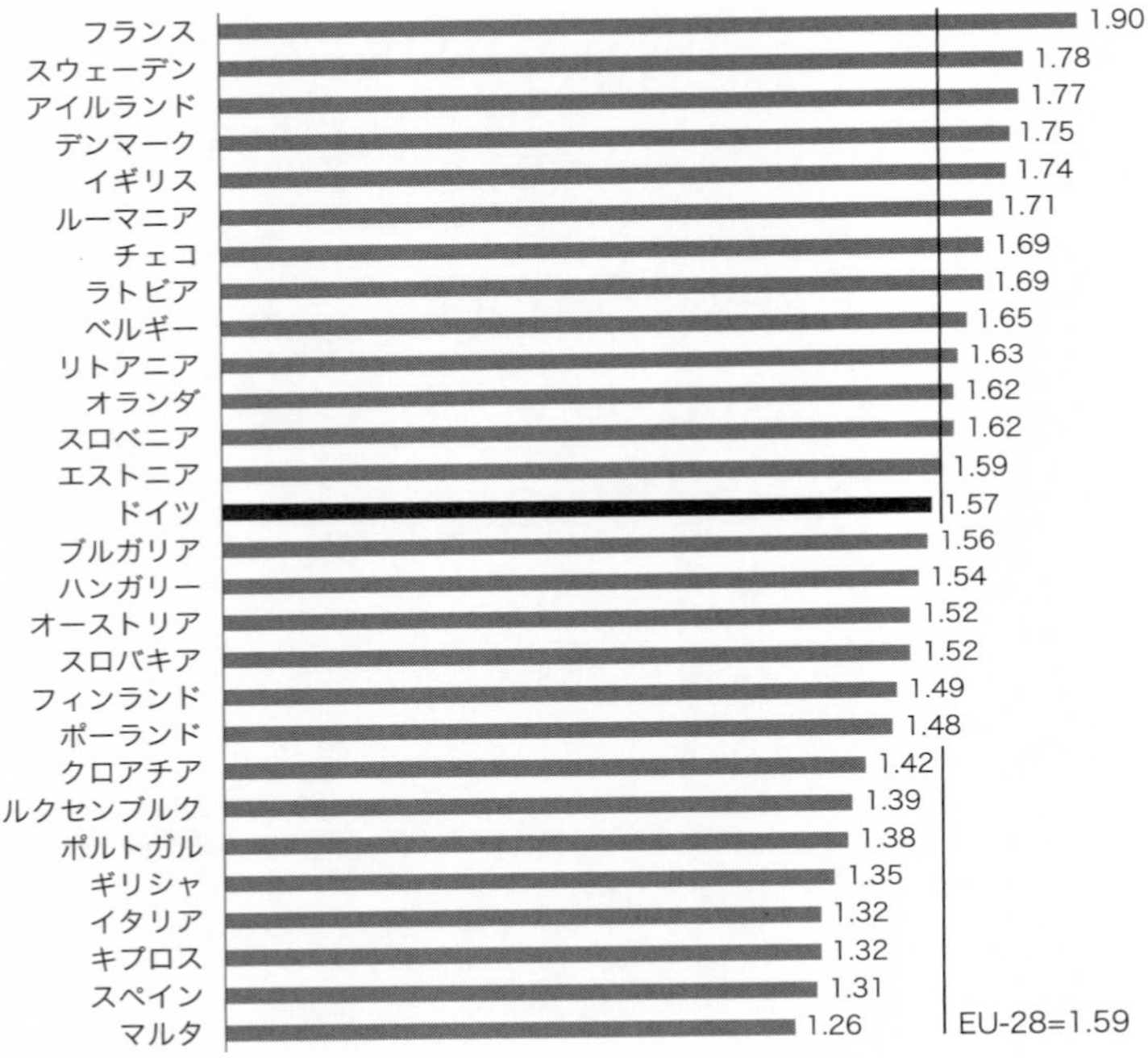


（出所：ドイツ連邦統計局）

（2万8000円）、それ以上が225ユーロ（3万1500円）と徐々に増額する。すなわち子どもが3人おれば、月額588ユーロ（8万2320円）となり、原則としてこれらは子どもが18歳になるまで支給される。

さらに両親手当が従来の育児休業に代わり、2007年に制定された。これは育児をするために職場を休む場合、父母のうちのいずれかに1年間、手取り収入の67％を、下限300ユーロ（4万2000円）、上限1800ユーロ（25万2000円）まで保障するものであった。また父母の両方が仕事を休む場合、14カ月の間、手当が支給されるようになった。さらに2015年からは「両親手当プラス」という、手当の半額の上限内で受給期間を28カ月まで延長することができる柔軟な制度や、「パートナーシップボーナス」という条件付きの特典が追加された。

このような制度によって、次第に男性も育児休暇をとる率が高まってきたが、それでもドイツの出生率の大幅な上昇は実現の見込みがない。女性の社会進出が増え、大部分の女性が仕事をするのが当たり前の時代において、彼女たちにとってみれば、子どもも手当や両親手当のサポートがそれほど魅力的ではないのである。

老後においても、掛け金を払っておれば年金も当てにできるし、仕事についておれば老後の生活は保障されている。さらに子どもをどう考えるかは、極めてプライベートな問題である。もちやすい環境を整えるのは、政府や行政の仕事であるけれども、人生観まで関与してほしくないというのである。

したがってドイツ政府も、少子高齢化のひずみを是正するために、年金の受給年齢の引き上げ、掛け金増、高齢者の社会参入など、痛みをともなう社会全体の負担増によって支えていく方向を目指さざるをえない。日本も同様な、いやもっと深刻な状況に置かれており、特効薬はないとはいえ、経済的・施設的な対策を講じないと危機は回避できないのはいうまでもない。

（浜本隆志）

# 40

# セーフティネットの転換

## ★ハルツ改革のその後★

１９９０年のドイツ再統一は、世界中が祝福した明るいニュースであったが、その後、ドイツはきびしい経済状態に見まわれた。旧東ドイツの各種企業の倒産が続き、90年代後半では旧東ドイツ地域では失業率が17％を超えるようになった。また統一税も国民全体に重くのしかかり、再統一の負の側面が顕在化した。同時に社会保障費が膨らみ、財政が危機的状況に追い込まれていた。１９９８年の国政選挙で「キリスト教民主同盟」（ＣＤＵ）は大敗し、コール首相はその責任をとるかたちで退陣した。

次に登場したシュレーダー首相は、もともと労働組合や勤労者に支持基盤を置く政党「社会民主党」（ＳＰＤ）出身であったが、シュレーダー政権はもうこれ以上、従来の社会システムを放置できない局面に立たされていた。第二次シュレーダー内閣は、本来の「社会民主党」の理念とは異なる新自由主義的な構造改革に手を付けた。増え続ける失業保険費、社会扶助費（生活保護費）に対して抜本的な改革を図ろうとしたのである。

そこで首相は、フォルクスワーゲン（ＶＷ）社の労務担当役員のペーター・ハルツ氏を座長とする委員会を設置し、成案を得た。改革案は、与党内でも多くの議論や反発を招いたが、結局、野党の「キリスト教民主同盟」も賛同にまわり、国会を通過して2005年の1月から施行された。当時、ドイツの失業者はかつての世界恐慌時と同等の500万人に達し、最悪の状況のなかでハルツ改革はスタートした。

ここで取り上げるのは、セーフティネットのうちの目玉の「ハルツⅣ」（委員長の名前に由来）といわれる失業補償や社会保障に絞るが、ハルツ改革の眼目は、失業者のセーフティネット依存型から、自立して社会参画できるよう就業支援することにあった。すなわちこれは、長期失業給付者のうち、働けるものには「ジョブセンター」（ハローワーク）を通じて仕事を与え、雇用に組み込むことを目指した。ただしお題目を唱えただけの、今までどおりの手直しでは、絵に描いた餅となるので、改革はかなりシステム変更にも踏み込んだものになった。

従来、失業した場合、「失業給付金」を保険加入期間に応じて最長32カ月受給しながら、一定期間後、就職ができなかったものには無期限の「失業扶助金」が与えられていた。また最後のセーフティネットとして、社会扶助制度（生活保護）があった。ハルツ改革では失業当座、「失業給付金Ⅰ」として手当をもらうが、以前より期間が短縮され、最長でも18カ月にした。

一定期間を過ぎても就職できない場合、従来の「失業扶助金」を廃止し、社会扶助制度と一体化した「失業給付金Ⅱ」をもらう。なおこれまで連邦雇用庁が失業給付を管轄し、自治体の福祉事務所が社会扶助を管轄していたが、政府機関と自治体の統合した機関（ＡＲＧＥ、ただし２００７年に憲法違反の判決）に制度を一元化した。これは、窓口が違うと二重受給の例が後を絶たなかったので、それを防ぐ意味もあった。

加えて働く能力を有する者は、紹介する仕事の拒否条件をきびしく制限し、就職を促す。正当な理由もなく就業しない場合には、給付金の30％を3カ月間減給する（年3回違反すると支給停止）。ただし給付を受けながらアルバイト、その他で得た金は月1200ユーロ（子どもなし：16万8000円）、もしくは1500ユーロ（子どもあり：21万円）までであれば、減額対象にならずに、手当と並行して自分の収入としてもらえる。このような生活扶助から自助のインセンティヴを与え、雇用・労働とのかかわりを重視して失業者数を減らそうと努力した。

ハルツ改革は、すんなりと了承が得られたわけではない。先述のように、「社会民主党」（SPD）や労働組合を含めた激しい批判が、導入前から続いた。とくに給付対象者が多い旧東ドイツ地域では大きなうねりとなって、反対デモが頻発した。かれらにしてみれば、それは改革ではなく弱者切り捨てに他ならなかったからである。与党内の左派のフォンテーヌ元蔵相一派は、ハルツ改革に反対して「社会民主党」を離党し、かれらはその後結成された「左翼党」へ合流した。

では左ページの図で「ハルツⅣ」の「失業給付金Ⅰ」の受給者の年次経緯を見てみよう（数字は人数、単位）。大部分は当該年度に失業し、「失業給付金Ⅰ」を受給した人数であるが、トータルの失業者数とほぼ同じ傾向を示す。2005年まで高止まりであったものが、年をへるごとの減少傾向にあることが分かる。これはハルツ改革の成果であり、さらに景気の動向から見ると好景気も作用したといえる（なおハルツ改革以前のデータは、「失業給付金」受給者の数である）。

次に「失業給付金Ⅱ」の受給者の年次グラフを見ると、「ハルツⅣ」導入年の2005年から2006年に受給者が増えているのは、季節労働者の失業数増加と、制度の切り替えの過渡期であり、駈

失業給付金Ⅰ、Ⅱの年次別給付傾向

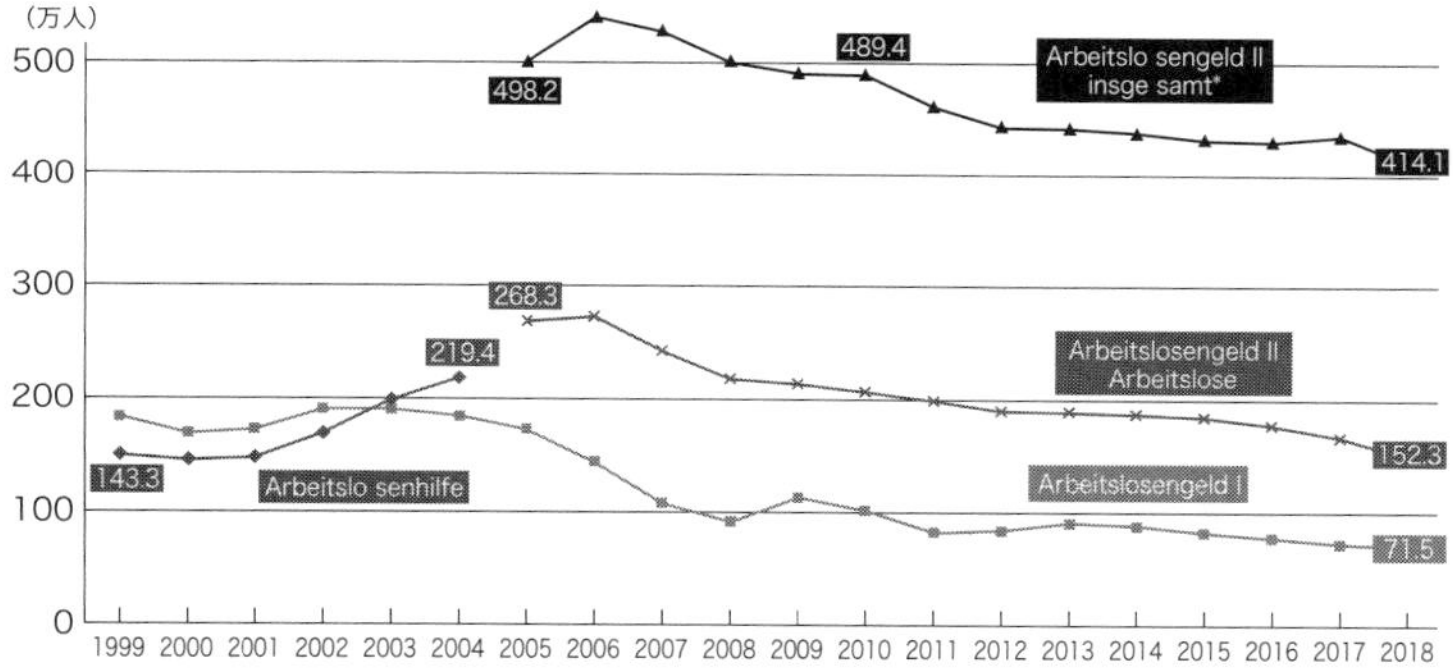


下の線は「失業給付金Ⅰ」、中は「失業給付金Ⅱ」の年次別受給者数。上は「失業給付金Ⅱ」と「社会扶助給付金」を合計した年次別受給者数。なお白抜きの数字は人数。
（出所：Bundesagentur für Arbeit）

けこみ申請をしたため、数字を押し上げたものとみなされている。

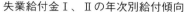

新制度導入当初は受給者が増え、声高にハルツ改革の失敗論を叫ぶ人もいたが、受給者の数は２００６年をピークに減り続けている。このグラフが改革の「本丸」を示すもので、「失業給付金Ⅱ」に依存しなくても、自立できるかどうかを判断する目安になる。景気動向、輸出動向に左右されることは当然であるが、結果的に２０１８年まで受給者数が減少しているので、改革の道筋はついたと判断してよい。いずれにしても、ハルツ改革については「ドイツ病」といわれてきた低迷状態から、脱出する1つの転機となったといえる。

しかし正規労働者でなく、ミニジョブや1ユーロジョブで働く人びとの増加により、最下層の生活向上はまだ実現できていないということも指摘できる。また「失業給付金Ⅱ」における子どもに対する養育費も半減されたので、手直しがおこなわれたが、ハルツ改革は格差社会の解消ではなく拡大を生み出していると

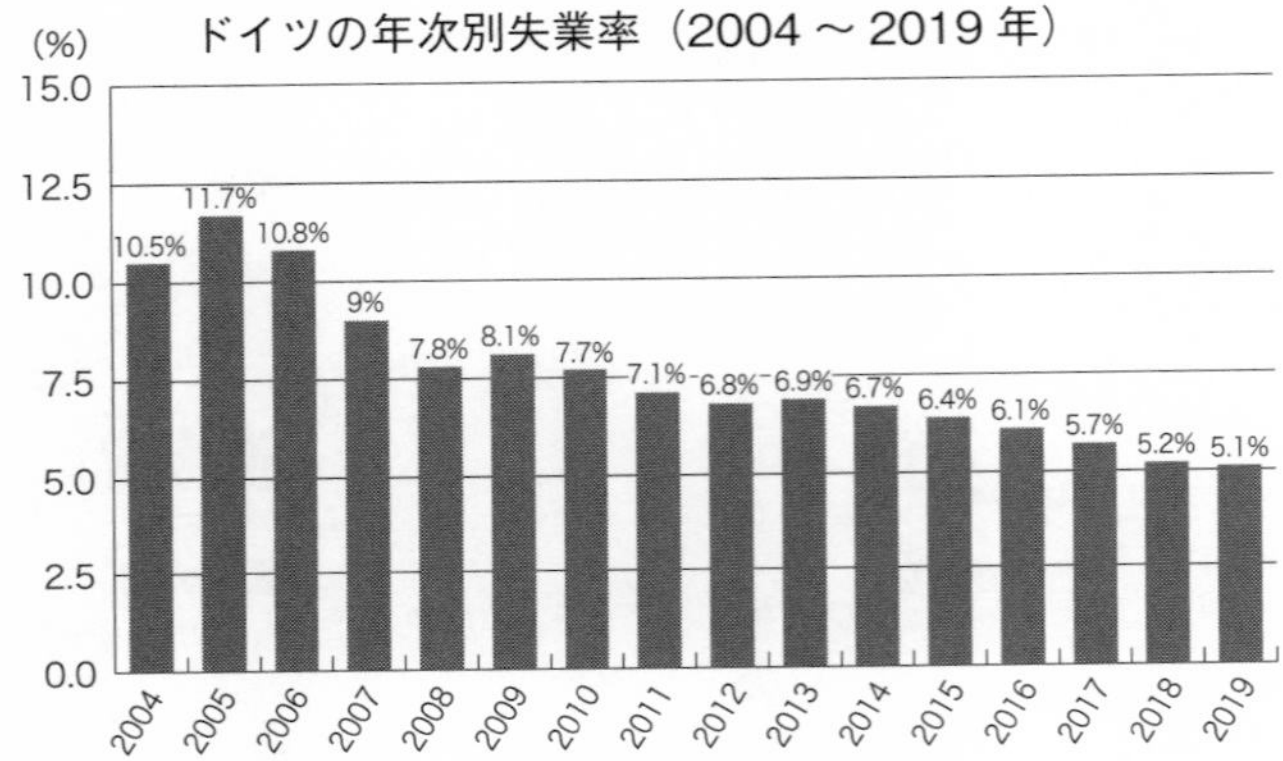


（出所：ドイツ連邦統計局）

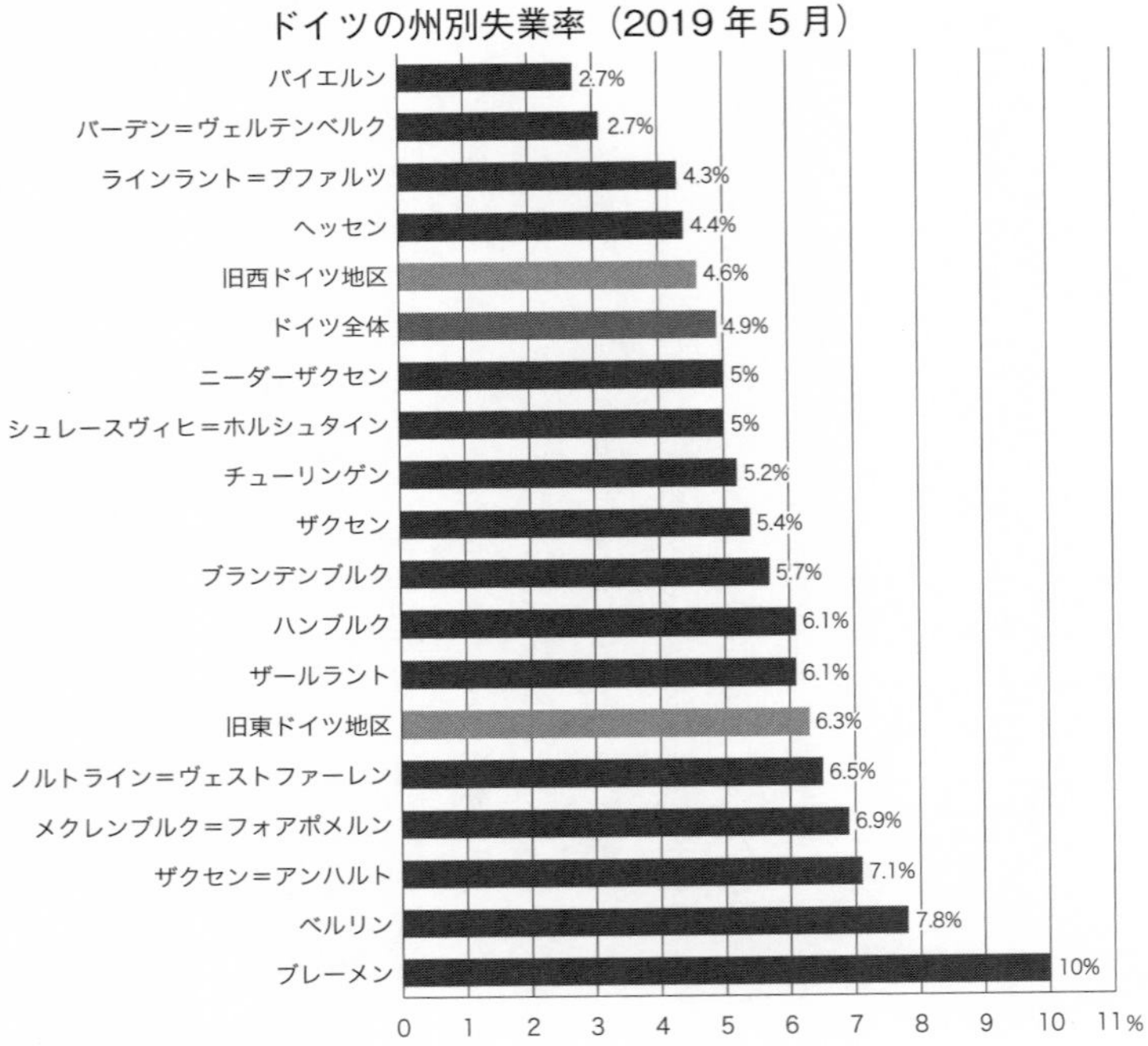


（出所：Bundesagentur für Arbeit）

いう批判もある。それを踏まえながらも、果敢に制度改革を実現させようというドイツの努力は、底辺労働者を切り捨てている日本の現状に照らすと、多くの示唆を与えるものである。

ハルツ改革と密接に結びつく失業率の経年変化も右に示しておこう。ドイツ経済が好調であることを受けて、昨今では失業率が低下している。

この数字は当然失業給付金受給者と連動している。ドイツの州単位で見れば、やはり旧東ドイツ地域に失業者が多く、大都市地区、ブレーメン、ベルリンなども目立っている。なお南ドイツのバイエルン、バーデン＝ヴュルテンベルクは少なく、ここが豊かな地域であることを物語っている。

（浜本隆志）

# Ⅷ

# 循環型社会を目指して

## ——脱原発から再生可能エネルギーへ

# 41

# EV（電気自動車）戦国時代

## ★ドイツの現状と展望★

ＥＶ（電気自動車）に今大きな関心が集まっている。識者はガソリンあるいはディーゼル内燃機関は早晩、時代遅れのエンジンになることを予測しているからだ。もちろんＥＶは、環境保護の観点からＣＯ２削減が見込めることがまず挙げられる。しかしそれだけではない。電気自動車を制する国は世界の経済を制し、さらに石油依存の経済体制から脱却できることも大きい。今やＥＶ戦国時代といっても過言ではない。

２０１８年の世界のＥＶ販売順位を見ると、ここではメーカー別の集計であるが、国別ではトータルで中国、アメリカ、日本、ドイツという順になる。モデル別トップはアメリカのＥＶテスラ３で、生産が間に合わないという状況である。この分野の中国の伸長も目覚ましく、自国だけでも巨大な市場をもつという強みもある。日本はハイブリッド車とＥＶにシフトしているのはご承知のとおりである。この図ではその点明確ではないが、世界の主流はＥＶである。ドイツは現在のところこれらの国々の後塵を拝しているといわざるを得ない。

このような状況のなかで、ヨーロッパでは環境政策から、電気自動車へとシフトチェンジする国が増えてきている。たとえ

世界のEV販売台数トップ20（2018年）

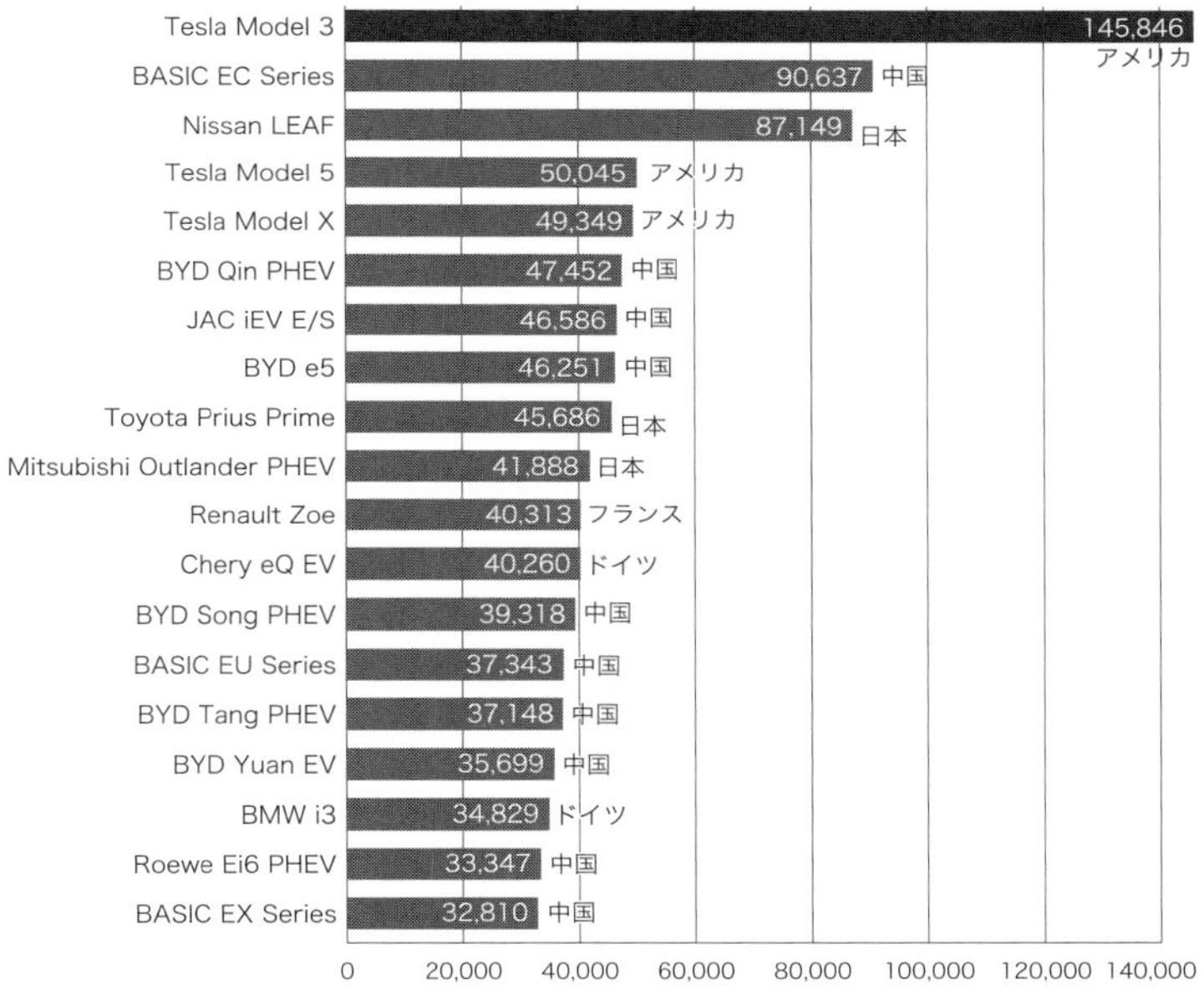


（出所：http://www.ev-volumes.com/）

ばノルウェーでは２０２５年から内燃機関駆動車の販売禁止が内閣で決議され、ドイツでは２０３０年までに内燃機関駆動車を禁止する決議案がドイツ連邦議会で可決された。ただしこれは決議案であるので法的拘束力はない。その背景は、ＣＯ２削減を実施しようと意図しているからだ。

ただしＥＶによるＣＯ２削減効果は、たしかに走行中はそのとおりであるが、充電する際に、元の電力の発電プロセスを算入しなければならない。再生可能エネルギーであれば問題ないが、化石燃料、すなわち石油、石炭、天然ガスなどで発電する場合には、この過程でＣＯ２を排出しているからである。したがってＥ

Vも再生可能エネルギー政策と連動しているのである。

さてEV促進のためのドイツの政策を確認しておきたい。ドイツでは2020年末までに電気自動車（EV）、プラグイン・ハイブリッドカーあるいは水素自動車の新車を購入した場合、最高4000ユーロ（約56万円）まで補助金が支給され、さらに向こう10年間は自動車税非課税という特典がある。またノルトライン＝ヴェストファーレン州やザクセン州では、家庭用充電設備を設置する場合、最高1000ユーロ（約14万円）の補助金を州から得られ、充電ステーションを新設する場合にも補助金を支給する自治体が少なくない。

こうした取り組みが功を奏して、現在ドイツ国内に充電ステーションが急激に増えており、2017年に6381基であったものが、2019年第2四半期には1万5310基に増加した。これは充電ステーション1基あたり、電気自動車が平均4、5台使用できるという計算となり、日本の1基あたり10台よりも待ち時間が少なくなり、充電しやすい状況にある。

2017年と2019年のハイブリッド車の登録台数も見てみると、約17万台から2倍増え、EVだと3万4000台から8万3000台と約2・5倍に増加しているので、環境に優しい車を選ぼうとしている人が徐々に増えてきていることが分かる。実際にベルリンの街中を歩いていると、充電ステーションの増加を日常で確認できたし、充電中の車を見かける機会も増えていたけれども、EV販売台数の少なさは意外である。EVの航続距離が伸び、優秀な性能のものでは500キロメートルを超え、充電ステーションが増設されていても、道中充電切れに陥るかもしれないという不安は払拭されていないようだ。

さてタクシーといえばメルセデスベンツが主流であったが、今は新車3台に1台が日本製ハイブリッドカーであり、タクシーに乗車する際にドイツ車に乗れないことも少なくない。ベルリン市交通局の市バス２０４番線では電気バスが２０１５年9月から導入され、停車中にワイヤレス充電（インダクティヴ充電）が可能である。乗り心地は従来のバスよりもよく、環境への負荷がほとんどない未来型の乗り物として注目されている。

今まで述べたのは、行政の側の電気自動車（あるいはハイブリッド車）シフトである。これには輸入車を含めた話であるが、問題は自動車王国と自負してきたドイツの自動車メーカーのＥＶ対応である。多くの人びとは、ドイツがＥＶの分野でも世界をリードする立場にあると誤解しているかもしれない。しかし引用した図にあるように、実際はそうではないのである。

もちろんこれまでにドイツはＥＶも製造してきた。ドレスデンにあるフォルクスワーゲン社の「ガラス張りの自動車組み立て工場」（Gläserne Manufaktur）では、かつて高級車フェートンを製造していたが、２０１７年4月から e-Golf の製造ラインになり、工場内の一部が見学可能である。しかし1日の製造台数は35と、高級車製造時並みの手仕事である。２０２０年に発売予定のＢＭＷ社のｉＸ3やフォルクスワーゲン社のＩＤ３も開発しているが、ＥＶは高級車感覚である。

そうこうしているうちに、２０１８年のアメリカ市場で主力のメルセデスが人気のＥＶテスラ３に敗退し、ダイムラー社はことの深刻さを実感した。ポルシェの販売も同様であった。地元のヨーロッパでもアメリカのテスラ３の人気は高く、ノルウェーではこのＥＶが全車種の売り上げトップになった。ようやくドイツメーカーも地殻変動が起きていることに気づき、危機感を募らせた。そこでフォ

ドイツ政府肝いりの本格的 EV 生産開始のイヴェント（2019 年 11 月）

ルクスワーゲン、ダイムラー、ＢＭＷ３社は連携して、ＥＶに特化した車づくりに大転換することにした。その象徴的な出来事は、２０１９年7月10日に80年の歴史を誇ったフォルクスワーゲンの「ビートル」の生産終了というニュースであった。

歴史的にドイツには方向転換を誤った前例がある。１９７５年には当時のダイムラー・ベンツ社が、その翌年にはフォルクスワーゲン社がすでにＥＶを開発していたにもかかわらず、ＩＴ革命でドイツが乗り遅れたときと同様に、ＥＶ実用化にも前車の轍を踏んでしまった。ドイツには伝統的技術を大切にする文化があり、ガソリン車やディーゼル車にこだわり続けた。ことの挙句に排ガス不正にまで手を染めた（96ページ参照）。

ドイツがさらなるＥＶ普及へと舵をとれない理由がもう１つある。自動車メーカーの従業員の雇用確保である。当然のことながら、内燃機関駆動車とＥＶの構造は異なり、同じ技術者がＥＶの組み立てに対応できない。さらにＥＶの方が簡単な構造なので、製造工程において人員削減が想定されるからである。

そのため、ドイツ連邦交通・デジタルインフラストラクチャー省大臣は「内燃機関駆動車の製造中止を避け、空気を汚染しないきれいな内燃機関の開発を実現すべきだ」と提案している。権利意識の強い労働者を擁護する発言であるが、その一方で、ドイツ政府は２０２０年までにＥＶ２００万台の登録を目標にしている。現状のままでは到底目標達成できそうにない数字であるとはいえ、環境政策と労働政策の矛盾が見られる。

いずれにせよドイツの自動車メーカーは必死になって巻き返しを図り、生き残りのためにＥＶ開発に全力を挙げるであろう。いったん方針を決めると、ドイツ人は大きな底力を発揮するので、ＥＶ戦国時代の勝者は誰かの判断はまだ下せないが、２０２０年代にはもう決着がつくであろう。


（浜本隆志・金城ハウプトマン朱美）

# 42

# 脱原発へ

## ★ドイツ的危機管理と倫理観★

旧ソ連のチェルノブイリ原発事故（１９８６）は、ヨーロッパにも深刻な放射能汚染をもたらした。とくにドイツは環境政党「緑の党」の活動によって、チェルノブイリの事故以降、反原発運動が急速に支持を得るようになった。１９９８年に成立した「社会民主党」のゲルハルト・シュレーダー政権では、「緑の党」も政権与党として連立を組み、脱原発政策を推進した。こうして２００２年に、当時のシュレーダー首相は、稼働中の19基の原発を２０２１年末までに廃止（脱原発法案）することを可決した。

次の２００５年から政権を担当した、「キリスト教民主同盟」のメルケル首相は、「社会民主党」との大連立であったので、原発政策の手直しをしなかった、いやできなかった。ところが第二次メルケル内閣では、保守派の「自由民主党」と連立政権が成立したので、電力会社の要望を受け、首相はシュレーダー前政権の「原発」政策を一部手直しして、２００９年に廃炉期間をいったん12年延長した。

ところが、２０１１年3月11日に発生した東日本大震災によるフクシマ原発事故を受け、ドイツでは国内世論が一気に「反原発」へと傾斜した。国内ではフクシマ原発事故の直後、2011年3月27日にバーデン＝ヴュルテンベルク州で選挙があり、「キリスト教民主同盟」は致命的な敗北を喫した。

その状況のなかで、逆風を受けたメルケル首相は、ただちに「原子炉安全委員会」（RSK）と「安全なエネルギーの供給に関する倫理委員会」に諮問し、原発の安全性について見解を求めた。首相は2011年5月14日に、委員会が出した鑑定書を受け取っていたが、そこにはドイツの原発はフクシマ原発より安全で、ただちに停止する必要はないとの結論が書かれていた。

次にメルケル首相は、「安全なエネルギーの供給に関する倫理委員会」から、5月30日に提言書を受け取った。そこに書かれていたのは「キリスト教の伝統とヨーロッパ文化の特性に基づき、我々は自然環境を自分の目的のために破壊せず、将来の世代のために保護するという特別な義務と責任を持っている」（熊谷徹『なぜメルケルは「転向」したのか』）という、世代の「義務」と「責任」によって、もはや倫理上、原発は容認できないという結論であった。

メルケル首相はもともと、理論物理学専攻であったので、核エネルギーについては豊富な知識をもちあわせていた。さらに日本の科学技術についてもじゅうぶん信頼を置いていた。それでもフクシマ原発事故を深刻に受け止めた首相は、後者の倫理委員会の意見書を受け入れ、原発推進派から脱原発派へ「転向」したのである。同年6月6日、首相は国内にある17基の原子力発電所（そのうち、8基は運転を一時停止）を2022年までに漸次閉鎖することを閣議決定した。すなわち、稼働中の9基を2015年から古い順に停止させ、廃炉にするという工程表を発表した。

この問題は、後の世代に今あるわたしたちの繁栄のつけを負わせることへの、倫理上の呵責にある

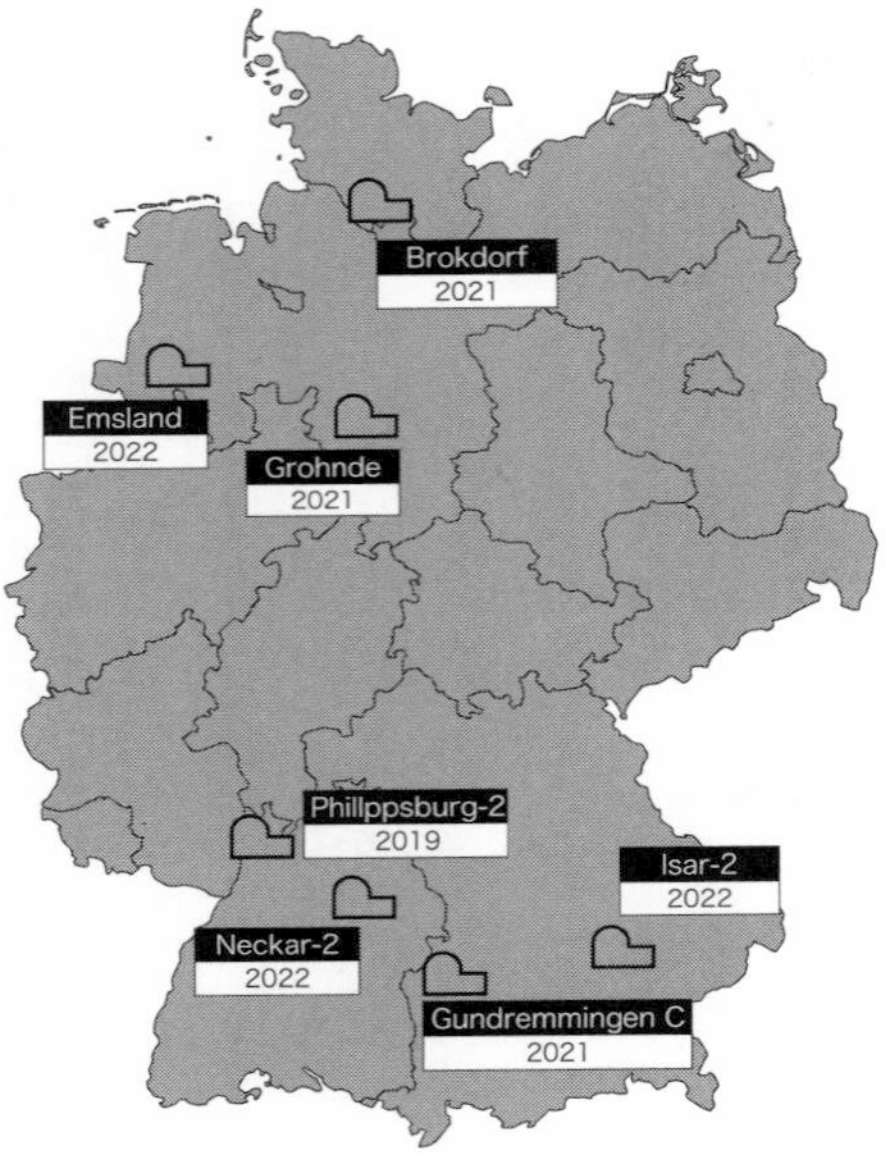


2019年時点での残存稼働中の原発
（数字は停止の予定年）

（出所：Infografik AKW-Laufzeiten der deutschen AKW.）

ということである。財界の意向や経済的利益より、リスクに対する責任を優先させたという決断は重い。ドイツ人であるので、「脱原発」かそれとも「原発依存」かは、資本の論理やイデオロギーを超えた、キリスト教的な倫理上、道徳上の問題として受け止めたのである。

メルケル首相のこの決断に対しては、２０１３年秋に迫った総選挙への対策だったのでは、との醒めた見方もある一方で、旧東ドイツ出身でコール元首相の秘蔵っ子として政界入りし、環境大臣を務め、人権意識も強い物理学者の女史の自然科学者としての冷静な判断によるものではなかろうか。いったん大事故が起きてしまえば、一過性の悲劇では済まない事態を招くことへの危惧がこのような判断をさせたといえよう。

こうして見ると、フクシマ原発事故に対して、ドイツ人の危機管理については、日本と大きな差が見受けられる。たとえばドイツは、フクシマ原発事故直後に、東京のドイツ大使館を一時期、大阪・

神戸領事館へ移し、ルフトハンザ航空の発着を関西国際空港や中部国際空港へ移すなどした。さらに日本は危険であるからといって、ドイツ人に国外退去を検討するように勧告した。当時の日本人は情報不足もあって、それほど深刻な事故という認識がなかったので、ドイツ人の過剰とも思える反応には、正直なところ違和感を覚えた。しかしチェルノブイリを体験し「緑の党」による環境問題に敏感であるというせいだけでなく、これはドイツ人のリスクに対する意識の違いだといえる。

ドイツのリスク管理は、事実をそのまま報道すべきであり、判断は住民に任すというものである。日本の場合、パニックとなることを恐れて、婉曲に報道したり、報道しなかったりした。この是非を問うというのではないが、危機管理のあり方に、国民性の違いを強く感じるのである。

ただし「安全なエネルギーの供給に関する倫理委員会」は、単に理想論を提言しているのではない。委員会は、再生可能エネルギーによる代替についても論及している。代替エネルギーによるコスト高は限定的であり、フクシマ原発事故の事後処理の膨大なコストの方が、はるかにそれを上回るというのである。

たしかにドイツは「再生可能エネルギー法」（２０００年4月1日に施行）によって、家庭で発電した太陽光や風力などの再生エネルギーを電力会社が市場価格よりも高値で買い取ることを義務付けており、この法令の支援を受けて風力発電や太陽光発電の一大基地の様相を呈した。新産業は新たな雇用創出の大きな一翼を担うという、一定の見通しがあるから、代替エネルギーで賄える、あるいはそうしなければならないといえるのであろう。とくにドイツでは風力発電の低コスト化が進み、今や石炭発電より安くなっている。

もう1つ原発問題と密接にかかわるものとして、発送電分離問題がヨーロッパでクローズアップされている。これは直接的には欧州委員会が独占的な発電会社に対し「カルテル防止法違反」という圧力をかけたからである。さらにミュンヘン在住のジャーナリスト熊谷徹氏の分析では、フクシマ原発事故以降の「メルケル政権の脱原子力政策」による、電力会社の業績悪化を理由に挙げている。ドイツ政府や大手電力会社はやむなく発送電分離を容認した。電力会社は送電線会社との関係を絶つために、一昔前では考えられないことであるが、外国資本の会社に送電線を売却した。こうして現在、送電線会社が独立して事業を経営している。

日本では大手電力会社が送電線を保有し、これが電力独占の「牙城」となっている。それは結果的に、新規に電力事業への参入や自然エネルギーによる発電を抑制してきた。というのは新規参入者が低コストで発電をしても、電力会社に送電線の容量を規制されたり、使用料を高く設定されたりすると、参入者は競争に打ち勝つことができないからである。ただし日本も欧米の送電線問題の流れに対応するために、２０２０年から電力会社が送電線部門を切り離し、別会社にすることを閣議決定している。ただしこの別会社がどのような形態で運営されるのかが問題である。原発はさまざまな現代社会の問題をあぶりだす試金石のような存在であることが分かる。ただし原発問題について付記しておかねばならないことがある。２０２２年2月のロシアによるウクライナ侵攻の結果、ロシアの天然ガスの供給停止が生じ、ドイツのエネルギー事情が悪化した。そのため、２０２２年内に3基廃止予定であった原発、イザール2、ネッカー2、エムスラント（２４４ページ図参照）は、２０２３年4月中旬まで、当面、廃炉の延期を余儀なくされた。

（髙橋　憲）

# 43

# 再生可能エネルギーの進展

★風力、太陽光、バイオマス★

ドイツの脱原発の宣言は、世界で注目を浴びているが、その素晴らしい理念は、代替エネルギーがじゅうぶんに補完しないと、絵に描いた餅に終わってしまう。ではドイツの代替としての再生可能エネルギーの現状は、いかなるものなのか、ここでは具体的にデータにもとづいて検討してみよう。

次ページの円グラフは、2018年の発電エネルギー源のシェアであるが、右側が再生可能エネルギーの全体比で、風力20・2％、バイオマス8・3％、太陽光8・5％、水力3・2％である。左側が通常エネルギーで、石炭14％・褐炭24・1％、原子力13・3％、天然ガス7・4％となっている。このうち褐炭は、CO2を多量に排出するので環境団体から批判にさらされているが、純国産で発電コストも安いので、急速に減らせないという事情もある。

すでにドイツは1991年の電力供給法と、2001年の再生エネルギー法によって、再生エネルギーの基本方針が定められてきた。それによると脱原発とCO2排出削減のために、再生可能エネルギーは「固定買い取り制度」によって、促進させることが謳われている。そして2020年には35％、2050

ドイツの発電エネルギー源（2018 年）

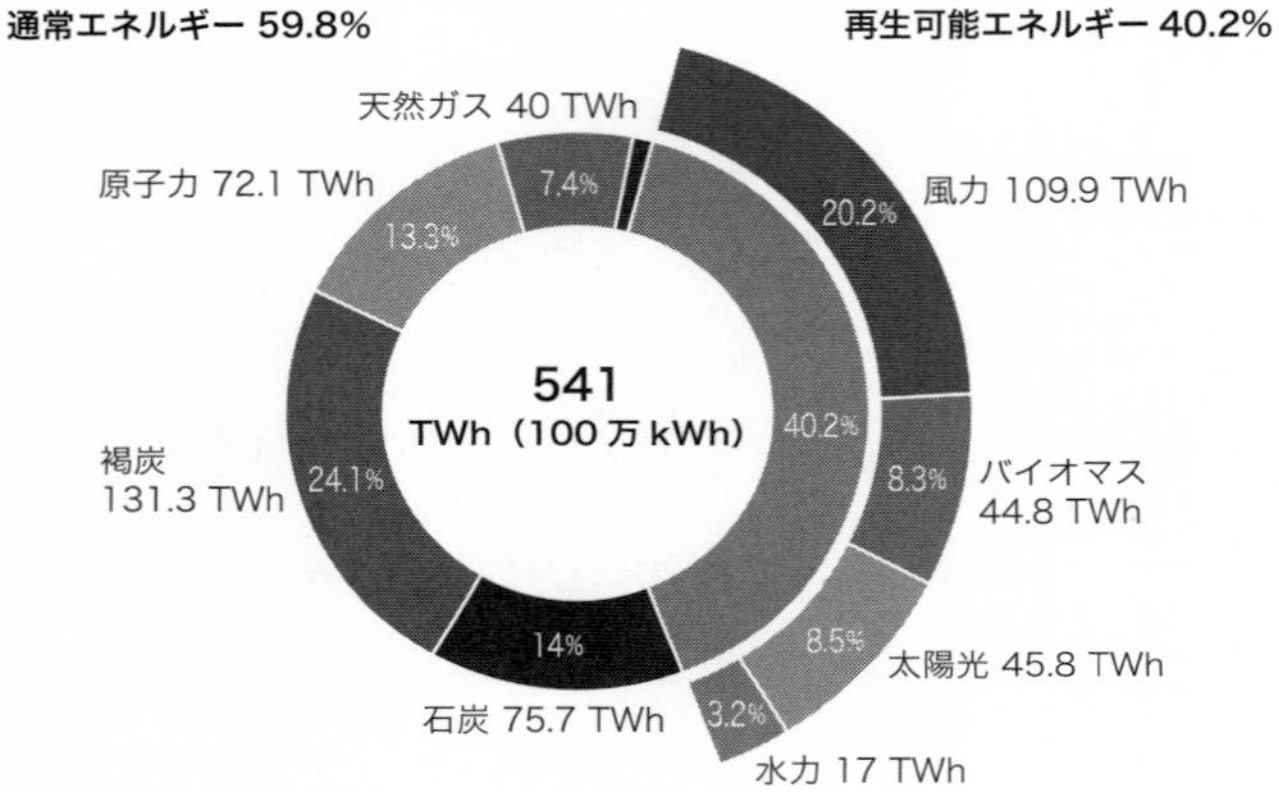


（出所：Fraunhofer ISE）

年には80％という再生可能エネルギー目標値を設定したが、２０１８年の段階ですでに40・２％となり、まだ一時的と限定付きであるが、目標値を軽く上回った。現在でも「緑の党」の伝統があるドイツは、反原発だけでなく、化石燃料依存に反対するデモもおこなわれ、目標を本気で達成しようとしている。

再生可能エネルギーのうち、風力発電についてもう少し詳しく見ておこう。ドイツでは列車の窓からも発電用風車が林立する光景によく出くわす。同様に大西洋に面した西ヨーロッパのスペイン、北海に面したオランダ、デンマークなども風力発電に熱心な国々であるが、この地域は、大西洋岸からたえず偏西風が吹き、昔から風車による製粉が盛んであった。風力発電はその風車の伝統を受け継いだものであることが分かる。

ただしこれは騒音、建設時の自然破壊、渡り鳥の被害など、配慮しなければならない問題をも抱えている。とくに発電地域と大きな電力需要のある工業

発電エネルギー源の年次別シェア（1990～2018年）

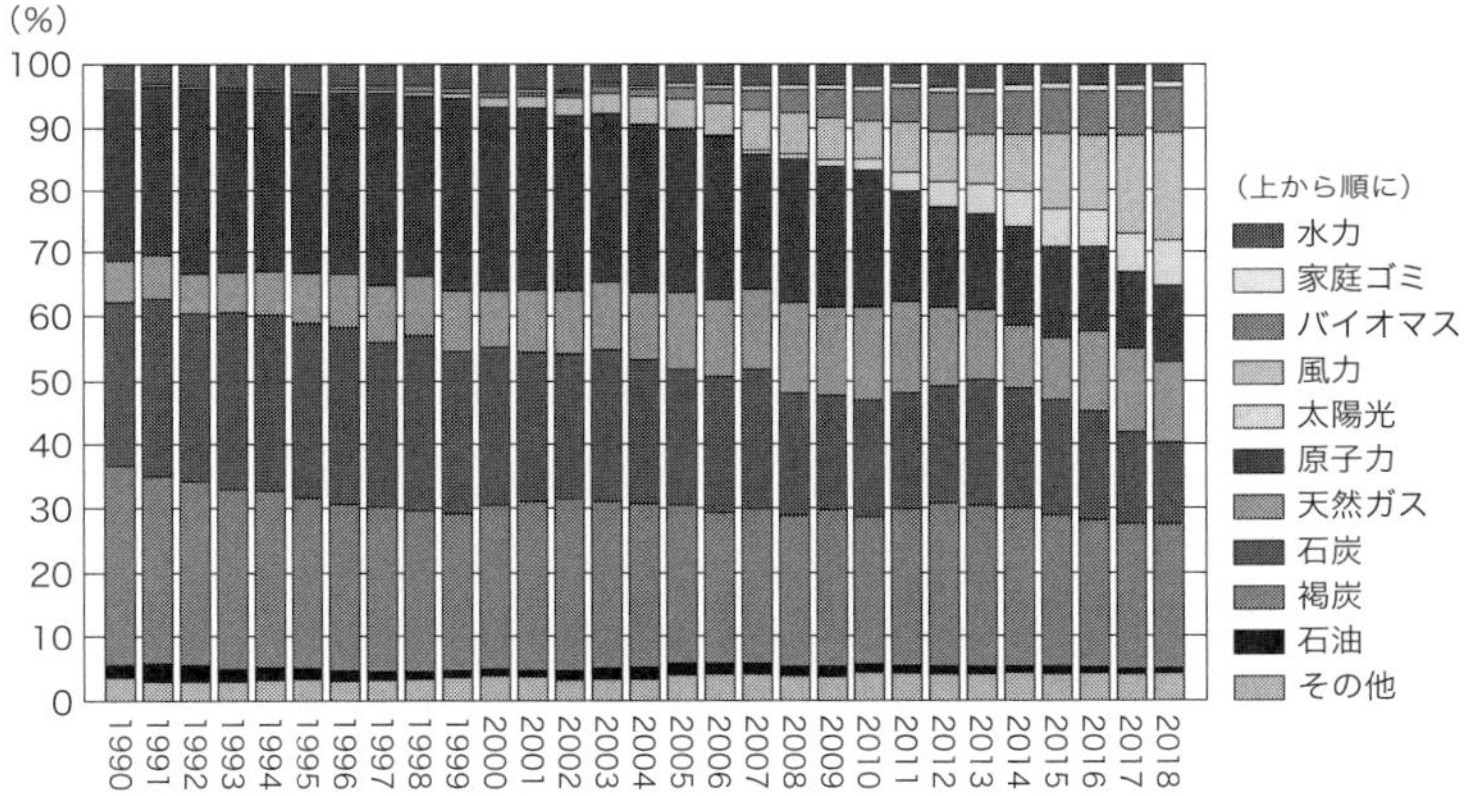


（出所：Energiemix in Deutschland）

地域が離れているので、長距離の送電線建設の際に、電磁波被害を想定した反対運動が起こったり、また自然保護団体から風力発電の見直しを要求されたりもする。この点に折り合いをつけながら、ドイツでは大規模な洋上ウインドファームを建設し、海上発電へシフトしている。

ここで、１９９０年から直近の２０１８年にかけての、発電エネルギー源の年次別推移を見ておこう。原発はかつて基幹エネルギー源の１つであったが、フクシマ原発事故以降、シェアを下げている。同様に化石燃料のうち石炭は減少傾向にあるが、褐炭は横ばいである。それに対して再生可能エネルギーは、風力、バイオマス、太陽光とも増加しているが、なかでも風力の伸びが著しい。

バイオマスは畜産農家から出る家畜糞尿や有機廃棄物を用いるものと、木質系の２種類がある。比較的小規模の発電であるとはいえ、$CO_2$削減にも寄与し、環境に優しい発電方法といえる。しかも天候

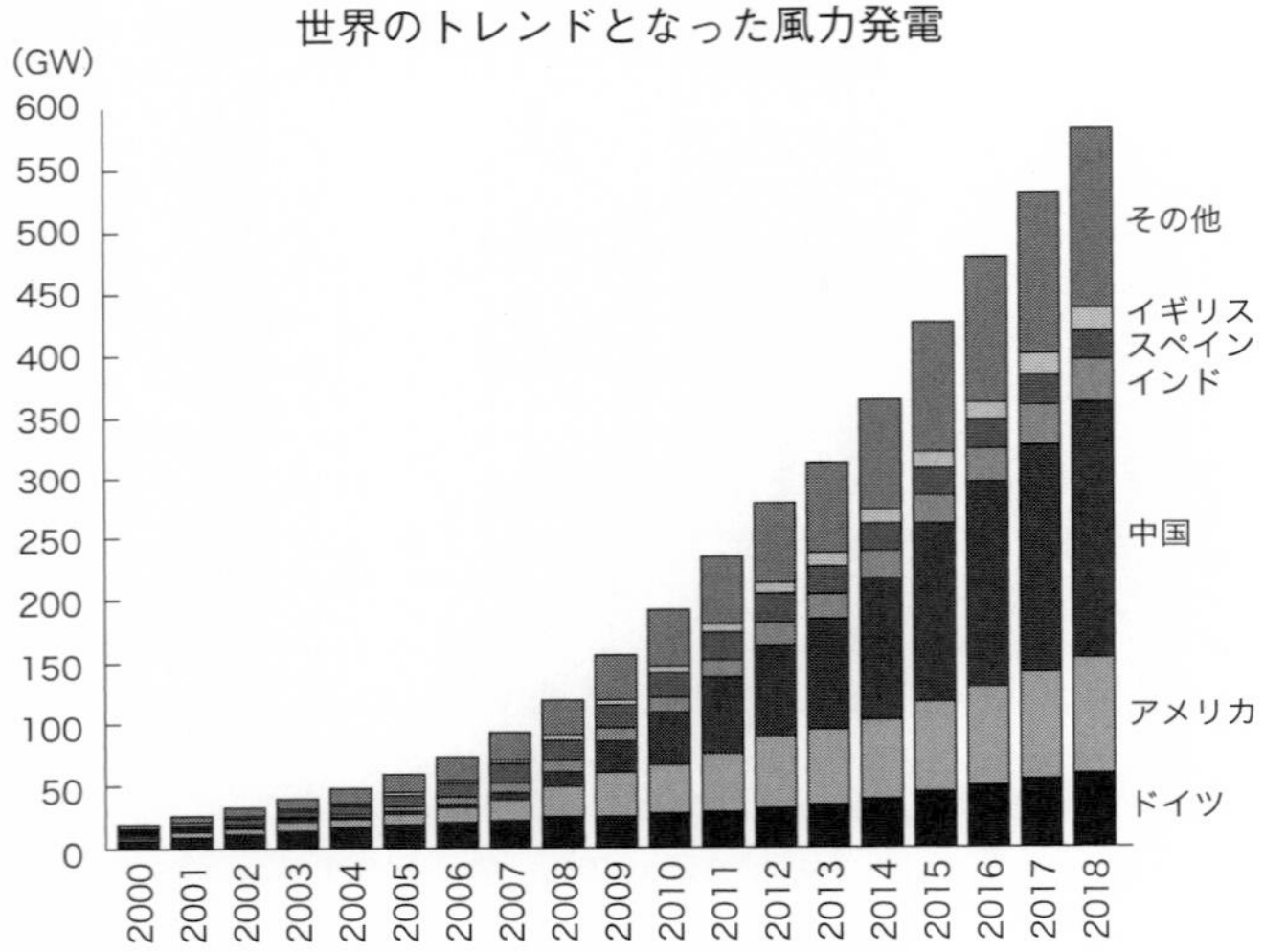

(出所：www.volker-quacchning.de をもとに作成)

に左右されずに発電でき、地産地消型発電という侮れない長所もある。

再生可能エネルギーの風力発電の増加は、単にドイツだけの現象ではない。それを世界規模で確認をすれば、上の図のようになる。現在、世界のGDP1位、2位を争うアメリカ、中国であるが、後者の伸びが驚異的である。なお日本は原発にこだわっており、風力発電シフトの転換にはまだ至っていない。

さてヨーロッパの発電の特徴は、国境を越え、EU同士間だけでなく、ユーロ圏以外でも、さらに島国（イギリスなど）でも、電力の輸出入をおこなっていることだ。これはヨーロッパ全体が1つの経済圏を構成していることを意味する。電力を輸出入する前提として、送電線が発電会社と完全に独立していること（246ページ参照）、長距離送電ロスを減らすために高圧直流方法を開発したことが挙げられる。

ドイツおよびヨーロッパの電力輸出入の状況（2019 年 1 月）
（単位：10 億 kWh）

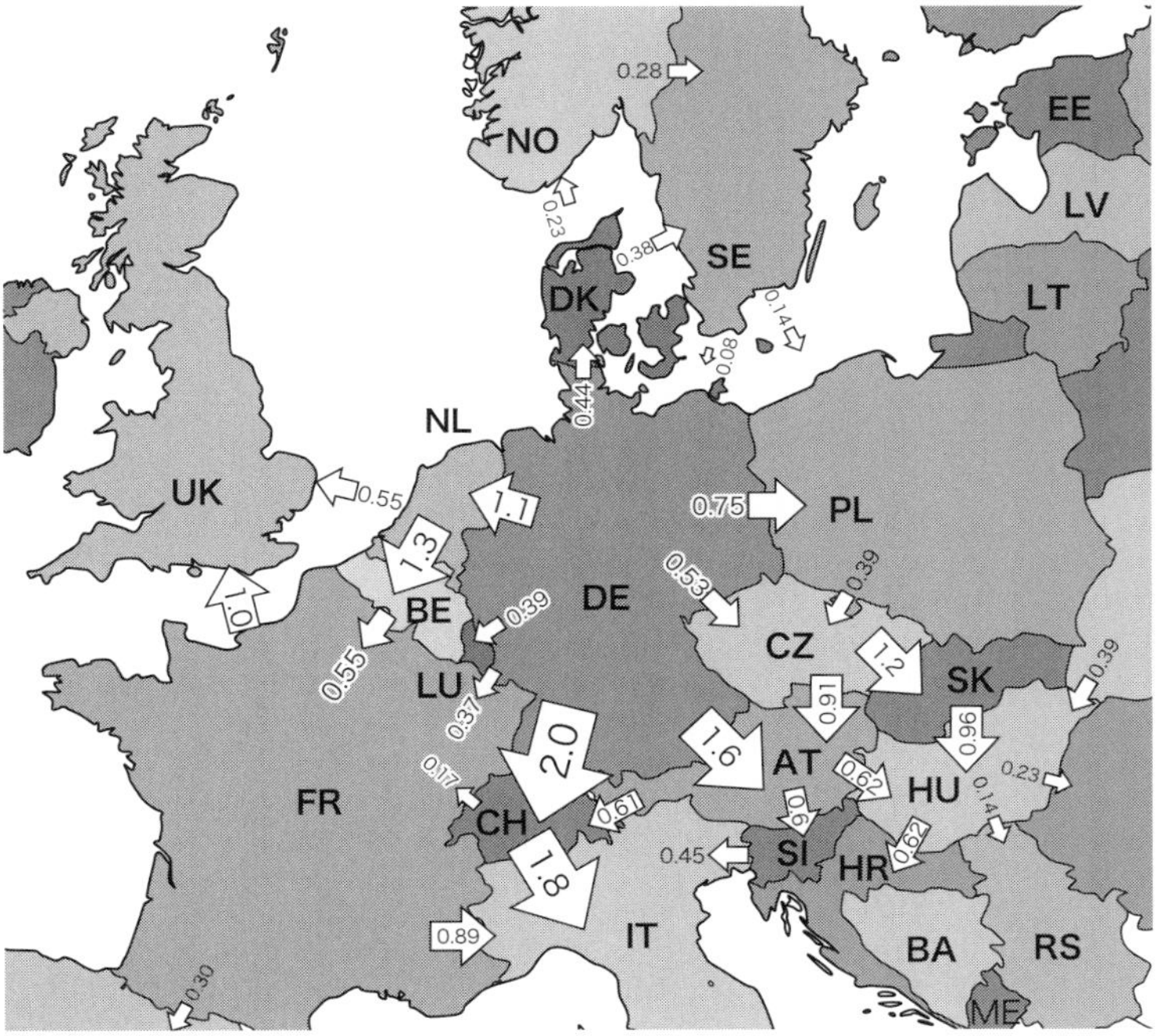


AT：オーストリア
BE：ベルギー
CH：スイス
CZ：チェコ
DE：ドイツ
DK：デンマーク
FR：フランス
HR：クロアチア
HU：ハンガリー
IT：イタリア
LU：ルクセンブルク
NL：オランダ
NO：ノルウェー
PL：ポーランド
SE：スウェーデン
SI：スロベニア
SK：スロバキア
UK：イギリス

（出所：Fraunhofer ISE-Energie Chart）

その結果、脱原発という決断も容易であり、万一、電力が不足しても、他国から緊急購入することが可能である。たしかに風力発電や太陽光発電は、天候や日照時間の変動に左右される不安定な電源であるが、他国間の電力の輸出入の制度を利用すれば、総合的に再生可能エネルギーに転換しやすい状況が生み出されているといえよう。年々、ヨーロッパ各国の電力の輸出入は増加している。この状況は蓄電技術の大幅な向上がないかぎり、当分は続くであろう。

前ページの図に示したのはドイツを中心にした取引の状況である。現在ドイツはトータルでは電力輸出国であり、２０１９年1月には72億キロワット時（kWh、以下同）の余剰電力という最高記録を打ち立てた。最大の輸出先はスイスであって、20億kWhである。続いてオーストリアに16億kWh、オランダに11億kWh、ポーランドに7・5億kWh、チェコに5・3億kWh、デンマークに4・4億kWh輸出している。

ヨーロッパの場合、冷戦終結、東西の壁撤去などにより、ある程度安全保障問題も解決してきたので、電力の輸出入が容易になったといえる。この問題に関しては、対ロシアのパイプラインがらみで話題になる程度である。ひるがえって、東アジア諸国間の電力輸出入の構想については、政治体制の違いにより、安全保障の問題、さらに送電線建設費の負担問題などがあるので、実現の可能性はほとんどない。現在、日本は電力会社間の広域連携を図っている段階であるといえる。

（浜本隆志）

# 44

# ゴミ問題とリサイクル

★日常生活の体験から★

ドイツは環境先進国だし、日常生活ではその意識は高いのであるが、先入観にとらわれていると、そうでない面を見過ごすことがある。ドイツ連邦統計局の２０１７年のデータによると、ドイツ人１人あたりゴミの排出量は４６２kg、日本の環境省の２０１６年のデータでは、日本人１人あたりのゴミの排出量は３４０kgとあり、日本人の方がゴミの量が少ない。しかし、ドイツのプラスチックゴミの再利用率は約70％、一方日本は約25％ほどであるので、日本ではまだゴミを有効利用できていないことが分かる。

１９９３年1月に「包装容器廃棄物規制政令」が施行されてから、ヨーグルトの容器やビニールの包装などの包装材には、グリューネ・プンクトと呼ばれる緑色のマークがつけられるようになった。商品を製造する企業は、この包装材を回収するデュアルシステム・ドイチュラント社（ＤＳＤ社）に料金を支払うことにより、処理業務を委託している。

グリューネ・プンクトのついた商品には、あらかじめ企業がＤＳＤ社に支払う料金が上乗せされている。消費者はこれらを「ゲルベザック」（Gelbesack）という黄色い専用のゴミ袋か黄色いゴミ箱に入れて捨て、無料で資源ゴミとして回収してもらう。日本のように包装容器ゴミをアルミやプラスチックなど素材によって細分化してゴミに出すのではなく、これらすべてをいっしょにして回収に出し、業者が仕分けをする。DSD社にとっては分別も仕事のうちといえばそれまでであるが、余計な手間と費用がかかるとも解釈できる。

かつて飲み物は、再利用できるビン（デポジット1本あたり8セント）やペットボトル（デポジット1本あたり15セント）で販売されていたが、今やペットボトル（デポジット1本25セント）に入った飲み物が主流になり、ビールでもペットボトル入りがあるぐらいである。ドイツでもやはり人は便利なものに手が出るのだろうか。

再利用できるビンとペットボトルは、スーパーに設置されている回収機に返却し、返金額が印刷されたレシートを受け取った後、レジで清算時に差し引いてもらう。空ビンについてはワインのビンやビン詰め保存食（マッシュルームやグリンピースなど）の容器がメインであるが、道路脇などに緑、茶色、透明の3種類に分別して捨てることができるコンテナが設置されている。

ただし1日中投棄できるわけではなく、平日の8時～13時、15時～20時など、投入してもよい時間帯が自治体により制限されている。ドイツでは騒音に対する規制がきびしく、公共の遊び場（児童公園）にも利用時間が定められているところがあることからも分かるように、安息する時間帯にビンを投入すれば、割れたり騒音が出たりするので、周辺の住民に迷惑がかかるからである。

日常生活において出る生活ゴミは分別して、自治体から配布されている各種の大きなゴミ箱に入れ、規定のゴミ収集日にこのゴミ箱を道路沿いに出さねばならない。ゴミ収集料は自治体により異なるが、

３人家族の我が家の場合、月額平均15ユーロ（約１８００円）程度である。

筆者は２０１１年に首都ベルリンへ引っ越してきたが、ここは大都市であるからゴミ回収の回数も多く、週に1回包装容器ゴミ、有機分解可能（ビオ）ゴミ、その他分類不可能な家庭ゴミと古紙の回収に来る。しかし、以前に暮らしていた中部ドイツの人口約2万6０００人の小さな町（グリースハイム）では、秋冬になると包装材ゴミと古紙の回収は月1回、ビオゴミとその他のゴミは隔週しか回収されなかった。このように自治体によって、大きな差があることを経験した。

ベルリンのゴミ収集車、赤白の色は日本より目立つ（筆者撮影）

ベルリンへ移住する前の我が家では、1週間に1袋（60L）の「ゲルベザック」がいっぱいになり、1カ月に1回の回収だと4袋も溜まってしまった。もちろんたくさんの袋を保管したくなかったし、家庭ゴミは量により収集費用がかさんだので、ゴミを減らそうと努力した。今住んでいるベルリンのアパートには、9世帯の人が捨てる大きな黄色いゴミ箱（２４０L）が1個しかないので、ここでもすぐにゴミ箱がいっぱいになる。だから買い物のときにも、ゴミのことを念頭に置いて品物を選ぶよう気をつけている。

通常ゴミの収集日には、当日の6時までに道路脇にゴミを出すように自治体から指示されている。ビオゴミの場合、夏場はとくに生ゴミの悪臭や衛生面で問題があるのだが、回収して水分とゴミに分離してから、枝や葉っぱ、木などの植物ゴミといっしょに

ゴミ箱に書かれた標語：「餌を入れておくれ！」（筆者撮影）

混ぜて発酵させコンポストをつくる。これを町中の花壇に使用したり、郊外のコンポスト加工場で販売したりして再利用する（ほとんどの町でコンポストがつくられているようで、ドイツ国内で289の加工場がある）。

なお乾電池回収のボックスは、スーパーやドラッグストアにあり、歩道に設置されている町もある。ベルリン市では、小型電気製品やおもちゃなどを回収するゴミ箱がビン回収コンテナの横に設置されていることが多く、またリサイクリング場では無料で処分してもらえる。

一方、粗大ゴミや冷蔵庫など大型電化製品は、有料でしか引き取ってもらえない。大型電化製品は10年以上長持ちするので、壊れるまで買い換えないのがドイツ流の使い方である。新しい製品を購入した際に、購入した店で古い製品をたいていは有料で処分してくれる。したがって不法投棄の粗大ゴミはほとんど見かけない。古い電化製品を専門に回収している業者もあり、修理して中古販売していたり、部品の一部を取り外して販売したりして、捨てるものはほとんどないようだ。

ベルリン市の歩道にはオレンジ色のゴミ箱が2万4000個も設置されていて、さらにゴミ箱1つひとつに「片づける人になっておくれ」「今日できることはゴミを捨てること」などのメッセージが書いてあるのはおもしろい。このゴミ箱には歩行者が出すゴミしか入れられないが、ここで収集されたゴミは火力発電所の燃料として使用されているので、ゴミを路上に捨てさせないようにしている工夫が見られる。

クリスマスの後は、ベルリン市では道路脇にモミの木を回収する日が2日あり、他の町では特定の場所にモミの木を捨てる場所を設けている。各自がもちこんだモミの木までも、再利用される点は歓迎されるが、モミの木の販売数が２０１８年には３０００万本にも上り、環境保護の面から本当に問題がないのか疑問である。

最後に、幼稚園や小中学校での催事（イヴェント）では、コップやお皿を各自持参し、お祭りの屋台でも食器やビールグラスにデポジットを払う光景を見ることが多い。家庭以外の場所でも極力ゴミが出ないように徹底的に工夫している点では、まさしくドイツ的といえる。（金城ハウプトマン朱美）

# 45

# 「緑の党」の歩み

## ★ワンイシュー政党の存在感★

2019年5月に実施されたEU議会選挙で、日本でも「緑の党・90年連合」(以下「緑の党」と略記)の躍進が久しぶりに報道された。ドイツ選挙区では、次ページの図のように「キリスト教民主同盟」CDU/CSUの28・9%に次いで、「緑の党」は20・5%を占め、第2位の政党となった。2019年のドイツの党員数は8万人、女性解放やジェンダー問題にも熱心に取り組む党であるので、女性党員数は全体の40・5%を占め、ドイツの政党のなかではその比率がもっとも高い。

「緑の党」は市民運動型の環境問題、人権問題、平和主義、国際社会との連帯に特化した政党である。さらに「移民の背景をもつ人びと」の統合にも熱心に取り組んでいる。ドイツのみならずヨーロッパを中心に、「緑の党」はアメリカ、オーストラリア、アジア、アフリカなど、すでに世界各国に存在する。グローバルな課題に関心が深く、国内に閉じた政党でなく、各国の党との連携は強固なものではないが、ゆるやかにつながっている。このなかで「ヨーロッパ緑の党」だけは、2004年から統一した党を結成し、EU議会を中心に活動している。

ドイツで「緑の党」が設立されたのは、1970年代に大気

EU議会選挙におけるドイツ地区の各政党得票率（%）
（2019年5月、カッコ内は前回選挙との比較）

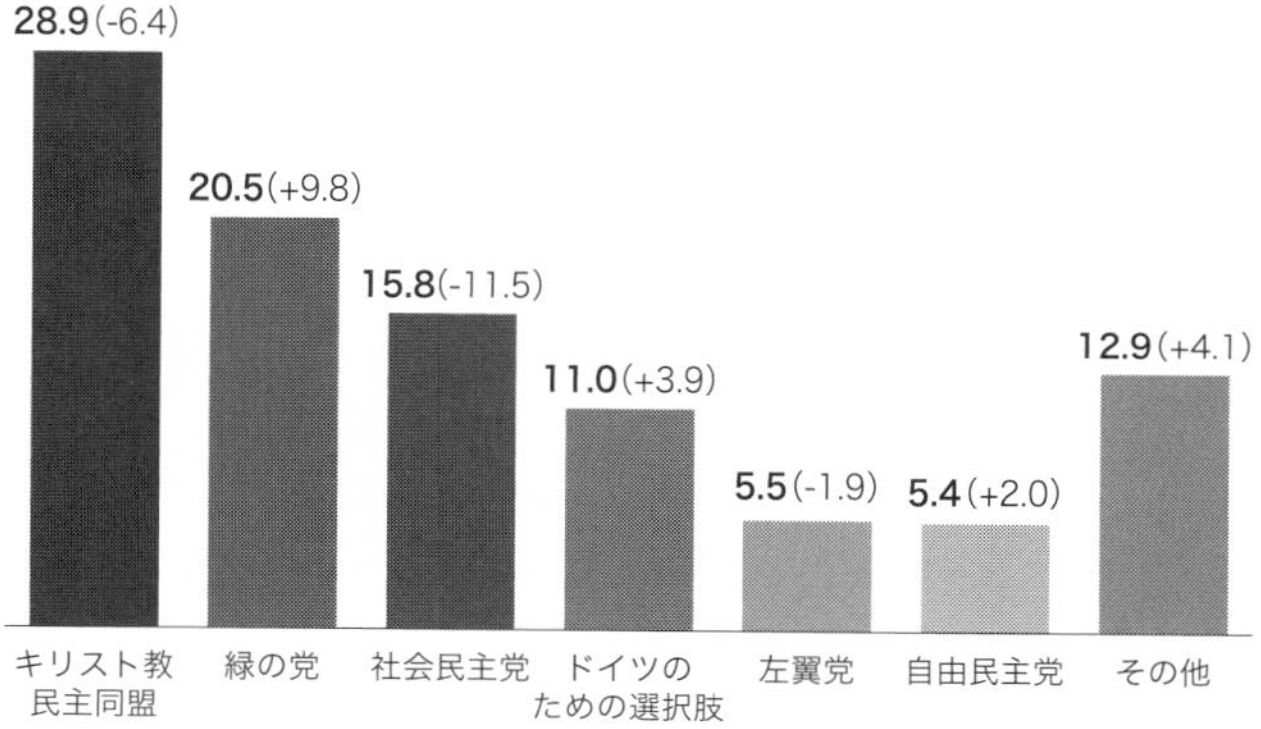


（出所：www.wahren.info）

汚染、黒い森などの白骨林、河川汚染、環境汚染が増加したことによる。当時、市民運動に参加した「緑の党」設立メンバーになった人びとは、政治的には保守派であった。ドイツにはナチス時代から自然や環境問題に取り組む人びとがいて、１９７９年の創設メンバーは、国土や郷土の自然を守ろうというナショナリズム的な傾向の人びとであった。

その後、いわゆる新左翼の活動家が参入し、左右両派が混在していたが、路線問題をめぐって両派が主導権争いし、学生運動の流れをくむ左派がイニシアティヴを掌握した。その結果、ナショナリズム的な郷土愛の立場をとる右派は脱党し、別の会派を結成した。やがて１９８０年に、「緑の党」は国政選挙に打って出るが、得票率は１・５％と低迷、議席を獲得することができなかった。

ところが高度経済成長のひずみが次第に露呈し、環境保護に関心をもつ人びとが増えてきた。１９８３年の国政選挙では５・６％の得票率によって、ようやく念願の議席を獲得する。さらに1986年4月26日のチェルノブイリ原発事故は、ドイツにとっても環境に対する意識の大転換をもたらした。「緑の党」は明確に反原発運動を推進したが、その根底にある大量生産大量消費の資本主義の経済至上主義に対しても、パラダイムの転換を迫っていった。

時流に乗った「緑の党」は、ドイツ再統一後、旧東ドイツの組織と合併し、正式には「同盟90／緑の党」と称した。その後、環境政党として国政に大きな影響力を与えるようになり、1998年から2005年まで「社会民主党」と連立を組み、政権与党となった。ところが連立した「緑の党」も、時代の経緯のなかで大きな浮沈を経験してきた。まず転機はフクシマ原発事故によってもたらされた。

フクシマ原発事故後、2011年3月27日にバーデン＝ヴュルテンベルク州で地方の州議会選挙があり、大きな地殻変動が起こった。つまりこれまでの与党保守派である「キリスト教民主同盟」（CDU）と「自由民主党」（FDP）の連立政権が過半数割れを起こし、1954年以来の保守王国が崩壊したのである。「緑の党」が第2党に躍進し、第3党の「社会民主党」と連立を組み、州首相の座を「緑の党」のヴィンフリート・クレッチマンがはじめて獲得した。これはフクシマ原発事故に対する「緑の党」の敏感な反応の結果であったと分析されている。

ところがメルケル首相がフクシマ原発事故の直後、約3カ月という短期間のうちに従来の原発推進から、脱原発政策へ転換し、世間を驚かせた。段階的に原発を停止させ2022年までに原発0、を打ち出したのである。これによって「緑の党」は完全にお株を奪われる格好になり、支持はメルケル率いる「キリスト教民主同盟」に集まっていく。

その後、「緑の党」はしばらく低迷を続けていたが、2018年から再び人気を回復してきた。その背景として、「ドイツのための選択肢」の台頭とともに、「キリスト教民主同盟」と「社会民主党」というかつての老舗の2大政党の分解現象が起きたことが挙げられる。すなわち従来型政党の保守派は「ドイツのための選択肢」へ、リベラル派は「緑の党」を支持する人が増えていったのである。

それと同時に、「緑の党」の内部に原理を重視する急進派と、連立を維持しようとする現実路線の対立が発生したが、連立の経験から次第に現実路線へシフトするようになった。こうして政党の幅が生まれてきたのである。現在、9つの州で連立を組んで政権与党になっているが、相手として以前は「社会民主党」以外は難色を示したのに対し、現在、「キリスト教民主同盟」はもちろん、保守派の「自由民主党」（FDP）とも組んでいる。

このような実績は、それが有権者に安心感を与え、2018年10月のバイエルン州議会選挙で、「キリスト教民主同盟」の姉妹政党、「キリスト教社会同盟」（CSU）や「社会民主党」が惨敗し、一方で「緑の党」が第2党に躍進（得票率8・6%→17・5%）した。これはメルケル首相の足元を揺るがす選挙として世間の注目を集めた。ドイツの政治は単独で政権を担える政党はないので、今後「緑の党」は国政でも連立政権に加わる可能性もありうる。

2021年9月の総選挙の結果、与党の「キリスト教民主同盟」は得票率を減らし下野した。その代わり、「社会民主党」と「緑の党」、「自由民主党」の3党連立政権が成立し、「緑の党」の2人の党首、ベアーボックとハーベックが入閣した。

ベアーボックよりも注目されているのはハーベックである。かれは、2019年3月のZDFの世論調査では、メルケル首相を抜いて人気度ナンバー1に躍り出た。作家出身で、左派系には理念にこだわる政治家が多いなか、弁舌さわやかな現実主義者である。近い将来、ドイツ政治のなかで重要な役割を担うと目されている。かれらの現実を踏まえた党運営が、今回のEU議会選挙においても、「ドイツのための選択肢」に票が流れなかった要因と分析されている。

（浜本隆志）

党首アンナレーナ・ベアーボック

党首ローベルト・ハーベック

コラム４

## エコ時代と自転車

浜本隆志

ドイツ人の自転車好きは、論理的な理由による。すなわち①コストがかからず、節約に励む人向きである。②歩くより時間の短縮が見込める。③ＣＯ２を排出しないから環境に優しい。④体力を使うので適度の運動とリフレッシュができる。⑤騒音を出さず、静かな住環境が保てる。⑥レジャーにも使え、自転車同好会に加入すれば仲間が増え、長距離レクレーションに役立つ。

かれらはまず交通ルールを定めて、インフラを整備し、都市計画、環境計画に自転車を組み込んで合理的に普及を図る。①自転車は歩道を走行してはいけない。②車道は、自動車と競合すれば危険であるから、可能なかぎり専用の自転車道を整備する。それはふつう茶色で舗装し、自転車のマークが描かれている。③サイクリング・ロードを網の目のようにつくる。④都市計画に合わせて駐輪場を整備する。⑤鉄道とドッキングさせ、自転車もち込み車両（鉄道、ただしインターシティは不可、一部のＳバーン、バスも可）を走らせる。⑥多くの町に自転車道マップを用意し、利用者に配布する。

筆者も自転車積み込み列車を旅行中にたびたび見かけたが、車両には目立つ自転車のマークが描かれている。若者たちは力が強く、自転車を列車に積み下ろしするのをあまり苦にしていない。列車が目的地に着くと、自分の自転車に乗り代えて颯爽と走行していく光景は、ありふれた日常の一部になっている。

ドイツには環境政策の一環として自転車導入に熱心な都市がある。平坦地にあるミュンスターは、オランダと同様な自然条件であり、「自転車都市宣言」をしているのでとくに有名だ。たとえば駐輪場は駅前に３３００台を収容する

ドイツ鉄道の自転車積み込み車両マーク（赤地に白）

ことが可能で、自転車修理マイスターまで常駐している。人口28万人に対して、自転車利用者は約45％であり、自転車道のインフラ整備にも尽力している。また環境都市フライブルクは、パーク・アンド・ライド（自動車とSバーンのコンビネーション）制によって日本でも知られるが、ここも環境政策の一環として自転車普及を位置づけてきた。市内延べ400キロの自転車道路網を整備し、「自転車に優しい街」を標榜しており、郊外も含めた人口23万のうち、旧市内に住む約3万5000人が通常、自転車を利用している。

　同好会文化は自転車にもおよび、ドイツには全ドイツ自転車協会（ADFC、個人年会費56ユーロ）という18万人の会員を擁する全国組織があり、地方にもその支部および各種協会がある。これは一種の政治団体でもあって、交通・環境政策、とくに自転車網整備の推進団体となっている。通常、さまざまなイヴェントや会誌の無料配布、情報の提供などをおこなう。

　たしかに自転車には弱点がある。まず雨天の場合や起伏が激しい坂道、厳冬期などは使用の妨げになる。しかしドイツは日本より雨量は少なく、平坦地が多いので、自転車のメリットが大きい。厳冬期対策として、ドイツではフード付きヤッケが普及しており、防寒にもある程度対応ができるが、これはもちろん程度の問題である。

　このような自転車へのシフトは、「自動車大国」といわれたドイツにも、環境意識の高まりとともに顕著になってきた。自転車への転換は、化石燃料から再生可能なエネルギーへの変換、脱原発などの一連の動向に呼応したものであることが分かる。それだけにとどまらず、ドイツ人には自然の空気に触れ、体を動かすという人間の原点に喜びを感じる文化があるように思われる。

# IX

# 移民と多文化共生社会
## ――アイデンティティと帰属意識

# 46

# ドイツにおける「移民の背景をもつ人びと」

## ★変貌する出身国★

ドイツでは「移民の背景をもつ人びと」、あるいは移民、外国籍の人びと、難民などの表現があり、さらに日本でも外国人、就労外国人、在留外国人、難民などという言葉がある。法的問題がからむので複雑であるが、最初にそれぞれ言葉の定義をしておかないと、誤解が生じるので、ここではドイツに限定して説明しておこう。

ドイツでは通常、外国人という表現はあいまいであるので、「移民の背景をもつ人びと」という言葉が一般的に用いられる。このなかにはドイツ国籍をもつものと外国籍保持者（外国人）が含まれる。その際、ドイツ国籍をもつもののなかには、2000年に施行された一部出生地主義を認めた国籍法改正にともない、合法的にドイツで8年間生活し、かつ国籍取得テストなどをへて国籍を取得した人びとがいる。なお難民は別の範疇で、「難民の地位に基づく条約」によって紛争地域から流入してきた人びとを指す。

さらに1995年に発効したシェンゲン協定（305ページ参照）による、特定のEU圏およびEU以外の域内の移動の自由化は、複雑な移民移動の問題を生み出した。すなわち特定の

EU圏だけでなく、それ以外の国々から難民に紛れ込んだ就労目的の「不法移民」が地中海を経由してEU域内に流入し、南欧から北上というケースも頻発した。現実問題に直面したEU諸国も、移民や難民に対してきびしい見方をする人びとが増え、ドイツ政府も移民認定や難民問題に頭を悩ましている。

たしかに経済が好調なドイツにも少子高齢化の波が押し寄せ、人手不足により企業は移民を必要としている。移民は若者が多いので、企業も国家もその点では好都合である。しかしこの移民導入政策に懐疑的な、あるいは反対するドイツ人もおり、それを代弁する「ドイツのための選択肢」という政党（317ページ参照）が台頭し、移民政策が政治問題化することも多い。

まず2017年の連邦統計局の統計によると、ドイツの人口8274万人のうち、移民の背景をもつ人は約1930万人である。これはドイツに住む国民4人に1人にあたり、全人口の約23・3％に達する。さらにその内訳は、前年までに860万人がドイツ国籍を取得し、外国籍の人びとが1060万人となっている。なおその年の国籍取得者は11万2000人であった。

では外国籍の人びとは、どの国の出身者が多いのであろうか。ベストテンを挙げると次ページに示したようになる。すなわちトルコ、ポーランド、シリア、ルーマニア、イタリア、クロアチア、ギリシャ、ブルガリア、アフガニスタン、ロシア（2018年統計）という順である。

現状でもトータルでは、トップがトルコ移民であるので、ドイツの移民問題といえばトルコ人というのが定番であった。しかしトルコ移民は、最盛期の1998年には211万人であったのが、2018年には148万人と減少傾向が続いている。したがって現代の移民は、かつてのトルコから、東

外国籍（外国人）の人数（2018年）

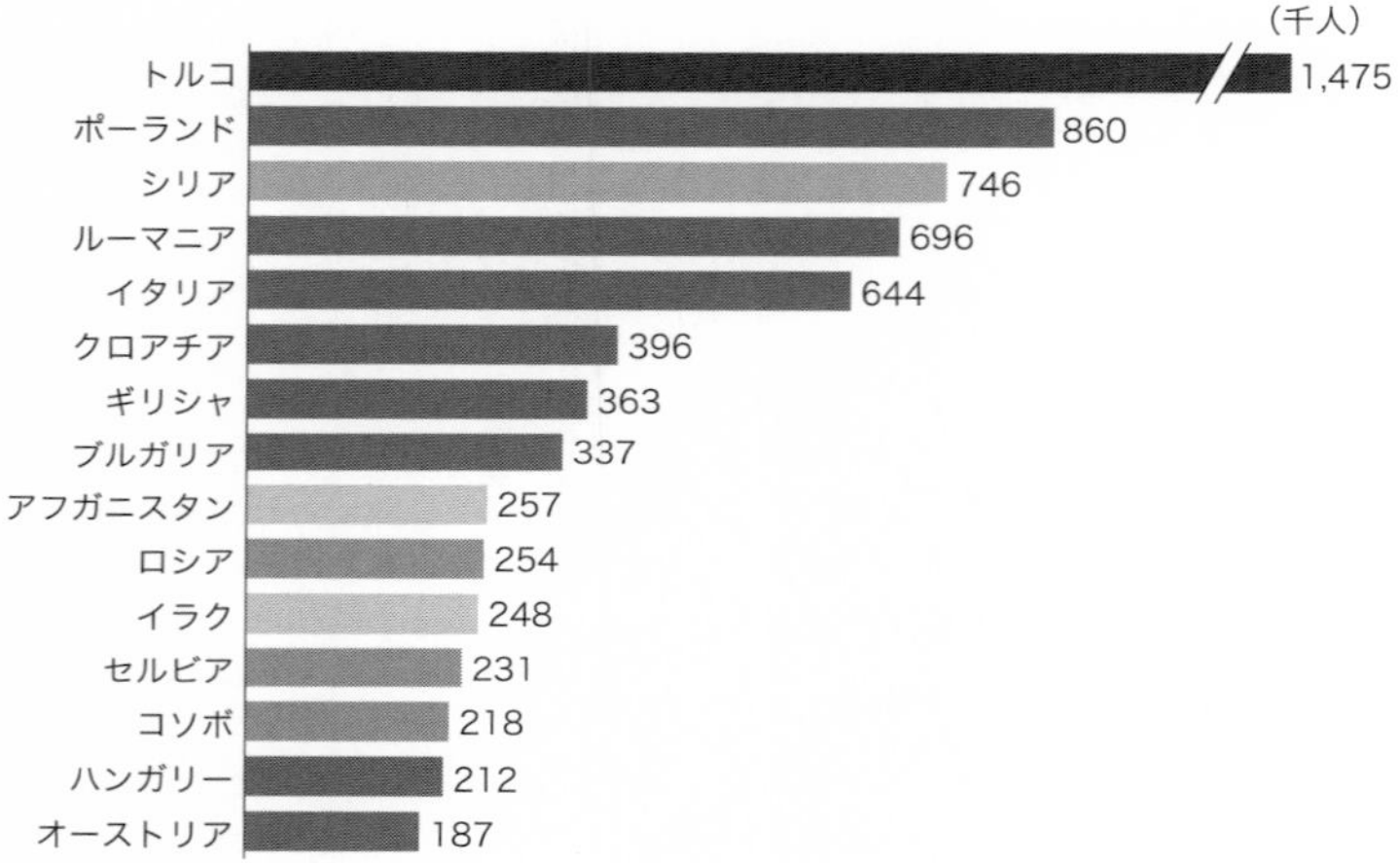


（出所：richter-publizistik）

欧系あるいはシリアやアフガニスタンなどの国際紛争地出身の人びとに変化していることが分かる。

以上はドイツ全体の話であるが、次ページの図は「移民の背景をもつ人びと」がどの州に住んでいるかを示すものである。かれらはまんべんなくドイツに住んでいるわけではない。ベルリン、ブレーメン、ハンブルクなど都市部は20％前後の高率であり、さらに旧西ドイツ地域の工業地帯などに偏在している。旧東ドイツ地域には5％程度しか住んでいないことが分かる。

いうまでもないことであるが、「移民の背景をもつ人びと」も仕事のある場所を目指すからである。しかもその傾向として、同国出身の人びとが住んでいるところに移動してくる。その方が生活もしやすいし、文化的な安心感も生まれるからである。とくにベルリンのクロイツベルク地区は、「ガストアルバイター」導入時代から、トルコ人の「コロニー」があり、ほとんどトルコ語で生活

外国籍（外国人）の州別人数（左）と州別割合（右）（2018年）

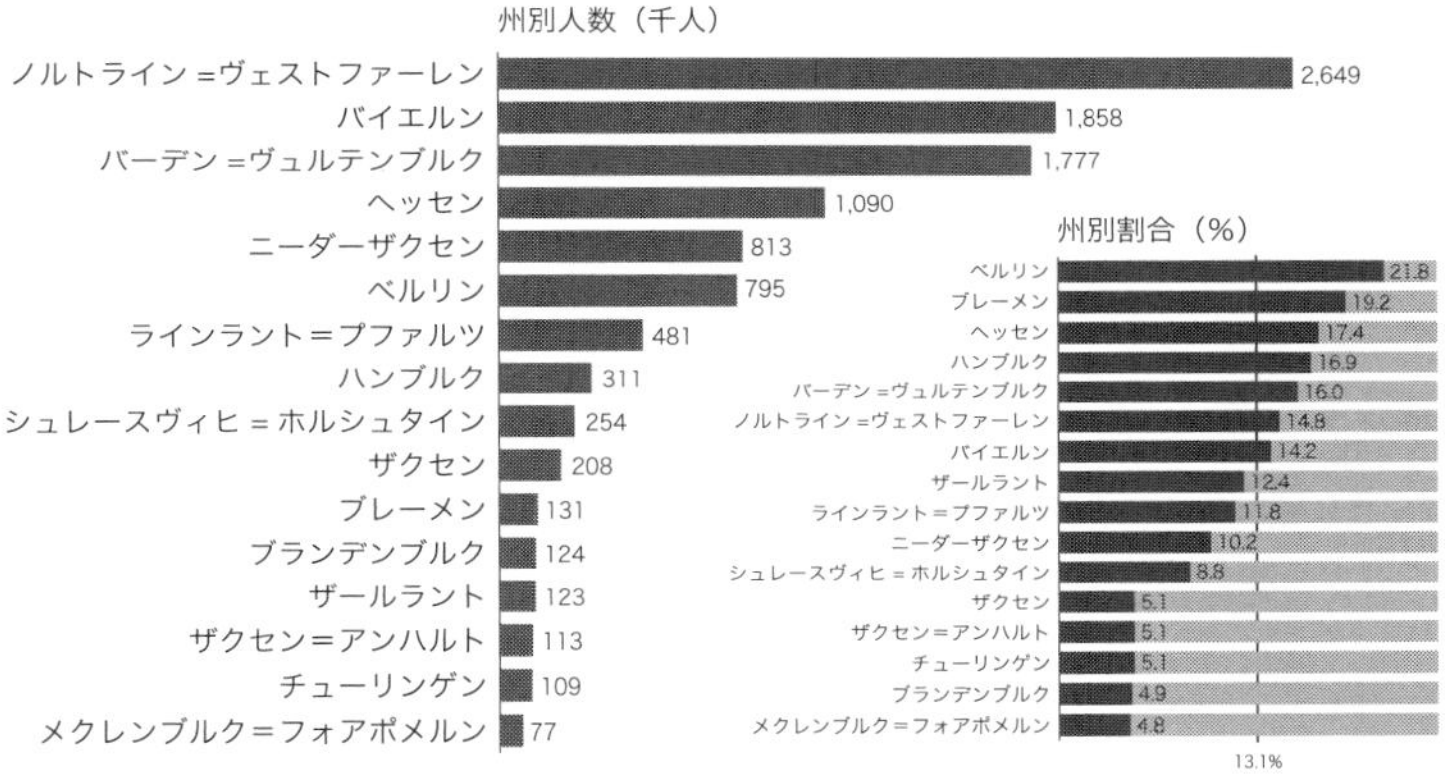


（出所：richter-publizistik）

ができるということで知られている。

　このような移民の都市への偏在は、種々の社会問題を引き起こすが、その矛盾は義務教育現場で顕在化する。ベルリンのトルコ人居住地区の学校では、非ドイツ語圏出身の生徒の割合は過去10年間で、40％から80％へと倍増し、地区によっては、クラスにドイツ人児童がいないケースも存在する。義務教育でありながら、ドイツ語を理解できない子どももおり、その結果、ドロップアウトしてしまう。これが移民の社会的統合の阻害要因となっている一例である。

　ドイツ移民には二面性がある。一方では、移民はドイツの経済にとって、比較的労働賃金が安くて済む不可欠な存在になっている。他方、また移民の側にとっても自国で働くより、高収入が得やすいという、相互互恵の面がある。さらに移民がドイツの少子高齢化の緩和と、人口の急速な減少に歯止めをかけてきたことは事実である。だからといって現在のドイツは、移民政策によって少子高齢化の緩和を図ろうとしているわけではない。それは人道的な見地から移民を導入してきた結果論である。

ドイツの本音の部分では、イスラーム文化圏よりも、キリスト教文化圏からの移民の方が、文化摩擦に対応しやすいと考える向きもある。またドイツにも排外主義がないわけではない。ナチスの歴史をもつドイツにとって、排外主義は重い十字架である。ただし「コロニー」のような「並行社会」を放置しておけば、社会はますますストレスをため、緊張感を高めてしまう。移民問題はもはや後戻りできないのであるから、地道な日常の統合教育、言語習得のサポート、行政のケアという取り組みが求められる。多様な種類の人間が存在する社会では、エスノ（民族）的アイデンティティや1つの価値観で人間を評価すべきではない。

移民との統合政策に特効薬はないが、理念としては多文化共生という文化相対主義が重要になってくる。国民としての共通項、あるいはアイデンティティは、行き着くところ、人間同士のヒューマニズムと寛容の精神ということになろう。その中心的理念はすでに「ドイツ基本法」（憲法）のなかで謳われている。多様な文化をもつ者との共生は、憲法（基本法）の精神に則り、各人が市民生活のなかで社会をともに建設する一員であるという自覚をもつことに帰着するのではないか。

（浜本隆志）

# 47

# 国籍取得テスト

## ★多文化共生と主導文化の狭間で★

ドイツ人とはいったいどのような人たちなのか――この問いに関しては文化的、民俗的、歴史的にさまざまな回答が可能であろう。ドイツ国籍法第1条では「ドイツ人とは法的にはドイツ国籍を有したもののことである」と定められている。ドイツでは2000年に国籍法が改正され、両親が外国人でもドイツで生まれた子どもにドイツ国籍が与えられることとなった。それまでドイツの国籍法は、ドイツ民族という「血」に国民の定義の基礎を置く血統主義であったが、これに出生地主義が加わったのである。

新国籍法に則ってドイツ国籍を与えられた子どもは、18歳でドイツ国籍かあるいは親の国籍のどちらかを選択しなければならなかったが、2014年のさらなる改正で、ドイツで生まれ育った子どもは親の国籍かドイツ国籍かの選択をしなくても済むようになった。つまり、ドイツで生まれた子どもで、21歳の時点で8年間ドイツに居住しているか、6年間ドイツの学校に通う、または、ドイツにおいて学校教育もしくは職業教育を終了したものは、国籍を選択することなく二重国籍を保有することが可能になったのである。

2005年からは国勢調査で「移民の背景をもつ人びと」という新たな概念も導入された。「移民の背景をもつ人びと」の範疇には、1949年以降ドイツ連邦共和国に移住したすべての人、ドイツで生まれたすべての外国人が入る。さらに、ドイツ人としてドイツに生まれても、両親の片方が移民であるか、あるいは、ドイツで生まれた外国人である場合もこの範疇に含まれる。統計庁の2017年の調査によると約1930万人が移民の背景を有しており、これは総人口8280万人のうち23％、ほとんど4人に1人の割合に上る。

このような社会の変化のなかで、1990年代から左派の知識人やリベラル系政治家を中心に標榜されてきた、理想主義的な「多文化社会」の概念に対する問いかけが生まれてきた。ドイツの社会は数字では多文化社会であるが、現実にはその名のもとに、異なる文化的・宗教的背景をもった人びとが互いに交わることなく、無関心に暮らしているにすぎないのではないかという疑念である。

とくに移民の多くを占めるムスリムとの文化的、宗教的価値観の違いによる問題は、学校教育、職業生活などさまざまな市民生活の場で顕在化してきていた。2001年、アメリカで起こった9・11テロ以降、自分たちの社会のなかに自由主義的、民主主義的価値観が通用しない空間、イスラームのシャリア（教養・思想）が支配する場所が存在することに危機感が募っていた。すでにその前年、2000年に起こった「主導文化論争」は、移民統合の問題と関連して、21世紀のドイツ社会、あるいは「ドイツ人」のアイデンティティの基盤をどこに求めるのかという議論をはらんでいた。

そのような社会的背景のもと、ドイツでは2008年9月よりドイツ国籍取得を申請する外国人に対して、連邦レベルでテストが実施されることになった。これに先立って、2006年に、バーデン＝ヴュルテンベルク州とヘッセン州がそれぞれ独自のテスト案を提起した。

まず２００６年1月に発表されたバーデン＝ヴュルテンベルク州案では、移民局側の30問の質問に対し、帰化申請者が論述形式で解答するというかたちでテストが進められる。質問の内容は民主主義的価値観に則った人権意識、法治国家、男女平等、信仰の自由に関するもので、これらについて帰化申請者個人の意見を問い、信条表明を求めている。

具体的な質問内容は、娘を学校体育の水泳授業に参加させるか否か、9月11日の同時多発テロの犯人の位置づけ、同性愛の息子を認容するか否か、夫の妻への暴力の可否などである。質問内容からも明らかなように、このテスト案はイスラーム系の移民をターゲットに作成されたものであるが、これが歴然たるムスリム差別であるという反発と批判がムスリム中央評議会やユダヤ人中央評議会、保守、革新を含む政治サイド、人権団体など各所で上がった。

バーデン＝ヴュルテンベルク州に続き、同年3月に発表されたヘッセン州のテスト案では、ドイツの歴史や文化、憲法や法秩序に関する知識を測るクイズ形式のテストである。公表された１００問の質問から33問が出題され、合格するためにはそのうち17問に正解しなければならない。

具体的には、ドイツの人口を問う質問から、宗教改革、ホロコースト、ベルリンの壁、哲学や音楽、政治制度に関する質問まで分野は多岐にわたっている。ヘッセン州のテストの特徴は、移民の心情を測ることよりむしろ、新市民となる外国人にドイツの文化、社会、政治などに関する知識を学ばせ、ドイツ社会の価値観や知識を共有させようという試みにある。このテストに関しても、質問内容の客観性や妥当性について多くの議論が起こったが、これが連邦統一国籍取得テストの原型となったといえるだろう。

バーデン＝ヴュルテンベルクとヘッセンの2つの州が国籍取得テスト案を発表した2年後の2008年9月、さまざまな議論をへて連邦政府は連邦統一型テストの実施に踏み切った。出題される質問は、内容的にはドイツの法律、文化、歴史、ナチスの罪、社会全般にわたって知識や価値観を測るヘッセン型テストに近い。

ドイツ人とは何であるか――この問いへの回答は容易ではないが、国籍取得テストに出題された質問の内容を見ると、現在のドイツの社会がどのような価値観や理念を柱に成り立っているか、ドイツの人びとがどのように自分たちを理解しているのかがうかがえる。

テストは、移民難民局が公表している例題310問（うち10問が州別問題）から33問が出題され、合格するためには17問を正解しなくてはならない。テスト問題はベルリン、フンボルト大学教育開発研究所が作成した。以下に連邦国籍取得テストの出題例を示しておく（■が正解）。

問　ドイツで言論の自由に制約がつくのはどういうときか。
■　個人に関して事実と違った主張を世間に広めるとき。
□　連邦政府に関して意見を述べるとき。
□　宗教に関して議論するとき。
□　国家を批判するとき。

問　1970年、ワルシャワのユダヤ人ゲットー跡でヴィリー・ブラントが跪いて表現しようとしたことは何か。

□ かつての連合軍に屈服した。
■ ポーランド人とポーランドのユダヤ人に謝罪した。
□ ワルシャワ条約に恭順を示した。
□ 名もなき兵士の墓の前で祈りを捧げた。

問 ドイツで同棲してはいけないカップルはどれか（注：かっこは年齢）。

□ ハンス（20）とマリー（19）
□ トム（20）とクラウス（45）
□ ゾフィー（35）とリザ（40）
■ アンネ（13）とティム（25）

問 ドイツが創立時からのメンバーであるのは

□ NATO北大西洋条約機構
□ 国際連合
■ EUヨーロッパ連合
□ ワルシャワ条約機構

（佐藤裕子）

# 48

# 現代のユダヤ人問題

## ★「つまずきの石」シュトルパーシュタイン★

ドイツを旅していると、ときおり建物の入り口の地面に、文字が刻まれた真鍮製の金属タイルがはめこまれているのを目にしたことはないだろうか。

その表面に刻まれているのは、「ここに住んでいたのは」(Hier wohnte) という語に続いて、「氏名、誕生年、没年、終焉地」という、過去の住人についてのわずかな情報のみである。しかし、それぞれのタイルに刻印された終焉地を見ると、この真鍮製の正方形プレートがもつ意味は明らかになる。アウシュヴィッツ、リツマンシュタット、リガ……。このタイルに名前が彫られている人びとが死去したのは、強制収容所やゲットーで知られる土地であることが多い。

この黄銅色の金属タイルの名称は、シュトルパーシュタイン(Stolperstein)、ナチスの犠牲者たちの最小限の情報を刻みこんだ記念碑なのである。

その定型フォーマットとしては、縦横10センチ大で型取りした直方体コンクリートブロックで、文字が彫られた真鍮製プレートが取りつけられている。これを考案し、それをナチスの犠牲者たちがかつて住んでいた住居の前に埋めこむという行為を開始したのは、政府や地方自治体ではなく、1人の芸術家であった。

かれの名はグンター・デムニヒ（Gunter Demnig）、1947年10月27日にベルリンで生まれた。国立ベルリン美術大学（現ベルリン芸術大学）、カッセル総合大学美術アカデミー、カッセル大学で学んだ。その後、創作活動と並行して、カッセル大学で芸術学を6年間教えた。現在の活動拠点であるケルンで、アトリエを構えたのは1985年のことである。

そもそも、シュトルパーシュタインとは「つまずきの石、障害物」、「簡単に、何かがだめになったり、誰かが失敗しうる困難、障害」などを意味している語である。ナチスの犠牲者たちの名を記したタイルに、「つまずきの石」という名を付与することが、そのメッセージ性の高さ、そのタイルの情報の重さを示しているだろう。

地面に埋めこまれたシュトルパーシュタイン

1990年にケルンの社団法人ケルン・ロマ（Kölner Rom e.V.）と共同でおこなった「1940年5月　1000人のロマ」プロジェクトが契機となって、シュトルパーシュタインを路面に埋めることで、犠牲者たちの生活の場としての記憶を残していくという方法論の出発点に、デムニヒは立脚したといわれる。

その2年後の1992年12月16日には再度、社団法人ケルン・ロマと共同で、ロマの強制追放をめぐる活動をおこなった。このとき、デムニヒは最初のシュトルパーシュタインをケルンの市庁舎の前に埋めこんだのである。

かれのプロジェクトは、1994年から本格化する。ロマ、ユダヤ人、その他の犠牲者など合計230人分のシュトルパーシュタインを制作し、この年の9月18日から11月10日までの期間、ケルンのアントニーター教会で展示した。ケルン市議会が前年度に、市内22カ所のナチス政権の犠牲者の関係史跡に、真鍮製の碑板を歩道に配する措置をおこなったことによるが、この際に、かつて近隣にロマが住んでいたことを承認しない住民との論争が、デムニヒのプロジェクト着想に大

グンター・デムニヒ

きく影響を与えたとされている。

ナチスによるロマの大量殺害は受容しても、現在、自分たちが住んでいる地域の、かつての住民がロマであったということを承認しようとしない行為のなかに、デムニヒはおそらく、ロマに対する根強い差別意識を鋭く見抜いたのだろう。さらには、ロマ殺害という歴史事実の記録は必然的に伝承されていくとしても、「ロマが住んでいた」という地域の記憶、1人の個人や人格が存在した記憶そのものがすでに喪失しているということにも、デムニヒは思い至ったのではないだろうか。

特筆すべきは、シュトルパーシュタインが、ユダヤ人のみならず、政治犯とされた人びと、ロマとシンティ、同性愛者、病院での安楽死殺人の犠牲者、エホバの証人なども対象としていることである。ドイツには、ホロコースト犠牲者を追悼する施設は多く存在するものの、たいていはユダヤ人の犠牲

者に向けられたものであるのに対して、デムニヒの射程は、ナチスの犠牲者すべてにおよんでいる。

デムニヒのプロジェクトは現在も拡大し続けており、市民運動も含めて、ドイツ全土に大きなネットワークが形成されている。２００６年末には、約９０００枚のシュトルパーシュタインが２００もの市町村で設置されており、ほとんどがドイツであるが、７枚はオーストリアであった。２００７年には、さらに国際的に注目されるようになり、この年の6月と8月にはハンガリーで、また11月にはオランダで最初のシュトルパーシュタインが設置された（２０１８年現在で7万枚）。

しかしながら、このシュトルパーシュタイン運動に、反対の声がないわけではない。たとえば、ユダヤ人コミュニティ内の反対派は、「足で踏みつけられる」ような、地面に埋めこんだ銘板から、殺されたユダヤ人たちの名前を読むのは「耐えられない」と主張する。シュトルパーシュタイン設置を拒否している都市はたいていい、そうした批判に立脚している。とはいえ、ユダヤ人コミュニティでも、シュトルパーシュタインをめぐる意見は二分しているようだ。

デムニヒがはじめた、ナチスドイツのあの膨大な犠牲者と同数だけのシュトルパーシュタインを設置するという事業は今なお継続しており、シュトルパーシュタイン1つにつき、１２０ユーロで寄付を受け付けている（２０１9年現在）。ご興味のある方はぜひ、URL: www.stolpersteine.eu をご覧いただきたい。

（森　貴史）

# 49

# 現代ドイツにおけるロマ

## ★人権保護と社会統合★

ドイツで40年以上歌手活動を続けるマリアンヌ・ローゼンベルクは、長い間、父親の助言にしたがって、自分がシンティの家に生まれたことを公表していなかった。彼女の父親は、ナチスによる人種政策の被害者で、家族や親戚の多くを失った。自身は強制収容所からの生還を果たしたが、娘をかつて自分が経験したような人種差別や敵視にさらしたくなかったのである。

ローゼンベルクによると、父親は生前ナチスがユダヤ人やロマに対する民族虐殺の根拠とした人種イデオロギーがいつ再燃するか分からないと、つねに危惧していたという。近年、東欧諸国で「反ジプシー主義」を掲げる極右政党が台頭し、ドイツでもロマ居住地や難民収容所がネオナチ集団に襲撃される事件が多発している。また、2011年の内戦勃発以後、膨大な数の難民がシリアからヨーロッパへ押し寄せた。欧州全体で難民への対応をめぐる議論が活発化するなか、各地で勢力を増しつつある極右政党は「外国人への不安」を煽る発言を繰り返している。この事態に直面し、ヨーロッパ各国で少数民族として暮らすロマの多くがローゼンベルクの父親と同じような危機感を抱き、子どもたちの将来を案じながら生活している。

# 第49章

## 現代ドイツにおけるロマ

ロマは、国家をもたず、世界中に分散して暮らす少数民族である。11世紀ごろ、戦乱によって、故郷インド北西部から移動を開始したと考えられている。母語は「ロマニ語」である。「ジプシー」や「ツィゴイナー」などの呼び名は、多数派住民が差別的に用いてきたものである。かれら自身は、民族全体を指して「ロマ」と自称する。

音楽、絵画、文学作品などで典型的に表現された「ジプシー」のイメージは、世界中に流布している。しかし、何世紀にもわたって偏見や社会的隔絶に苦しんできたロマの過酷な現実を知る人は少ないのではないだろうか。差別が根強く残る要因の1つとして、人びとの無知や無関心、メディアによる偏った報道が挙げられる。ロマに対する偏見の克服は、ドイツだけでなく、ロマでないわたしたち全体にとっての課題といえよう。

ロマは居住する国や歴史的背景の異なる複数のグループから構成される。ドイツは戦後、人種迫害の歴史を繰り返さないよう民族所属による人口統計を破棄したため、ドイツに暮らすロマ人口の公式データは存在しない。推定ではヨーロッパ全体で８００万〜１１００万人とされるロマのうち、ドイツに約12万人が暮らしているが、その構成員は大きく2つのグループに分かれる。

15世紀以来ドイツで生活し、ドイツ国籍を有している「シンティ」と「ロマ」（この場合の「ロマ」は民族内の特定グループを指す）に属する人びと（ドイツ・シンティ・ロマ中央委員会によると約7万人）と、20世紀なかごろ以降、東欧諸国から労働移民や難民としてドイツに来た外国籍のロマ（ユニセフの推計では約5万人）である。多くはベルリン、ハンブルク、フランクフルト、ミュンヘンなどの大都市、デュッセルドルフとケルンを中心とするライン＝ルール地帯、ライン＝マイン、ライン＝ネッカー地域の人口集中地帯やキールなどに居住している。

ドイツ国籍のロマは比較的安定した生活を築いているが、これまでの道のりは、決して平坦ではなかった。ナチスによるホロコーストの被害者としての精神的苦痛や家族や親戚を失った悲しみに加え、ユダヤ人の場合と異なり、ロマがナチスの人種政策の犠牲者であることは、戦後永らく承認されなかったからである。ロマ自身による粘り強い抗議活動と市民権獲得運動の成果が実りはじめた１９８０年代に入るまで、略奪された財産や諸権利の返還および戦後補償もされないまま、工業都市郊外など劣悪な環境での生活を強いられた。ようやく２０１２年になって、ナチスによるロマ殺害の犠牲者を追悼する慰霊碑が、ベルリンの連邦議会議事堂前に建立された。

現在は、１９９８年に発効した「民族的マイノリティ保護のためのヨーロッパ評議会の枠組み協定」を根拠とする法的保護の対象として、ドイツ国内の少数民族に指定されている。１９８２年には、「ドイツ・シンティ連盟」（1971年結成）を前身とする自助組織ドイツ・シンティ・ロマ中央委員会が結成された。全国レベルの組織として連邦政府の財政援助を受け、会長のロマニ・ローゼを中心に、ロマの権利保護や人権啓発を目的とした、多岐にわたる活動を牽引している。

一方で課題も残る。２００７年から２０１１年にマンハイムの研究所がはじめて、ロマの人びととの共同調査をおこない、ロマが日常生活で受けている差別や、ロマとロマでない若者の甚大な教育格差などを明らかにした。具体的な取り組みが急がれている。

外国籍のロマの多くは、１９８９年の社会主義体制崩壊にともなう社会混乱と各地で勃発した民族紛争のなか、生活の困窮や激しい人種迫害を逃れて、ルーマニアやブルガリア、あるいはセルビア、コソボといった旧ユーゴスラビアの国々からドイツに移住してきた人びとである。ユニセフの推定によれば、居住権を得てドイツに在留している者は全体の3分の1で、残る大部分は庇護申請者として審査を待っているか、申請却下、あるいは申請却下後に送還実施をさしあたり見合わせる「滞在容認」という不安定な立場にある。ドイツで生まれ育った「滞在容認」資格の子どもや若者が、両親の祖国に送還されるケースもある。ロマへの差別や迫害が絶えない土地で、言葉も分からないまま貧困生活を強いられる事態が報告されている。

ドイツ政府は2005年に施行された移民法にもとづき、教育、就労、健康、住環境などの項目におけるロマの社会統合政策の枠組みを定め、各州がそれぞれの実情に応じて作成した施策を実行している。しかし、その対象は、基本的に居住権を有する者に限られている。それ以外の者は、各州が独自に設けるロマ支援策や各地の民間団体、ロマ自助組織の支援に頼るしかないのが実情である。支援がゆき届かないまま教育や就労の機会をじゅうぶんにえられずに生活している人びとも多い。

いかにロマの人権を確保し、かれらの文化を伝承しながら社会統合を促進するかは、地道に活動を続ける各支援団体の共通の課題である。なかでもロマの自助団体が主導する計画に、州、市、各分野の専門家が協力するかたちをとるプロジェクトは、当事者の意見を尊重しながら社会統合を進めるうえでのモデルとして注目されている。

たとえばロマの子どもが地元の学校に溶け込めるように、準備支援するフランクフルトのシャボラレ（Schaworalle）保育所や、ロマの伝統的な生活形態を守り子どもの通学を支援するキールの居住地建設プロジェクト「マロ・テム」（Maro Temm）などがある。何よりもロマ自身が、こうした取り組みのなかで生まれる人びととの結びつきや対話を通して、ロマに対する偏見を1つずつなくしていくことを希求している。

（夜陣素子）

# 50

# キリスト教の世俗化とイスラームの敬虔化

★相反するベクトル★

ドイツの宗教比率（2018 年）

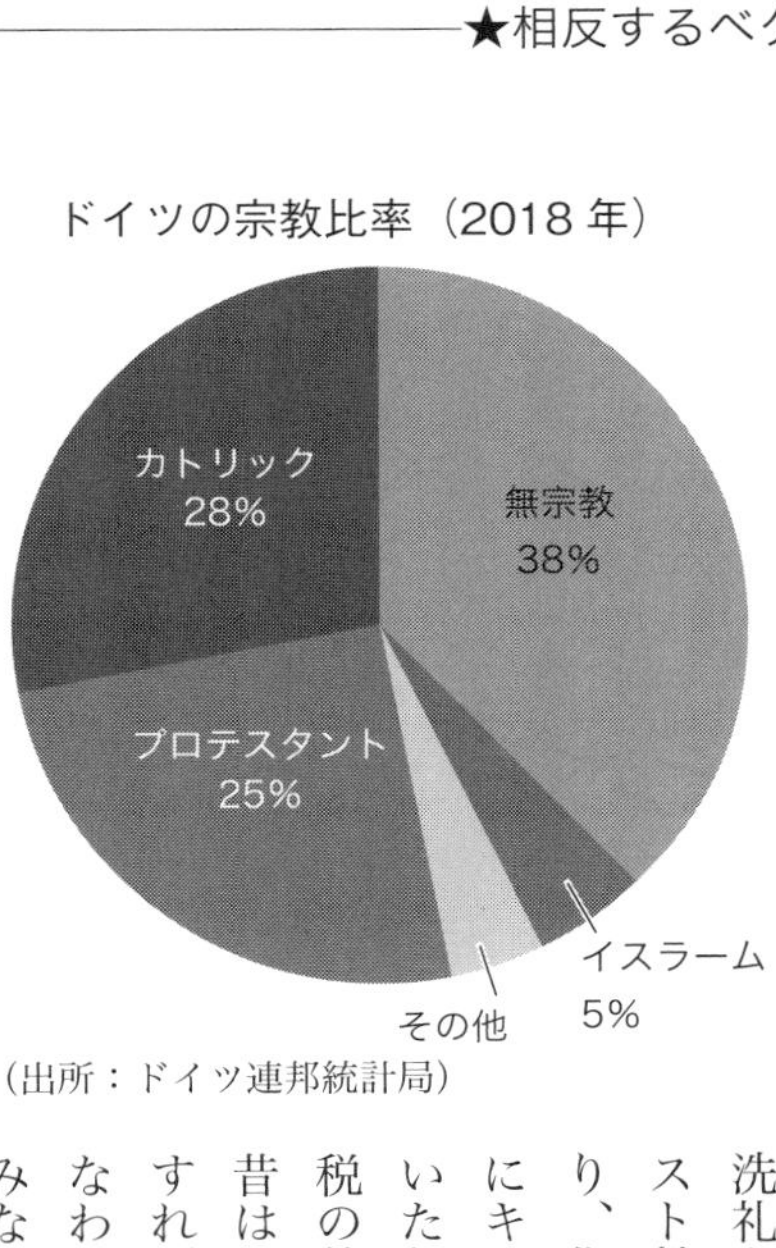


（出所：ドイツ連邦統計局）

かつてのキリスト教国ドイツは、南北でカトリックとプロテスタントがシェアを半分ずつ分かち合っていた。ところが近年、無宗教がどんどん増え、２０１７年では人口の37％を占めるようになってきた。人数でいえば３０６１万人となり、一昔前にはとても考えられない状況である。これには若者が多く含まれ、根底にはキリスト教の教会税が深くかかわっている。

教会税は長い歴史を有し、教会運営などの財政基盤を支えてきた。誕生の際、洗礼を受けてキリスト教徒になったり、住民登録の際にキリスト教と書いたりすれば、納税の義務が生じる。昔は、教会離脱をすれば無宗教、すなわち無神論者とみなされ、白眼視されたり、教会の墓地に埋葬を許可してもらえなかったりして、肩身の狭い思いがしたのは事実であった。

しかしこれだけ圧倒的な無宗教の数を前にして、かつての状況は大きく変化し、世間では無宗教をあまり問題にしない風潮が生まれてきた。また現代では市営墓地があり、教会抜きでの葬式も容易になった。こうなると、もはや若者は教会税を払わず、出費を節約するために脱会するのは自然の摂理である。無宗教は都市部だけでなく、宗教教育をしてこなかった旧東ドイツ地域でも多い。

もちろん教会税は現在でも存続し、州の税務署が徴収し、教会に配分している。キリスト教信者は、バイエルン、バーデン＝ヴュルテンベルクでは所得税の８％、その他の州では同じく９％を支払わねばならない。年収、既婚、子どもの数、未婚などで異なるが、たとえば年収４万８０００ユーロ（６７２万円）の独身者の場合、教会税が年間８５０ユーロ（11万９０００円）であるから、日本より諸税金が高く、倹約に励むドイツ人にとって、もったいないと思うのは無理もない。

ただし無宗教といっても、教会税を払いたくないというのが最大の理由であるので、すべての人びとが無神論者というわけでない。敬虔とはいえないが、一応信者であるけれども、無宗教に分類されている事例も一定数存在している。クリスマスには教会税を払っていない者もミサに来るので、教会税を払っている信者は、それを排除しようという動きすらある。いずれにしても宗教に対する地殻変動が起きていることは明らかだ。その結果、教会の運営がますますきびしくなり、財政難に陥った教会の「身売り」のニュースもよく報道される。

歴史的にはドイツを二分し、宗教戦争を引き起こしてきたカトリックとプロテスタントは、カトリックが2018年では2330万人（人口比27・7%）で、プロテスタントは2114万人（同25・5%）である。比率は拮抗しているが、絶対数はずいぶん低下してきた。いうまでもなく、キリスト教はドイツ文化の基底であり、国民のメンタリティを形成していることに変わりはない。しかし移民の受け入れやグローバル化によって、その内実はかなり変化が見られる。

さて2018年現在、ドイツのイスラームは約425・5万人で、内訳はトルコ出身者がもっとも多く、続いてバルカン半島、トルコ以外の中近東、北アフリカ地域出身者となっている。さらにイスラームの宗派のうち、スンニ派が多数を占める。

ベルリンのモスク

かれらはドイツ社会のなかでイスラームに目覚め、宗教にアイデンティティを見出す傾向が見られる。アンケート結果では、3分の1は敬虔でたいへん熱心な信者である。これはキリスト教から無宗教への離脱現象と対照をなし、ドイツ移民のイスラーム回帰の特徴を示す。すなわち宗教心からみれば、相反するベクトルになっている。

かつてイスラーム信者は目立たぬところで礼拝していたが、近年では大規模なモスクの建設が進み、それによってイスラームの可視化が顕著になってきた。モスク建設をめぐるトラブルは、ケルン、ベルリン、ミュンヘンなど大都市各地で生じている。た

ドイツの信者数の推移（2015～2017年）

| | 2017 | | 2016 | | 2015 | |
|---|---|---|---|---|---|---|
| | 人数 | % | 人数 | % | 人数 | % |
| カトリック | 23,311,000 | 28.2 | 23,580,000 | 28.5 | 23,760,000 | 28.9 |
| プロテスタント | 21,536,000 | 26.0 | 21,930,000 | 26.5 | 22,270,000 | 27.1 |
| イスラーム | 4,155,000 | 5.0 | 4,050,000 | 4.9 | 3,600,000 | 4.4 |
| その他 | 3,250,000 | 3.9 | 3,250,000 | 3.9 | 2,960,000 | 3.6 |
| 無宗教 | 30,489,000 | 37.0 | 29,990,000 | 36.2 | 29,610,000 | 36.0 |

（出所：ドイツ連邦統計局）

いていは建設をめぐり、行政当局は建設を許可するが、地元住民がそれに反対し、紛争になるという経緯をたどる。

表に示すのは２０１５～２０１７年の宗教の信者数の推移である。たった３年間の短期間であるが、時代の傾向が確認できる。まずカトリックの信者数は毎年減少しているが、その傾向はプロテスタントの方が大きい。それに対してイスラームの信者数は毎年増加している。同様に無宗教の人びとも毎年増えているのは、ここからも読み取れる。

なおイスラームはドイツの移民政策と密接にかかわっている。次ページの図は２０５０年までの、移民が多い場合、中程度、移民ゼロの３ケースについてのシナリオであるが、移民ゼロ政策でもドイツのイスラーム人口割合は増加傾向にあることを示している。しかも敬虔なイスラーム教徒になるので、ますます存在感を増していく。

移民はおもに旧東ドイツでネオナチの攻撃対象になってきたけれども、右翼だけでなく、最近、「社会民主党」のティロ・ザラツィン氏が『ドイツが消える』（２０１０）のなかで、反イスラーム論を展開した。そのためかれはドイツ連邦銀行の理事を解任されたが、それに対して賛否両論が湧き起こり、結局、本はベストセラーになった。イスラームをめぐる文化摩擦は日常生活のなかでたえず発生し、トルコ系

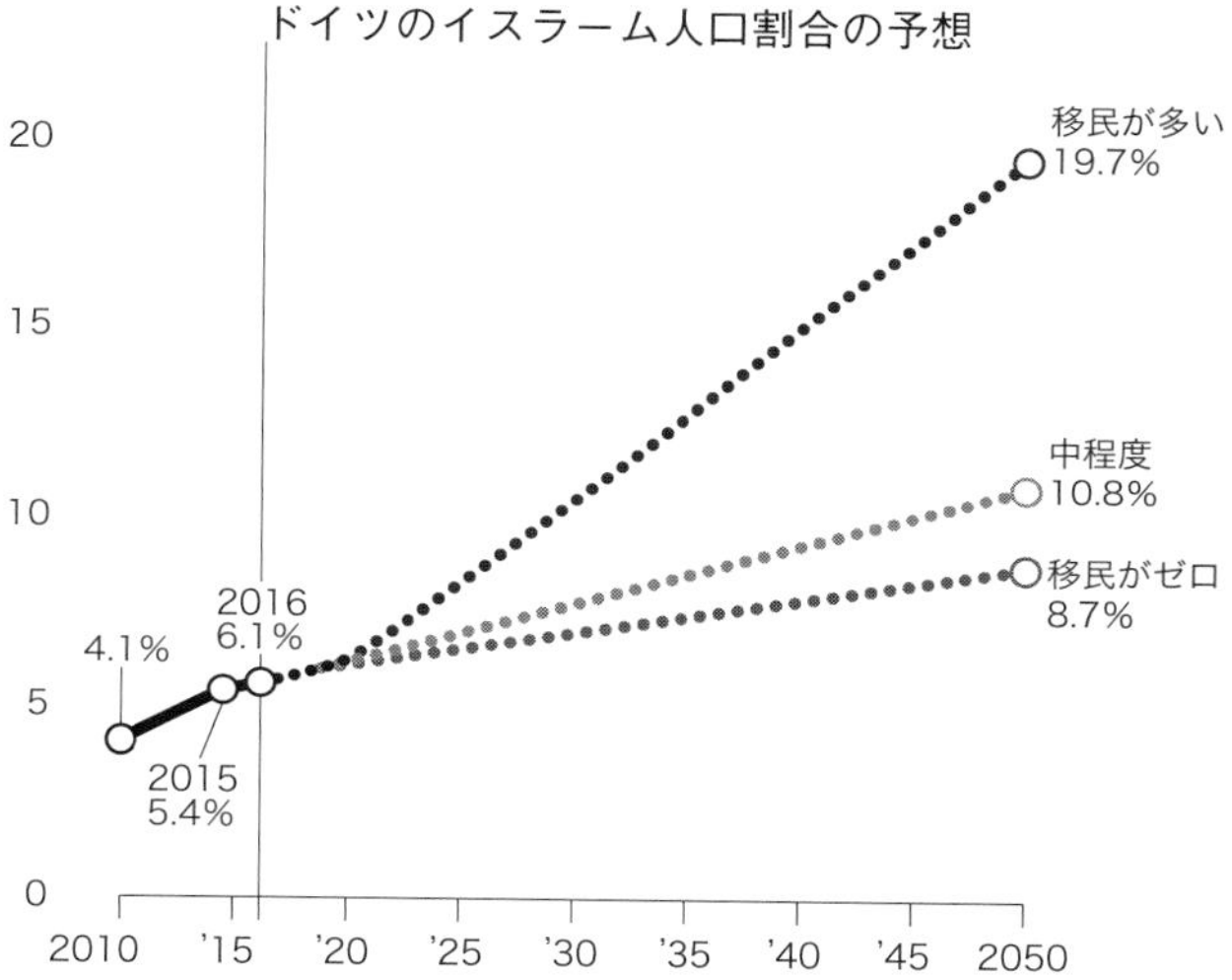

（出所：Amount of growth in Germany's Muslim）

移民の名誉殺人、家長による強制結婚、割礼などがメディアで取り上げられる。

今のところドイツでは小康状態を保っているが、過去の歴史はいうまでもなく、現代でもイスラームの原理主義のテロは各地で発生している。２０１３年に結党された「ドイツのための選択肢」は反移民の傾向をもち、極右政党といわれることがあるが、移民をこころよく思っていない人びとの支持を得ている。宗教と移民問題が結びつくと、いつ暴走するかもしれないので、相手の価値観を容認する文化的・宗教的相対主義や寛容の精神が21世紀でも問われているのである。

（浜本隆志）

## コラム5 ヒトラーを描いた映画と『わが闘争』の解禁

髙橋 憲

戦後のドイツ（旧西ドイツ）においては永らくヒトラーは絶対悪として最大のタブーであった。ドイツ国民が犯した近現代史の過ちはヒトラーを国家指導者とし、ナチズムの本質を見抜くことができないままそのなかに引きずり込まれ、ヨーロッパ大陸のみならず世界を悲劇へと導いたことである。しかし、東西ドイツ分断から悲願の再統一をへて、EU（ヨーロッパ連合）のなかで指導的役割を果たしている今日のドイツにおいて、一種のヒトラーブームとでも呼べる社会現象が再燃している。その背景には、時代の変化のなかで、ドイツ人が原罪としてヒトラーの時代とナチズムの負の遺産に正面から向き合い、検証するまで成熟してきたことにあるといえる。

時として外国人排斥を主張する極右勢力や、ネオ・ナチの若者たちが不穏な動きを見せる社会情勢だが、そんなドイツ社会のタブーを破って、独裁者ヒトラーの人間性に焦点を当てた映画、『ヒトラー――最期の12日間』（監督オリヴァー・ヒルシュビーゲル）が2004年に公開され、大きな反響を呼び起こした。

この映画はヨアヒム・フェストの著作と、ヒトラーの秘書の1人だったトラウデル・ユンゲ女史の回顧録をもとに製作された劇映画である。「人間ヒトラー」の側面を強調して描くことにより、ドイツ人がいかにしてヒトラーという男の嘘にだまされ、かれの「魔術」にかけられていったかを追っている。映画のエピローグでユンゲ女史は、ユダヤ人の大虐殺（ホロコースト）に対するみずからの「無知の罪」を告白している。ドイツではナチスの犯罪に積極的にかかわった罪はもちろんのこと、ナチスの犯罪を傍観したという無作為の罪に対してもきびしく裁かれる。

この映画に続いて『ヒトラーの贋札《にせさつ》』（2007年、監督ステファン・ルツォヴィッチ）、『わが教え子、ヒトラー』（2007年、監督・脚本ダニー・レヴィ）など、ヒトラー関連の劇映画が公開されたが、ドイツ社会においてヒトラーはもはやタブーではなくなったように見える。前述のヒルシュビーゲル監督は、『ヒトラー暗殺、13分の誤算』（原題 Elser、2015年）で、実在の家具職人ゲオルク・エルザーのヒトラー暗殺未遂事件を取り上げた。

1939年11月8日、恒例のミュンヘンでのナチス党大会の際に、エルザーは単独で暗殺を企てたものの、ヒトラーは予定より早く演説を切り上げたために、難を逃れることとなった。何の政治的背景ももたないごく平凡な1人の職人が綿密に計画した犯行に、ナチスは驚きを禁じ得なかった。

さらには2016年に劇場公開された『帰ってきたヒトラー』（原題 Er ist wieder da.、監督デヴィッド・ヴェント）は、作家ティムール・ヴェルメシュのベストセラーの映画化で、異色の作品だ。死んだはずのヒトラーが現代社会に甦り、モノマネ芸人と誤解されつつも、メディアの世界で人気者になる奇想天外の設定である。

戦後75年をへた今日のドイツ社会で、ナチスの思想を振りかざす男の繰り出す熱狂的なアジテーションに、次第に魅せられていく大衆の危うい姿は、今日、世界中に蔓延している大衆迎合的ポピュリズムに、どこか二重写しになっていないだろうか。筆者には反イスラームや難民・移民の受け入れに反対する、排他的風潮の高まりを見せているドイツ社会への警鐘に思えるが、どうだろうか。

ミュンヘンで国家への反逆を企てた、いわゆる「ミュンヘン一揆」の罪で収監されたヒトラーが、ランツベルク収容所の獄中で構想を練ったとされる『わが闘争』（Mein Kampf、

1925年）の著作権が2015年に切れたことで、『わが闘争』の出版が解禁となった。2016年1月、70年ぶりにミュンヘンの「現代史研究所」の歴史専門家の手により、上下2巻の2000ページにおよぶ大著が、原文付きの注釈本として出版されることとなったが、社会的反響が予想以上に大きく、初版本は高価にもかかわらず、4000部が即完売となり、急遽、1万6000部が増刷されることとなった。

ドイツでは『わが闘争』はこれまで発禁の書であり、また公の場でのナチス式敬礼やカギ十字の旗の掲揚を禁止してきた。ナチス政府による国策としてのユダヤ人大虐殺は、ドイツ人に加害者としての自覚を強く促すことになったが、今回の解禁は専門家による詳細な批判的解説文が付けられているとはいえ、極右勢力やネオ・ナチにより、悪用や乱用をされる恐れも拭いきれない。今後もこれに続いてさまざまな種類の、恣意的な注釈本や解説書が出版されるだろうが、社会的、教育的影響が懸念されている。

ポーランドのアウシュヴィッツ（オシフィエンチム）強制収容所跡は、人間がなし得た過酷きわまる行為の現場として、訪問者に強烈な印象を与える。ナチスの戦争犯罪は人類の平和と安全への罪として国際法により裁かれた。経済不況による若年労働者の高い失業率や、外国人移民の問題を背景に極右政治勢力の台頭著しいヨーロッパであるが、ドイツは国家が犯した負の遺産に対してきびしく向き合い、記憶を風化させない努力が社会や教育の現場で営々と続けられている。

# X

# EUとドイツ
## ——グローバリズムとナショナリズム

# 51

# EUの父クーデンホーフ＝カレルギー

## ★日系人が描いたパン・ヨーロッパ構想★

今から約100年前の1923年に、リヒャルト・クーデンホーフ＝カレルギー（1894〜1972）は「パン・ヨーロッパ」（Paneuropa）運動を提唱した。これは現在のEUの礎となった具体的なヨーロッパ統合プランであった。当時の第一次世界大戦後のヨーロッパでは、敗戦国ドイツはヴェルサイユ体制下で、多額の賠償金を課せられてインフレや経済的混乱に苦しみ、同じく敗戦国オーストリア＝ハンガリー帝国は瓦解した。戦勝国を含め戦場となったヨーロッパも荒廃し、またロシア革命の波及、アメリカの台頭という状況に直面していた。シュペングラーの『西欧の没落』（1918）が警告するように、政治家や知識人は、混沌とした時代のなかでヨーロッパの危機的現状を自覚せざるをえなかった。

このなかでリヒャルトの提唱は、ヨーロッパの「平和と自由、繁栄」を目指す指針と受け止められ、各国の首脳を含め多くの賛同者を得ることに成功する。しかしかれの運動は、順風満帆ではなく、ナチス政権の樹立（1933）、第二次世界大戦の勃発（1939）という嵐に見まわれ、中断を余儀なくされる。かれをはじめ賛同者はナチスの迫害によって、政治家、文学者、思想家、ユダヤ人たちが命の危険にさらされながら、アメリカ亡命を余儀なくされた。

　この提唱者リヒャルトは、日本人青山光子（通称、本名みつ、１８７４〜１９４１）を母にもち、東京生まれで日本名は「青山栄次郎」と称した。父は、オーストリア＝ハンガリー帝国の伯爵ハインリヒ・クーデンホーフ＝カレルギー（１８５９〜１９０６）で、日本の代理公使を務めたこともあった。この夫婦をめぐる国際結婚は、日本でもテレビ、小説、ミュージカルで取り上げられ、一部の人びとのなかで話題になることも多かった。

リヒャルト・クーデンホーフ＝カレルギーと母光子

　リヒャルトはヨーロッパを統一体として考えると、平和と繁栄が約束されるのではないかと確信をし、アメリカ合衆国を視野に入れながら、ヨーロッパの復権を構想した。すなわち関税もない、通貨も単一の移民国家アメリカのイメージを、ヨーロッパに当てはめようとしたのである。
　１９２３年、かれが29歳のときに『パン・ヨーロッパ』を出版した。これが反響を呼び、最終的に10万部を数えるベストセラーとなった。かれが目指したのは、第1にヨーロッパの統合による平和の確立であった。というのは国境の線引きによって、たえず領土問題が発生し、戦争の要因となってきたからである。第2に関税の撤廃により、各国の経済が発展するので、国民相互にとって利益が大きいことを主張した。その構想の核心は、世界を5つのブロックに分割・統合する左の案である。

1　「パン・ヨーロッパ」（統合ヨーロッパ）
2　イギリス帝国
3　「パン・アメリカ」（南北アメリカ統合）
4　統合アジア
5　ソ連

貴族出身のリヒャルトは共産主義運動と合致できなかったので、ヨーロッパを東方のソ連と西側ヨーロッパとに線引きせざるを得ないと考えた。これらの区分のうち、2番目のイギリス帝国ブロックというのは、現在から見れば違和感を覚えるかもしれない。ところがいわゆる大英帝国（イギリス連邦）は、全盛期を過ぎていたとはいえ、当時、世界各地に植民地や自治領をもち、世界規模のネットワークの要《かなめ》であった。イギリスじたいも別格国だと自認していたので、ヨーロッパとは一線を画した案が提起されたのであろう。

理念を具体化するために、1924年にオーストリアのウィーンで「パン・ヨーロッパ・ユニオン」が設立されると、賛同する人びとが事務局を開設する場所を提供してくれた。リヒャルトは組織をヨーロッパ規模に拡大し、1925年に「パン・ヨーロッパ中央」と「各国支部」に分かれた組織体系にした。同年4月からかれは主著と同名の雑誌『パン・ヨーロッパ』を出版し、各支部の活動状況を伝えた。

1926年にウィーンではじめて、「パン・ヨーロッパ・ユニオン」の国際集会が開かれた。そこには26カ国、約2000人の各国代表が集まり、運動方針を採択し、中央議会の議長にリヒャルトを選出した。かれの「自由、平和、繁栄」という理念は大きな反響を呼び、各国の文学者や有名人も賛同した。たとえばポール・クローデル（フランスの著述家、外交官）、ポール・ヴァレリー（フランスの作家）、ジュール・ロマン（フランスの作家）、トーマス・マン（ドイツの後のノーベル文学賞作家）、ハインリヒ・マン（トーマス・マンの兄、作家）、ゲルハルト・ハウプトマン（ドイツのノーベル文学賞作家）、ライナー・マリア・リルケ（詩人）、シュテファン・ツヴァイク（オーストリアのユダヤ系作家）、アルトゥール・シュニッツラー（ユダヤ人、オーストリアの作家、医者）、シグムント・フロイト（ユダヤ人、オーストリアの精神分析学者）、アルベルト・アインシュタイン（ユダヤ人、ノーベル物理学賞授賞者）など、当時のヨーロッパの錚々たる知識人がリヒャルトを支援した。その共通項として、後にナチスと対立し、亡命や弾圧を経験した人びとやユダヤ人などを挙げることができよう。

さらに政治家としては、オットー・フォン・ハプスブルク（オーストリア＝ハンガリー帝国の皇太子、後に政治家）、フランスのアリスティード・ブリアン（外務大臣）、エドヴァルト・ベネシュ（後のチェコスロヴァキア大統領）、エドゥアール・エリオ（後のフランス首相）なども、「パン・ヨーロッパ・ユニオン」に賛意を示した。

歴史にもしもという言葉は禁句であるが、「パン・ヨーロッパ」運動の推進エンジンというべき、シュトレーゼマン（ドイツ首相・外務大臣、1929年死去）とベネシュ（1932年死去）が長生きしておれば、また1929年の世界大恐慌が発生しなければ、さらにナチスの台頭と第二次世界大戦がなかったら、ヨーロッパ統合への道は、早まっていたといえるであろう。というのは推進力であった両首脳を欠き、世界恐慌によって統合とは逆の自国保護主義の流れができ、ナチスはパン・ヨーロッパに敵対したからである。

ただリヒャルトの思想が幅広く支持されたのは、根底には人種的な偏見がなかったからである。母親は日本人であり、妻がユダヤ人であったし、さらにかつての「祖国」はオーストリア＝ハンガリー帝国で、内実はハプスブルク家の伝統を受け継ぐ多民族国家という背景もあった。このようなインターナショナルな立場に立っていた点に、かれの思想の本質が認められる。

第二次世界大戦後、スイスに帰ったリヒャルトは、統合運動を再開し、1950年に「シャルルマーニュ賞」を受賞した。これはシャルルマーニュがかつてフランスとドイツを統合したことにちなむ賞で、ヨーロッパ統一に尽力した人に与えられるものである。チャーチルやシューマンも、後に同じ賞をもらった。リヒャルトはこれまで3回もノーベル賞の候補に名を連ねたが、授賞には至らなかった。かれの「反共的な立場」が強すぎたからといわれているが、真偽のほどは分からない。

当時の強まる東西の冷戦構造のなかで、米ソはヨーロッパ統合に冷ややかであった。ただし経済的視点から、西側ヨーロッパ首脳のうち、ドイツのアデナウアー首相、フランス外相のロベール・シューマンなどのイニシアティヴで、「ヨーロッパ石炭鉄鋼共同体」（ECSC）を協議し、これが1952年に発足した。

1957年に「ヨーロッパ経済共同体」（EEC）が設立され、さらに1993年にEUが誕生するが、一般にＥＵの産みの親は、フランス外相のシューマン、育ての親は実業家のジャン・モネといわれている。それに比べてＥＵへの展開の基礎を築いたリヒャルトは、戦後、あまり評価を受けず次第に影が薄くなっていく。

ＥＵへの道のりにおいては、戦前からチャーチルもアデナウアーもリヒャルトの構想に賛意を示しており、ＥＵの関税の撤廃や統一通貨構想は、「パン・ヨーロッパ」の主張でもあった。ヨーロッパ統合は第二次世界大戦後、急に降って湧いたように生まれたものではない。戦前の主役から戦後の脇役にまわらなければならなかったとはいえ、歴史的連続性から見て、リヒャルトを「ＥＵの父」と名づけてしかるべきであると考える。

現在、ＥＵ内で選挙がおこなわれ、超国家的なＥＵ議会が成立した。この方向性はリヒャルトが先鞭をつけたものであるが、かれが理想とした「ヨーロッパ合衆国」はもう夢物語ではないのである。

（浜本隆志）

# 52

# *EUの光と影*

## ★グローバル化とローカル化の狭間で★

現在EUはヨーロッパ統合というグローバル化と、各国の主権重視や地域分権制という一種のローカル化の2つの力学が作用している。一見すると正反対方向の動向のようであるが、そのメカニズムがEUの光と影をつくり出しているといえる。本章では今、EU内で起きているこの現象をクローズアップしてみたい。

ヨーロッパ統合への道は、ヨーロッパ大陸から戦争をなくすための民族の対立を超えた和解へのプロセスであった。とりわけ長年の宿敵関係にあったドイツとフランスは国益の対立から、近現代史においてわずか100年間で普仏戦争から第一次、第二次世界大戦へと3度も戦火をまじえ、ヨーロッパを壊滅的な悲劇へと巻き込んだ。

例を挙げれば、アルザス地方にある人口27万人のフランス歴史都市ストラスブールは、今日では欧州統合の象徴の町ともいえ、欧州議会の所在地として国際政治の要にもなっている。ストラスブールとは「街道の町」という意味で、ドイツとフランスの国境に位置し、普仏戦争や2度の世界大戦ではドイツとフランスが家族・肉親が敵味方に分かれて何度も戦ったところで、つねに戦勝国側の領土となってきた。

A・ドーデーの小説『最後の授業』（1873）は、普仏戦争後におけるアルザスのドイツ領編入時の作品だが、ここでは国語としてのドイツ語、フランス語も戦争のたびに変わるという悲劇が繰り返されてきた。今、この地はその歴史に学び、ヨーロッパの地を再び戦場としないための努力が払われており、ドイツ語が小・中学校で積極的に学習、指導されている。

とくに中学生には英語かドイツ語を選択させているが、ドイツ語を学ぶ生徒が半数以上いるという。まさに隣国の言語を通して異文化への理解を深めていこうとする地道な努力が重ねられている。その一環として両国は恩讐を超え、統一歴史教科書を完成させたのは、画期的な試みであった。事実、第二次世界大戦後、EU圏においては戦火をまじえることはなかった。

EUの歴史のなかで、ユーロの誕生も特筆すべき成果である。1999年1月1日、ヨーロッパ連合（EU）は共通通貨ユーロを誕生させた。ユーロ加盟の条件として、財政赤字をGDP（国内総生産）の3％以内にするというきびしい条件は、スペインやポルトガル、イタリアなどの国々に経済における構造改革を義務付け財政状態を改善させた。しかし加盟にあたって、財政の報告書がかならずしも実態と一致しなかったので、その矛盾が現在、ギリシャ危機、あるいはEU危機として噴出してきたのは事実である。

さて2019年現在、19カ国が導入しているユーロによって、加盟国だけでなく世界貿易、あるいはヨーロッパを訪れるツーリストにも、実感としてヨーロッパが1つであることを自覚することができる（ユーロを導入していない国は9カ国）。これはEU域内市場における金融改革の一元化により、より公正な競争条件のもとで効率的な経済活動をおこなうということで、両者の利点を活かそうとするものである。

ヨーロッパ各国が通貨を共有することにより、旅行者は通貨両替のわずらわしい手間が省けるとともに、両替手数料を支払わなくてもよいという大きなメリットがある。またEU国内でも、同じ通貨を使用することでヨーロッパの人びとは1つになったことを日常的に実感することにもなる。他方では賃金や商品の価格の透明性が増し、企業間の競争が激化するという現象も見られる。

興味深いことだが、EUの東方拡大は、近代国家が成立するまでの地理的なつながりを復活させたように思える。ハプスブルク帝国は13世紀から第一次世界大戦までヨーロッパ大陸に君臨したが、それは多民族国家であった。しかしそのなかで、オーストリアを中心としたドイツ語文化圏とEUの東方拡大地域が重なる。そこにはドイツが歴史、文化、経済、政治の中心であるとの響きがあり、「汎ゲルマン主義」を想起させる。これは経済的な中心国となったドイツに対する警戒感を引き起こす一因となっている。

さらには、EUは国境のために人為的に分離、統治されていた少数民族が国家を超えて1つの民族文化圏を再構築するという効果を生み出した。スペインと南フランスの国境地方に存在する少数民族のバスク族は国境を行き来し、国家を超えた独特の文化圏を形成してきたが、その交流が盛んになった。

またスペイン北東部の自治州カタルーニャは、首都マドリードへの対抗意識が強く、カタルーニャ文化を再認識しようとしている。さらには、地中海貿易圏のような中世海洋国家の時代に栄えた地域経済圏が市場統合の動きのなかで結びつきを強めている動きが見られる。国境地域においては、国家という枠組みを超えて、地域結合体（Euro-region）が経済面だけでなく、文化や教育面でも互いに協力し合っていることが分かる。

ＥＵによる単一労働市場が形成されたので、域内では国籍の差別なく、資本の移動や就労の自由が保障されている。そして「シェンゲン協定」（1985年調印、1995年発効）によって、域内では関税が撤廃され査証なく人の移動も自由になった。これはヨーロッパ国々の間で、国境検査なしに入国を許可するもので、ルクセンブルクのシェンゲン村で、フランス、ドイツ（旧西ドイツ）、オランダ、ベルギー、ルクセンブルクの5カ国で調印した。その後、加盟国が拡大し、ＥＵ非加盟国のスイス、ノルウェーなどを含め、現在26カ国が参加している。

EU加盟国

（出所：EU-member-states1.gif）

　2004年5月にはＥＵ本体は東欧へと広がり、新たに10カ国が加盟した。なお東欧という名称は、ＥＵ、国連、アメリカ、日本で区分が異なり、中欧との線引きを定義するのがむずかしいが、ここでは2004年以降ＥＵに加盟した国々ということにしたい。さらに

2007年にルーマニアとブルガリアが、2013年にはクロアチアが加わり、現在、28カ国体制になった。その結果、新たにEUに加盟した東欧の国々では、経済面において2つの新しい社会現象が生じている。第1に、旧EU域内へ新規加盟国から仕事を求めて移住労働者が増加するという現象であり、第2として、資本の側からは安い人材を求め、労働賃金の高い旧加盟国から、新規加盟国へ企業進出するという現象である。これはEU全体から見れば、経済活動の活性化を促すものといえるが、しかしこれもナショナリストから見れば、とくに流入する労働者は移民と同じようであり、排斥運動につながっていった。

ドイツではネオナチが、外国人に対して敵対活動をおこなってきた。連邦憲法擁護局によると、2017年ではネオナチは約6000人で増加傾向にある。とくにネオナチは、難民キャンプを襲撃し、外国人を殺戮してきた。2019年6月にはネオナチとも関係のある男が難民支援に熱心な政治家、ワルター・リュプケ氏を殺害する事件も発生している。

このような極右翼的なナショナリズムは、単にドイツだけではなく、フランスにも存在する。フランスやベルギーではネオナチとはまったく違う次元であるが、ムスリム女性の被るヴェールを政教分離という理念のもとに、公教育の場では禁止した。これも建前は別として、グローバル化の反対の動きと解釈できる。

同様にイギリスのEU離脱（いわゆるBrexit）問題も、反グローバル運動の一環と考えられる。イギリスは2016年6月23日に、国民投票によりEUからの離脱を決めたが、その後、EUとの間で交わした離脱協定案の内容をめぐって（離脱後の英領北アイルランドとEUに加盟しているアイルランド共和国の国境や関税問題など）、当時のメイ首相と議会は激しく対立し、２０１９年３月29日の離脱の期限を過ぎても、主張は一致しなかった。ＥＵからの「合意なき離脱」のリスクが日を追って高まってきたなか、離脱決定からはや３年余りを過ぎ、この政治の混迷に終止符を打つべく、ジョンソン政権は総選挙実施の法案を議会に提出し、了承を得た。選挙前にはＥＵと合意した離脱協定案に対して賛否両論があったが、２０１９年12月12日総選挙の結果は保守党が圧勝し、単独過半数を制した。こうして２０２０年１月31日の「離脱」への道のりが定まった。約１年間の移行期間を経て２０２０年末には、イギリスはＥＵから完全に離脱した。

一方、ＥＵ残留を望むスコットランドでは、スタージョン党首率いるスコットランド民族党が躍進し、再び住民投票による独立への機運が高まってきている。またＥＵ離脱により北アイルランドとアイルランド共和国との、あのかつてのような国境紛争が再燃するのでは……との危惧もささやかれており、離脱による今後の政治・経済への影響が懸念されるところである。

たしかに多文化共生の理念やＥＵの「拡大と深化」の方向と、各国の独自の文化や言語、生活習慣の重視は、摩擦を起こすことはあるが、統合へのグローバル化とかならずしも矛盾するものではない。むしろ国境というものがなくなることで、みずからの歴史や文化、伝統に対して誇りや愛着を再認識し、共生の重要さを深化させるものでもある。

（髙橋　憲）

# 53

# 「EU ブルーカード」とは

## ★新しい「高資格外国人労働者」の受け入れ★

EU加盟国の人びとは、「シェンゲン協定」によってEU国内を自由に移動できるだけではなく、留学もできれば就職もできる。ドイツでは専門職人不足が近年問題になっており、職業訓練生をEU加盟国からも募集している。さらにEUでは高資格外国人労働者の受け入れ促進のため、「高資格外国人労働者受け入れ指令案」が2009年5月末に成立し、EU加盟国内で各国内法の整備がおこなわれてきた。条件が整った国からEUブルーカード（Blaue Karte EU）規定が設けられてきたが、ドイツは2012年4月27日に高資格所有者ガイドラインの実施に関する法律を可決し、これは同年8月1日に施行された。

具体的にどのような人がEUブルーカードを取得できるのであろうか。それにはEU加盟国以外の出身者であることが第1条件であり、大卒者、あるいは専門職種に従事する者に限定されている。学生や専門職教育を修了していない者は、このなかに含まれない。

このカードが与えられるのは、外国からあらかじめドイツの企業に応募して採用が決定し、ドイツの使用者と労働契約を結んでいること、さらに2019年度は5万3600ユーロ（約

ＥＵブルーカードの見本

750万円）以上収入があること、という条件がある。これまでの法律では、高資格外国人労働者の最低賃金が6万6000ユーロ（約924万円）と高額であったが、EUブルーカードでは最低所得金額が引き下げられた。また、とくに高資格所有者が不足しているといわれている分野（数学、情報処理、自然科学、医師）に限っては、2019年度は最低所得4万1808ユーロ（585万円）でよいとされている（出典：連邦移民難民庁ホームページ）。

ドイツでは所得税、各種保険料が高額なため、年収が4万ユーロ（560万円）だと、手取りが月約2000ユーロ（28万円）程度であり、これでは家族を養うことはできても、決して贅沢できる金額ではない。そのため、先進国からの志願者は少ないことが予想される。さらにドイツ国内において、これらの職種に従事するドイツ人被雇用者の労働賃金が切り下げられないか懸念されている。

該当者はカード給付後、最長4年の期限つきで、ドイツあるいはEU国内に居住し労働できる。またEUブルーカードを付与されたものが33カ月以上就労し、年金保険に加入して生計の確保が得られている場合には、定住許可が付与される。さらにドイツ語レベルがB1以上の者は、それよりも早く21カ月後に定住許可が認められる。

この法律が施行されてから、これまで申請者が少ないためか大々的な報道はされていない。2012年8月26日発行の「シュトゥットガルト新聞」によると、シュトゥットガルトでは110人の外国人がこのカードの申請をしたが、内実はすでにドイツ国内に居住している外国人からの申請がほとんどだということである。

　申請者の内訳を見ると、アメリカ人や東ヨーロッパ人が大半を占め、職種別ではエンジニア、ＩＴ専門家、経営学士が多いとある。「シュトゥットガルト商工会議所」によれば、現在専門職人が約19万３０００人で、大卒就労者が約3万８０００人不足しているとのことなので、このカードは「おそらくドイツの大学を卒業したものに魅力的だろう」とコメントしている。

　さらに「南ドイツ新聞」によると、ドイツで初のＥＵブルーカードを取得したのは、ミュンヘンに勤務するインド人のＩＴ専門家だそうだ。２０００年から２００４年まで、ＩＴ専門家対象の特別査証グリーンカード発給の際には、年収を最低5万ユーロ（７００万円）得ていた者と規定していた。これと比較すると、経済界は今回の新しい法案を利用し、安い賃金でよい頭脳を外国から獲得しようとしていることが見てとれる。

　これまでは、ドイツ以外の大学を卒業している外国人は、求職活動の目的ではドイツ滞在の許可が下りなかったが、ＥＵブルーカードを交付されると、6カ月間であれば求職活動が可能になった。また従来、ドイツの大学を卒業した外国人は、12カ月間求職期間を与えられ、滞在許可証が発給されていたが、今回、ＥＵブルーカードを取得しておれば、それが18カ月に延長された。ただしいずれの場合にも、自活できる経済力があることが前提になっている。

　今回の制度変更では、留学生のアルバイト事情にも影響がおよんでいる。ふつうドイツの大学生でアルバイトをする人はほとんどいない。学業に忙しく、またアルバイトができる場所もさほどないからだ。しかし留学生がアルバイトをする場合、さらに場所が限定されてくる。また、以前フルタイムであれば、留学生には年90日、半日だと120日間認められていた労働許可日数が、今回の制度変更でフルタイム労働が年120日、半日労働が240日に増えたので、企業で長期のインターンシップが可能になった。それでもこの労働許可期間延長措置は、留学生にとってはさほど魅力的とはいえない。

ブルーカード発給数であるが、ドイツ政府は当初2012年は6000件と見込んでいたが、実際はそのほぼ倍の1万1300件あった。2017年には2万1700人に、2018年は7月までに8万1000人に発給された。発給された人の出身国の内訳を見ると、最初の4分の1はインド、次の4分の1は中国、ロシア、アメリカ、トルコ出身者が占めている。申請者の半数以上はドイツ国内に留学していた人であり、滞在許可証のタイトルが変わっただけである。

ブルーカードを取得した人たちは、申請して3週間で発給してもらえた、ドイツ語レベルB1に達していたため早い時期に定住許可が付与された、といったふうに、ポジティヴにこのシステムを評価している。第三諸国出身の高資格外国人にはドイツ国内の企業の関心も高いようで、ドイツ政府は大卒者ではない専門職従事者（交通、健康、社会福祉関連分野）にもブルーカードを拡大することを検討している。2015年9月に大量に受け入れた庇護権請求者の雇用も合わせて今後の動向に目を向けたい。

（金城ハウプトマン朱美）

# 54

# EUとポピュリズムの潮流

## ★反EUと排外主義★

一般的に、ポピュリズムとは大衆に迎合して人気を煽る政治手法のことである。ヨーロッパではナショナリズムを鼓舞する場合が主流で、EU各国でポピュリスト政党が躍進しはじめたのは、ギリシャやスペインにおいて欧州債務危機が起こった2010年以降である。債務危機に陥ったギリシャは緊縮財政を強いられたが、他方、EU加盟各国もギリシャを財政支援するという負担を背負うことになった。支援を受ける国も、支援する側の国も、双方ともに遭遇した経済危機を背景に2014年5月の欧州議会選挙でポピュリスト政党の躍進が見られた。

その後、2015年には欧州難民危機が勃発し、いわゆるバルカンルートを中心に100万人以上の難民がヨーロッパに押し寄せた。この難民問題が大きくEUを揺るがすことになったが、さらに追い打ちをかけるように、2016年にはイギリスが国民投票でEUからの離脱（Brexit）を決定し、欧州ポピュリスト政党による反EUの政治潮流が顕著になった。

しかしかつてないほど注目を集めた2019年5月末の欧州議会選挙では、事前の予測でポピュリスト政党のさらなる躍進が懸念されていたが、全体としては議席数の大きな伸びはな

第54章

# EUとポピュリズムの潮流

欧州のおもなポピュリスト政党

| 国　名 | 政党名 | 設立年 | 現党首 | 2019年欧州議会選挙得票率 | 政権における位置付け |
|---|---|---|---|---|---|
| フランス | 国民連合(RN)(旧国民戦線) | 1972 | マリーヌ・ルペン | 23.5%(第1党) | 2017年大統領選で善戦 |
| オーストリア | 自由党(FPÖ) | 1956 | 現在未定 | 17.5%(第3党) | 2017年連立政権 2019年連立解消 |
| ベルギー | フラームス・ベランフ(VB) | 1978 | ゲロルフ・アネマンス | 11.5%(第2党) | 最大野党勢力 |
| イタリア | 同盟（Lega) | 1989 | マッテオ・サルヴィーニ | 34.3%(第1党) | 連立政権副首相 |
| イギリス | EU離脱党(BP) | 2019 | ニジェル・ファラージ | 31.7%(第1党) | Brexit（EU離脱）を主導 |
| スペイン | ボックス(Vox) | 2013 | サンティアゴ・アバスカル | 6.2%(第5党) | 下院でも議席 |
| ドイツ | ドイツのための選択肢(AfD) | 2013 | イエルク・モイテン、アレクサンダー・ガウラント | 11.0%(第4党) | ドイツ連邦会議で第1野党 |

（2019年5月末現在、筆者作成）

かった。とはいえ、今まで多数会派を構成していた既成政党の議席が大幅に減少したため、反EUを掲げるポピュリスト政党の存在は相対的に重みを増している。

おもなポピュリスト政党について簡単にその概要を表にまとめたので参照されたい。一言でポピュリスト政党といっても、その政治的方向性はじつに多様であるということを以下に指摘しておきたい。ただし「ドイツのための選択肢」については、第55章に詳述したのでそちらを参照されたい。

フランスの「国民連合」（旧「国民戦線」）は1972年に創設された比較的古いポピュリスト政党であるが、初代のジャン＝マリー・ルペンが党首のころは反議会主義、反デモクラシーを掲げる右翼勢力だった。また、かれは反ユダヤ的人種差別主義者でもあったので、広く支持を得ることは困難だった。その後、「国民連合」は主張じたいを変化させ、とくに、2011年に党首になった三女にあたるマリーヌ・ルペンは従来からの極右的なイメージを払拭し、2015年には父親のマリー・ルペンを除名するなど民衆に受け入れられやすい政策を前面に出した。2017年4月の大統領選挙では決選投票まで進み、対立候補のマクロンに肉薄した。さらに2019年5月の欧州議会選挙でもその第1党を維持した。

オーストリアの「自由党」も極右系の起源をもつ政党である。1986年にハイダーが党首になってからポピュリスト政党に脱皮した。2000年代に入ってから党内で主導権争いもあったが、着実に勢力を伸ばした。とくに、2016年の大統領選挙では第1回目の投票で「自由党」のノルベルト・ホーファーが首位となった（決選投票では「緑の党」のファン・デル・ベレンに僅差で敗れた）。2017年10月の総選挙では「自由党」が第3党になり「国民党」と連立政権を組み、「自由党」の党首シュトラッヘは副首相に就任した。しかし、2019年5月の欧州議会選挙を前に、シュトラッヘが2年前の選挙でロシアから選挙資金を得たのではないかという疑惑が浮上し、連立政権は崩壊した。

イタリアのポピュリスト政党、「同盟」(Lega) は、2019年5月の欧州議会選挙で第1党となり躍進が著しい。もともと1989年にイタリア北部の工業地帯で労働者保護を目的として結党された地域政党であるが、2018年に排外主義、反EUに軸足を置いてイタリア全土に進出した。党首のマッテオ・サルヴィーニは連立政権のなかで副首相兼内務大臣を務めている。これらフランス、オーストリア、イタリア、さらにベルギーなどのポピュリスト政党は、以前から存在していた極右系の政党であるが、みずからの主張を変えながらポピュリズムの潮流に乗って政権を掌握するまでに勢力を伸長してきた。

その他、オランダの「自由党」やデンマークの「国民党」などは、デモクラシー的諸価値を前提とした政党で、極右とは距離を置きながら民意を摑んできたポピュリスト政党である。2019年5月の欧州議会選挙では議席を獲得できなかったが、これらの政党はリベラルという立場を擁護して、女性差別などイスラームの習慣や風俗を批判し、厳格な移民・難民政策を求めている。

また他方ではこれに対して、リベラルな考え方に反する異質なポピュリスト政党も誕生している。たとえば、ハンガリー、ポーランドなどの旧東欧諸国では司法権の独立を尊重しないとか、きびしくメディアを規制するなどである。このように欧州ポピュリズムは、リベラル・デモクラシーという欧州の価値観をめぐって幅の広い政治運動となっているが、いずれの場合も、EUに対して懐疑的な政治姿勢をとっている。

以上の欧州ポピュリズムの潮流としては、大きく分けて3つに分類することができると思われる。第一は、排外主義または自国第一主義の潮流である。かれらは自国内で格差を生み出し助長している現在の既存秩序やエリート層へ反発し、移民にまで同等の社会保障をする必要がないと、自国民だけの福祉国家を主張する。

第二の潮流は、東欧などを中心にした反リベラルの流れである。リベラルとは法を拠り所として個人の自由を守ろうという考え方であるが、裁判所を政治化したり、政権を批判するメディアを統制したりする反リベラルの傾向があり、デモクラシーという名の下で多数派の意思を邪魔するものはすべて潰すという傾向が見られる。

第三の潮流としては、反イスラームである。これは排外主義とも重なっているが、宗教的、人種差別的イデオロギーにもとづく反イスラームだけではなく、人権や自由、男女平等といったヨーロッパ的価値観を守るという立場からイスラームを批判することで、極右や排外的ナショナリズムとは距離を置いている。

最後に、欧州ポピュリズムを生み出す背景にはEUじたいにもその原因があるのではないかという点にも言及しておきたい。EUは、EUという組織体の益を追求するのがその目的である。EUの法制度は国家から独立しており、EUのルールは国家の法令に優先する。つまり、加盟各国が自国の主権の一部をEUに譲渡することによって、EUが超国家的に運営されている。とくに、共通通貨ユーロに関する金融政策は欧州中央銀行が独立して決定する。したがって、ユーロ圏に加盟している国々にとっては自国の金融政策はなく、欧州中央銀行の政策に依存せざるを得ない。

たとえば、ギリシャが財政危機に陥った際にもギリシャは独自の政策がじゅうぶんとれずに国民の不満が爆発した。このように、経済問題や移民・難民問題など一般大衆にとって非常に身近な国内問題について自国だけではなすすべがなく、EU本部という外部にいるエリート官僚によって判断され決定されることになる。つまり、EU統合が深化、拡大することにより加盟各国の国内政治が空洞化しており、もはや国内の既成政党だけでは民意に対応できなくなってきている。このような状況が、自国第一主義やナショナリズムを標榜するポピュリスト政党が誕生する土壌となっている。欧州ポピュリズムは、ある意味、EUの発展とともに必然的に生じた現象である。しかし世界政治におけるEUの存在意義は極めて重要であるので、欧州ポピュリズムが浮き彫りにしたさまざまな問題点や課題は、今後「EU改革」として解決されていくことを期待したい。

（田原逸雄）

# 55

# EUと「ドイツのための選択肢」

★ドイツのナショナリズム★

ドイツでは、ナチスがヴァイマル共和制下でポピュリスト政党として急速に権力を掌握した過去を反省して、反民主的政党は禁止され、正面切ったナショナリズムや排外主義的な主張をするポピュリスト政党が結成されるのを意図的に抑制してきた。議席獲得に得票率５％以上が必要とされる「５％条項」など、小党乱立を防ぐ選挙制度も導入されている。このような歴史的背景にもかかわらず、２０１３年４月に「ドイツのための選択肢」が結成された。次ページに同党の概要を表にまとめているので参照されたい。

まず同党が誕生するに至った経緯を概観しておきたい。同党を結党に導いた初代党首はハンブルク大学経済学部教授のルッケ(Bernd Lucke)で、同党の中心メンバーには経済学研究者や中小企業経営者が多く、とくに金融・通貨関係に力点を置いてＥＵへの批判を展開した。ギリシャをはじめとする他国の金融不安を救済するために欧州安定メカニズム（ＥＭＳ）を創設し、ドイツがその負担を引き受けるという政策に反対した。共同市場としてのＥＵを否定はしないが、共通通貨ユーロを解体し、自国通貨マルクの再導入などを主張した。

「ドイツのための選択肢」概要

| | | | |
|---|---|---|---|
| 党名 | Alternative für Deutschland (AfD)「ドイツのための選択肢」 | | |
| 創立 | 2013年2月6日 | | |
| 党首 | 初代 | 2013年2月 | ベルント・ルッケ、フラウケ・ペトリ、コンラート・アダム（3人代表制） |
| | 第2代 | 2015年7月 | フラウケ・ペトリ、イエルク・モイテン（2人代表制） |
| | 第3代 | 2017年12月 | イエルク・モイテン、アレクサンダー・ガウラント（2人代表制） |
| 党員・党友数 | 20,706名（2016年） | | |
| 政治的立場・思想 | 右派、極右<br>ドイツ・ナショナリズム、右翼ポピュリズム、欧州懐疑主義、保守主義、国民保守主義、経済的自由主義、反イスラーム、反移民 | | |
| ドイツ連邦議会 | 94議席（全631議席中）（2017年9月24日）第1野党 | | |
| ドイツ連邦参議院 | 0議席（全69議席中） | | |
| ドイツ連邦州議会 | 145議席（全1,857議席中） | | |
| 欧州議会 | 11議席（ドイツ選挙区96議席中）（2019年5月26日選挙結果） | | |

（筆者作成）

同党は２０１４年の欧州議会選挙では得票率７・１％で７議席を獲得した。さらに、ドイツ国内の州議会選挙でも次々と議席を獲得し、２０１６年半ばの時点ですでに16州のうち８州では議席を獲得した。とくに、ドイツ東部の州では早くも２０１４年の州議会選挙で得票率が10％を超える州が相次ぐなど、中道・保守系の有権者を中心に旧東ドイツ地域で多くの支持を得た。ドイツ国内で経済格差に苦しむ旧東ドイツ地域の人びとは、自分たちよりもギリシャなど他国への支援を優先する既成政党のＥＵ政策に反発した。

一方、党勢が拡大するにつれて、党そのものの方向性や体質が変容していった。最初はＥＵの経済政策に対する反発から結党したが、次第に反外国人、反イスラームをはじめとする排外主義的な主張が強まるようになった。とくに、右派勢力の強い旧東ドイツ地域で多数の議席を獲得したことが党の路線に強い影響を与えた。２０１５年エッセンにおける臨時党大会で右派勢力を背景としたペトリ（Frauke Petry）が党首に就任し、前党首のルッケは離党した。ペトリは化学者で党創設メンバーの1人でもあるが、ユーロ離脱の主張に加えて反移民、反難民の姿勢を前面に出した。その後、ヨーロッパ各地におけるイスラーム過激派による事件の続発、2015年にピークを迎えた中東地域、とくにシリアからの難民の大量流入、といった政治情勢のなかで反移民・反イスラームの旗幟を鮮明にしたことが党の追い風になった。100万人以上の難民を受け入れたメルケル首相を激しく批判し、ドイツの有権者に強く訴えた。

2016年9月、旧東ドイツ地域のメクレンブルク＝フォアポンメルン州の州議会選挙で「ドイツのための選択肢」は得票率20・8％という成果を挙げ、「社会民主党」（SPD）に次ぐ第2党に躍進した。同州はメルケル首相のおひざ元であるにもかかわらず、難民受け入れに積極的なメルケルの不人気は覆いがたく、与党の「キリスト教民主同盟」（CDU）は第3党に沈む大敗を喫した。

その後、ペトリ党首の下、連立政権入りを目指して穏健化する動きも見られたが、2017年12月の党大会ではさらなる右傾化による路線対立が起こり、今度はモイテン（Jörg Meuthen）が党首に就任し、ペトリが党を去らざるをえなくなった。現下のドイツの政治風景のなかで、「ドイツのための選択肢」は、政権与党のCDU／CSUよりはやや右寄りにその政治的な定位置を得たようには見えるが、党内にはいまださまざまな勢力が分立しており、一部指導層にも極右、極右ラディカル、さらにドイツ特有のフェルキッシュ（Völkisch）思想（ナチス政権時代の国家社会主義と同義語）の持ち主もいるといわれており、先行きに予断は許されない。

次に「ドイツのための選択肢」を育んでいる旧東ドイツ地域の歴史的な背景に注目してみたい。東ドイツは第二次世界大戦の結果、旧ソ連占領地区から社会主義国家として誕生した。東ドイツの国民としては、ナチスドイツから受けた壊滅的な戦後の状況を克服して国家建設に取り組んだという自負がある。つまり東ドイツの人びとは、自分たちはナチスの「被害者」であるとの認識から出発している。ソ連の後ろ盾を得ながら、敵であるナチスに打ち勝って社会主義国家を建設したのである。

たしかにモノが溢れ自由を謳歌している西ドイツに憧れはあったが、社会主義圏のなかでは優等生としての発展を遂げ、社会保障もそれなりに充実し、国民はある意味幸せに暮らしていた。ところが1980年代末、ソ連など社会主義国が崩壊し東西の冷戦構造が終焉すると、東西ドイツは1990年10月3日に再統一された。選挙の結果であったが、東ドイツは西ドイツに編入されるというかたちで再統一が進められた。

当時の経済力の差は歴然としており、西ドイツの企業は猛烈な勢いで東ドイツの企業を買収していった。それは東ドイツの企業を存続させるためではなく、すべて廃棄して西側のコンセプトで新たに建設するためであった。東ドイツに長年蓄積されてきた、しかし効率の悪い生産財はことごとく廃棄された。当然、そこで働いていた労働者の多くは解雇され路頭に迷った。失業率が50％以上に達することもあり物価も高騰したため、他の地域や国外に移住した人びとも少なくなかった。

東ドイツ時代のあらゆる制度が否定され、東ドイツ時代に取得した学位や職業資格の多くが認められず西側の資格を取り直したり、まったく違う職種に転職したりした。旧東ドイツの人びとは過去そのものを否定されたのである。東西ドイツ統一後の格差に苦しむ旧東ドイツの人たちが「ドイツのための選択肢」にみずからの夢を託しているとしても不思議ではない。ただし、ZDF（第2ドイツテレビ）の2017年9月の調査によれば、旧東ドイツ地域で「ドイツのための選択肢」を支持する有権者の80％は「既成政党への警告」という観点から同党に投票しているという調査結果が明らかになっている。

現在、EU全域でポピュリスト政党がナショナリズムを標榜して勢いを増している。ドイツのみならず、フランスでもポピュリスト政党「国民連合」が政治的プレゼンスを高めている。いうまでもなく、ドイツとフランスは欧州統合の一対のエンジンであった。両国が中心となってEUを牽引してきたのである。しかし図らずも今、両国でポピュリスト政党が台頭し、ナショナリズムを掲げて権力に近付いてきている。ただ、ナショナリズムと一言にいっても、ドイツのナショナリズムとフランスのナショナリズムとの間には基本的な違いがある。

ドイツ・ナショナリズムは「ドイツ語を話すドイツ人」、すなわち同一言語・同一人種という民族主義的国籍原理が基礎にある。要は、「同じ血が流れている」という民族意識であるといってよいだろう。フランスのように普遍原理に根ざしたナショナリズムとは根本的な違いがある。ドイツのように血統主義を強く打ち出して「国民」を定義するというのは、ヨーロッパでは特異な存在といえる。この言語や「人種」を指標とした国民形成や排外的国民意識は、すでにナチスの時代に経験したことである。「ドイツのための選択肢」という新党は、いまだ変遷の途上にあり、現時点での予断は差し控えたいが、いずれにしても歴史が逆戻りしかねない大きな懸念材料であることには違いない。

（田原逸雄）

## コラム6

### 30年後のヨーロッパの人口動態

浜本隆志

少子化によってドイツは人口が減少することが予想されているが、これに関して、2050年のヨーロッパの人口動態図が提示されている。地図は紙幅をとるので割愛するが、ヨーロッパの主要な国々の増減のパーセンテージだけを次ページに列挙しておきたい。それを見ると、およそ30年後の近未来のドイツないしヨーロッパの姿をイメージすることができる。日本の多くの人びとは、少子高齢化と成熟社会を迎えたヨーロッパでは、全体的にも人口が減るだろうと予想するかもしれない。しかしそうではないのである。

人口がかなり増える国々と、大幅に減少する国々に分かれる。これは日本の少子化問題を考える際にも、多くの示唆を与えてくれるので分析してみよう。

全体の特徴として、西ヨーロッパは増加、東ヨーロッパは減少傾向を示しており、奇妙なことに中世の12～13世紀と同様な現象が見られる。当時も東ヨーロッパは過疎に悩み、西ヨーロッパは都市に人口が集中した。まず2050年の人口動態において、トップのルクセンブルクは先進国でもっとも税率が低く、外国企業が多く進出し、国民1人あたりのGDPも世界一（2018）であった。金融立国として成功し、裕福な国であるので、人も集まりやすいことが考えられる。人口がわずか58万人程度で、小さな国であるが、世界の注目が集まっている。

次に北欧ノルウェーやスウェーデンは社会保障制度が充実しており、安心して生活ができる。また移民を比較的多く受け入れるので、トータルとしてかれらが人口を補完する役割も果たす。3つ目にはベルギー、スペイン、イギリス、フランス、オランダなどは、旧植民地をもっていた国々で、かつて宗主国であった関係から、移民は言語的に共通しているこれらの国々へ移住したがるのである。

さて大幅に減少する国々として、モルドヴァ、バルト3国、ブルガリア、ポーランドなどがある。これらの国々には自力で出生率増を達成できないばかりか、仕事がある西ヨーロッパ各国へ移民を送り出す側にまわっている。というのも自国に働き口が少なく、移民を呼び込むことができないからである。参考値としての日本も、かなり深刻な数値を示している。

ドイツは移民も受け入れており、工業国で働き口もあるにもかかわらず、東欧ほどではないが、12・9%の人口減少予想になっているのはなぜだろうか。それは出生率の低さに起因していることと、もう1つの大きなファクターとして、再統一後の旧東ドイツの過疎化が足を引っ張っていると考えられる。ヨーロッパ全体で起きている人口の集中化と過疎化がドイツ国内でも起こり、トータルとして減少しているのである。旧東ドイツ問題はここでも重い課題となっている。

**2050年に増える国々**

| | |
|---|---|
| ルクセンブルク | ＋48.4 |
| スウェーデン | ＋21.2 |
| ノルウェー | ＋20.0 |
| スペイン | ＋13.2 |
| ベルギー | ＋11.8 |
| イギリス | ＋7.5 |
| フランス | ＋6.9 |
| オランダ | ＋5.1 |
| イタリア | ＋3.5 |

**2050年に減る国々**

| | |
|---|---|
| モルドヴァ | −44.2 |
| リトアニア | −37.7 |
| ラトビア | −35.9 |
| エストニア | −29.4 |
| （日本 | −24.9） |
| ブルガリア | −21.9 |
| ウクライナ | −16.0 |
| ポーランド | −14.2 |
| ドイツ | −12.9 |
| ハンガリー | −12.7 |
| ロシア | −9.8 |
| ルーマニア | −8.2 |
| デンマーク | −2.7 |

（出所：http://factsmaps.com/projected-population-change-european-countries-2017-2050/）

# XI

# 日本のなかのドイツ
## ——日独文化交流史

# 56

# プルシアンブルーと北斎、シーボルト

## ★日独文化交流の嚆矢《こうし》★

江戸時代の日本とドイツとのかかわりは、ドイツ人ケンペル（1651～1716）とシーボルト（1796～1866）がオランダ人に化けて入国したのが嚆矢とされ、鎖国政策下で直接の交流はなかった。かれらはオランダの東インド会社の商社員として長崎へやってきたが、日本の文物に関心をもち、これらをヨーロッパに紹介したことは、今日ではよく知られている。

それだけでなく江戸時代でも、ドイツの技術は間接的に日本の社会に対して大きなインパクトを与えてきた。その1つは、プルシアンブルーといわれる版画の顔料である。これはドイツの錬金術師ヨハン＝コンラート・ディッペル（1673～1734）が発明したものであるが、江戸時代にオランダを介して日本に輸入された。とはいえ遠路はるばる運ばれてきた高価なものであったので、後には中国で製造されたものが、比較的廉価で入手することができるようになった。鮮明なプルシアンブルーの青は、浮世絵師葛飾北斎、伊藤若冲、歌川広重らが関心を示し、「ベロ藍」などの通称で知られるようになった。なお「ベロ藍」はベルリン藍が訛ったものである。

こうしてプルシアンブルーは1830年ごろから江戸時代後

# 第56章
## プルシアンブルーと北斎、シーボルト

期の版画で多用され、日本でも急速に普及した。白から濃紺のブルーの濃淡は、プルシアンブルーだから描けたものである。それまでは青はツユクサ、あるいは藍、ヨーロッパではラピスラズリが原料であった。ただ顔料としてこれらはあまり使い勝手もよくなかったし、とくに植物性の青色は変色する難点があり、ラピスラズリはあまりにも高価であった。従来の青に比べると、プルシアンブルーは水によく溶け、濃淡も自由に付けられたので、鮮明度や透明度が抜群であった。それを用いた版画は人びとを驚かせた。

とくに北斎の有名な「神奈川沖浪裏」は、波の一瞬の美しさを図のように捉えている。波の飛沫の白、淡い水色、青、濃紺と使い分けながら、一瞬の大波をカメラのシャッターのように切り取り、遠近法の手法で普遍の富士を描く構図は、北斎の天才ぶりをよくあらわしている。北斎の富士山シリーズ「富嶽三十六景」は当時の富士講参りを背景にしていたので、人気が急上昇したわけだが、プルシアンブルーがその人気に拍車をかけた。

「神奈川沖浪裏」

日本の浮世絵はめぐりめぐってヨーロッパへ紹介され、ジャポニスムブームを引き起こした。これがモネ、ドガ、セザンヌ、ゴーガンなどに多大な影響を与えたことはよく知られている。ここでは日本とドイツの文化交流を、プルシアンブルー、北斎、シーボルトに絞ってクローズアップしたい。

江戸時代後期の１８２３年に来日したシーボルトは、ヴュルツブル

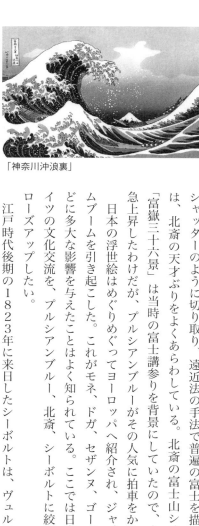

ク生まれのドイツ人であった。かれの名前はドイツ語風に表記すると、フィリップ・フランツ・フォン・ジーボルトとなり、フォンが示すように貴族出身である。事実、父はヴュルツブルク大学産婦人科の教授であった。シーボルトは知見を広げるために海外へ渡航し、バタビアの東インド会社をへてオランダ人として長崎にやってきた。

シーボルトは日本で多くの活動をおこなっているが、とくに膨大な日本の品物、資料を収集している。禁制の日本地図すらもち帰ろうとしたことが発覚し、「シーボルト事件」によって国外追放されたのはよく知られた歴史的事実である。このような状況は何を物語っているのであろうか。歴史の背後にある闇の話であるが、シーボルトは東インド会社に雇われた「諜報員」であったと推定される。鎖国中の日本との交易相手のオランダ王国は、それにかかわっていなかっただろうが、むしろ貿易の実務を担っていた「東インド会社」の方が、商売のために日本の情報を欲しがっていた可能性が高い。

当時の慣行であったが、シーボルトはオランダ商館長といっしょに出島から江戸へいき、将軍に拝謁をした。これは格好の情報収集のチャンスであった。奇妙なことにシーボルトは、その機会に江戸日本橋の長崎屋で北斎と会い、絵を注文している。これは明らかに日本の動向を探る行動ではなかったか。そればかりか北斎も、同じくヨーロッパの情報を欲しがっており、本業における絵画の遠近法も、シーボルトを介して体得したのではないかといわれている。

その証拠にシーボルトが日本からもち出した絵画のうち、現在のオランダ、ライデン国立民族学博物館蔵の6点が北斎の自筆であったという報道が2017年にされた。それは遠近法にもとづく風景画である。そのなかにプルシアンブルーを用いた絵が含まれていたのか否かは、今後の研究を待つしか方法がない。しかし北斎は不思議な人物である。天才的な浮世絵師であったけれども、頻繁に改名したただけでなく、93回も宿替えをしている。それが何のためであったか、穿った見方ではかれは幕府の間諜であったという説がある。

松尾芭蕉にも同じ説があり、旅をしながら俳句を詠むという大義は間諜をカムフラージュする格好の口実になるが、絵師の場合も、各地を移動する大義名分があり、人物描写は得意である。そうすればシーボルトと北斎は、幕府と東インド会社の情報収集の接点になっていた可能性がないわけではない。しかもシーボルト事件の際に、日本地図を渡した幕府天文方高橋景保は獄死したし、シーボルトは国外退去を命じられたが、シーボルトと接触があった北斎はお咎めなしであった。間諜は証拠を残さないので、もちろん断定できないが、幕末の外国との微妙な関係に神経を尖らせていた幕府も、情報が欲しかったので間諜を放っていたのは事実である。

しかし歴史は不思議なものである。日本開国のきっかけとなったペリーもシーボルトの日本に関する記述を読んでいたのだから。そのことをペリーは『日本遠征記』のなかで書いている。しかもペリーは日本来航前に、シーボルトがいっしょに同行して再度日本へ渡航したい旨をかれに要請したことも明かしている。しかしペリーは日本を追放されたシーボルトに同行されると、日本を開国させる目的が果たせず、かならずトラブルのもとになるので、断固拒否している。おそらくシーボルトは内妻タキと自分の娘に会いたくて、再来日を考えていたのではなかろうか。それが叶えられるのは明治維新の直前、1859年になってからである。しかし日本との関係はかれの息子アレクサンダーが継承するのである（350ページ参照）。

（浜本隆志）

# 57

# 明治の国のかたちとドイツ帝国

## ★ビスマルクの忠告★

日本が明治時代の初期にドイツに対する関心をもったのは、江戸時代からなじみのオランダ語とドイツ語の親近性も影響している。しかし明治前半の1900年までにおける「お雇い外国人」の出身国別順位は、イギリス、フランス、ドイツ、アメリカであり、ドイツは下位である。イギリスの存在感が大きいのは、薩英戦争、長英戦争以降、明治維新のときに薩長とのかかわりが深かったためであるが、事実、当時のイギリスは先進資本主義国であり、大英帝国の威光があった。フランスとドイツの日本に対する影響力は、普仏戦争（1870～71）にプロイセンが勝利して逆転する。

ドイツが日本の針路に決定的な影響を与えたのは、「岩倉使節団」の欧米視察によってである。岩倉具視、伊藤博文らは、1871年12月から日本を出国し、アメリカ、ヨーロッパを歴訪して、1873年9月に帰国しているが、米英では、おもに資本主義、科学技術、生活文化を、フランスでは軍隊組織、芸術、ドイツでは政治体制などを熱心に視察した。とくにドイツは1871年に統一国家が誕生した直後であり、当時のドイツ帝国は、使節団にとって関心のある国家であったからである。

1873年3月15日に使節団は宰相ビスマルクと会談をした。そのときビスマルクは次のように述べたと記録されている。

――かのいわゆる「万国公法」（国際法）は、列国の権利を保全するための原則的取り決めではあるけれども、大国が利益を追求するに際して、自分に利益があれば国際法をきちんと守るものの、もし国際法を守ることが自国にとって不利だとなれば、たちまち軍事力にものを言わせるのであって、国際法を常に守ることなどはあり得ない。……わが国もそのような状態だったので私は憤慨して、いつかは国力を強化し、どんな国とも対等の立場で外交を行おうと考え、愛国心を奮い起こして行動すること数十年、とうとう近年に至ってようやくその望みを達した。……英仏両国は海外植民地を搾取し、その物産を利用して国力をほしいままに強め、他の諸国はみな両国の行動に迷惑を感じているという。ヨーロッパの平和外交などはまだ信用するわけには行かない。……国権と自主を重んずるわがドイツこそは、日本にとって、親しい中でも最も親しむべき国なのではないか――（久米邦武編『米欧回覧実記　第3巻』水澤周訳）

岩倉使節団（中央　和装した岩倉具視）

その後、伊藤博文らは再度渡欧し、明治憲法制定のモデルをドイツに求めた。当時、民主主義的な議会政治という観点から見れば、アメリカやイギリスが先進国といえ、ドイツは後発であった。しかし明治時代の指導者たちは、日本の将来の国のかたちは、ドイツを手本にする方がふさわしいと考えた。というのも国情が以下の3点において類似していたからだ。

1．ドイツは立憲君主制であり、ドイツ皇帝を宰相ビスマルクが支える政治体制であったこと。
2．かつて18世紀まで300もの小国が分立していたドイツを、プロイセンが中心になって統一したこと。
3．当時のドイツは農業国であったが、産業革命後、工業国として近代化を目指していたことなど。

明治帝国憲法は現代の視点から見れば、たしかにいろいろ問題点を指摘されるが、憲法もない時代から、日本が一足飛びに民主憲法を導入することは不可能であった。こうしてビスマルクの力の論理で政治支配をする精神を、日本は立憲君主制とともに受容した。ビスマルクはかつて領土拡大をしないといっていたが、宰相時代の後半には、アフリカの植民地を獲得している。もちろんそれはドイツだけでなく、英仏露などのヨーロッパの列強の世界観でもあった。その世界観に影響され、日本も植民地主義を目指すようになり、これが結局、日本が太平洋戦争への道へ歩んでいくことにつながる。

ビスマルクが主導したドイツ帝国は、皇帝ヴィルヘルム1世の死去後、実質的に跡を継いだヴィルヘルム2世によって植民地主義を標榜し、露骨に覇権を目指すようになった。ビスマルクは遠ざけられ、皇帝ヴィルヘルム2世は、遅ればせながら海外進出を強化し、日清戦争時には「黄禍論」を主張した。その後、ドイツに留学した音楽家の山田耕筰が、ベルリンで偶然、ヴィルヘルム2世と顔を合わせた。その事情を山田耕筰『自伝　若き日の狂詩曲』から引いておこう。皇帝のアジア観を垣間見ることができるからだ。

山田が渡独して2年目の1912年に、山田の通う音楽学校『王立音楽学院』に皇帝ヴィルヘルム2世があらわれた。東洋人は山田1人であったので目立ち、「君は中国人か」と皇帝に声をかけられた。山田は「いえ日本人です、陛下」と答えると、皇帝は「日本人と音楽、ふしぎだ」といった。「ドイツをどう思う」、「素晴らしいと思います」、「そうかしっかり勉強することだ！」と。山田は皇帝から励ましの言葉を賜ったとコメントしている。

しかしこの山田の記述の背後に、皇帝の「黄禍論」がなかったとはいえない。皇帝はなぜ山田の前で立ち止まり、中国人かと聞いたのだろうか。皇帝のいったJapaner und Musik! Aber komisch. を山田は「日本人と音楽、ふしぎだ」と訳しているが、後半のニュアンスは「ふしぎ」ではなく、「それにしてもおかしい」という意味で、「日本人に音楽なんてできるか」といっていると解すべきであろう。そうとれば、皇帝の科白の「しっかり勉強することだ」も皮肉な響きを帯びてくる。

皇帝は、みずからぶち上げた「黄禍論」の対象とした中国人と日本人を、自分の目で確認しようとしたのではないか。そうでないと立ち止まって質問するはずがない。表面上は山田がそつなく答え、皇帝もうまくやり過ごしているように見えるが、皇帝の胸の内では、こいつが日清・日露戦争で勝った日本人の面かという風に、この対話から皇帝の心理を分析して、つい穿った見方をしてしまう。

音楽家山田はあの有名な皇帝の髭より、「砂利場に鉄板を引きずり廻すようなガラガラ声を想い出す」と述べているが、この皇帝は何かと話題の多い人物であった。先代ヴィルヘルム1世に仕えたビスマルクを失脚させ、第一次世界大戦でみずからが退位させられ、オランダに亡命したことで知られる。ナチス時代にはこの時代を第二帝国、それ以前の神聖ローマ帝国を第一帝国、ヒトラーが政権をとってからを第三帝国と称したが、こうしてドイツ第二帝国が終焉を迎え、やがてヒトラーのいう第三帝国が生み出されるのである。

（浜本隆志）

# 58

# 敗者の矜持

## ★第一次世界大戦時の日本とドイツ★

日本とドイツは第一次世界大戦時に敵国同士となり、中国の青島《チンタオ》（当時、ドイツ帝国の東アジアの拠点）で対峙した。青島を守るドイツ兵は善戦をしたが、戦いに利あらずして1914年11月8日に降伏し、かれら4700名は俘虜（＝捕虜、当時そう表記）として日本へ送られてきた。そのうち324名が香川県丸亀市の通称「塩屋の御坊さん」（西本願寺塩屋別院）に収容されることになった。ドイツ兵たちは11月16日に隣接する多度津港へ、数千人が見守るなか到着した。

港から収容所まで6キロメートルの距離であったが、途中の村の入り口には「大いにこころより、かつ大いに同情を込めて歓迎します」という文字がドイツ語で掲げられていた。村の村長が医者から教えてもらったドイツ語で書いたという。このことから日本では敵兵を見下すという雰囲気ではなく歓迎ムードで、ドイツ兵の将校たちはマントをなびかせ、堂々と行進した。

事実、大正時代の日本政府は、「ハーグ陸戦条約」を遵守して俘虜に労働を課さずに（将校には給料を支給！）、収容したドイツ兵から外国文化を学ぶという方針を打ち出していた。背景にはドイツは先進国という意識が日本人のなかにあり、また大

エンゲルが率いていた「丸亀保養楽団」

石井所長と俘虜将校、日本人幹部の合同写真

正デモクラシーの風潮があったからかもしれない。

寺院の収容先には大きな本堂があって、これを仕切ってドイツ兵を受け入れた。秩序を保つために、俘虜になる前のドイツ軍の階級がそのままにされ、将校はそれらしく遇された。石井彌四郎所長（就任時、陸軍中佐）の訓示の後、約1カ月経った12月22日に、当時の藤好乾吉丸亀市長が、助役と6名の市参事会員（現在の市会議員）を連れ、慰問に訪れている。

俘虜の生活はまことに牧歌的で、義務を果たすことが少なく、いつも時間を持て余していた。坂東の俘虜収容所の楽団は有名であるが、丸亀でもそのルーツである楽団（後に「丸亀保養楽団」と称した）が結成され、指揮はエンゲルという人物がおこなった。その写真が残されており、台に立っているのがエンゲルである。かれは音楽隊出身で「上海工部楽団」（この後継楽団で朝比奈隆や服部良一らが指揮した）のヴァイオリン奏者であったが、大戦時に青島へ馳せ参じていた人物である。俘虜の話では、かれはドイツでも屈指のヴァイオリンの名手だったという。

写真の左端が楽団の第1ヴァイオリンのベルリーナーである。かれは東京帝国大学の商業学の教師で、大戦時に職を辞して青島へいき、その要塞で俘虜になった。なおベルリーナーは俘虜収容中に、東大へ復職願を提出したが、教授会はこれを拒否した。しかし終戦後、東大経済学部の外国人教師として復職している。

　エンゲルやベルリーナーらの楽団は丸亀俘虜収容所、あるいは近隣の丸亀高等女学校で23回演奏した。曲目はクラシックで、ベートーヴェンの「ヴァイオリン協奏曲ニ長調」、同じく「ピアノ協奏曲第2番変ロ長調」、イヴァノヴィッチの「ドナウ川のさざ波」、J・F・ワーグナーの「双頭の鷲の旗の下に」、サラサーテの「ツィゴイネルワイゼン」など有名な曲が多いが、ベートーヴェンの「第9交響曲」は記録にない。

　さてドイツ人俘虜と近隣住民の文化交流は活発におこなわれたが、その1つとして、かれらが丸亀で女子サッカー（当時はフットボールと称した）を広めたという説が近年急浮上した。「なでしこジャパン」のルーツが丸亀市であったという証拠写真も公表された。1920年前後の写真であるが、当時の丸亀高等女学校（現在丸亀高校）の女子生徒たちがタスキをかけ、はかま姿でサッカーに興じている姿が写っている。タスキのありなしで、敵、味方を区別したわけである。当時の文集にも、女子生徒の1人が「フットボール」をしすぎて、大根足になって笑われたと書いている。

　サッカーが誰によって導入されたのか、推測の域を出ないが、ドイツ人俘虜だった可能性が極めて高い。というのは丸亀俘虜収容所に収容されて間もない1914年11月30日に、フットボールが1個支給され、ドイツ人たちがたいへん喜んだという記録があるからだ。しかも俘虜たちは音楽会を丸亀高等女学校でも開き、頻繁に交流があったので、当時、かれらがフットボールを彼女たちに教えたと考えられる。

　これまでは神戸女学院中等部が1966年に女子サッカーをはじめたとされ、それがルーツといわれてきたが、約50年も遡る大正時代に、女子サッカーが丸亀にはじまっていたのである。日本サッカー協会もそれを認め、「なでしこジャパン」の佐々木則夫監督が2015年に丸亀で合宿や親善試合をおこなった。

さて歴史的には、丸亀俘虜収容所は徳島県の坂東俘虜収容所に統合されることになった。映画『バルトの楽園』は坂東へ統合された後の、日本人とドイツ人俘虜との心温まる交流を描いたものである。なおバルト（Bart）はドイツ語で「髭《ひげ》」という意味であるが、毅然とした軍人のシンボルをあらわしている。

それはともかく、映画でも坂東が「第9」の日本初演の地であったとされているが、ではなぜ「第9」の初演が日本の音楽史に名を残すほど重要視されるのか。ベートーヴェンなら丸亀ですでに初演されていたではないか。それは「第9」のキーセンテンス「人類みな兄弟になる」（Alle Menschen werden Brüder）が人間のあるべき姿を示しているからだ。フリーメイソンとかかわりがあった文豪シラーの「歓喜に寄す」の一節であるが、それに感動したベートーヴェンが作曲したのが「第9」であった。これが坂東の勝者、敗者の垣根を越え、人間として一体化した姿をシンボル化しているがゆえに、「第9」が重要なのである。

丸亀俘虜収容所のエンゲルやベルリーナーらも坂東へ移された。坂東俘虜収容所は四国の徳島、丸亀、松山の3つの収容所を統合した新しい施設であった。エンゲルらはここでも「エンゲル楽団」を結成し、演奏活動を継続した。坂東には少なくとももう1つの別の楽団が結成されていたのである。それはヘルマン・ハンゼンという軍楽隊長が率いるグループの楽団であって、かれらが1918年6

月1日に45人で「第9」を初演した。

ハンゼンはすでに徳島収容所時代に楽団を結成していた。坂東には合計1000人の俘虜がいたのであるから、気心のあった仲間が別々に丸亀グループ、徳島グループをつくって、切磋琢磨していたとしても不思議ではない。

坂東の日独交流のエピソードはすでに映画だけでなく、本にもなっているので省略する。ただ、松江豊寿《とよひさ》所長（就任時は陸軍中佐）の俘虜に対する処遇は、今日まで語り草になっている。1918年11月、俘虜から解放される日、松江所長の自由の身になったドイツ人たちへのはなむけの感動的な言葉、そして俘虜たちのこころからの謝辞と手づくりの記念品の贈呈は、「坂東の奇跡」という言葉で伝えられている。それというのも松江所長が会津出身であったからだ。会津は戊辰戦争で賊軍となり、会津人は戦争時だけでなく明治時代にいうにいわれぬ辛酸をなめた。松江所長は会津藩士であった父から敗者会津人の悲劇や、薩長による冷遇を聞かされたので、かれはそれをむしろ糧とし、武士道のあるべき姿をこころに刻んでいた。その経験があったからこそ、俘虜に対しても人情味溢れる人道的な対応ができたものといえる。

勝者になるか、敗者になるかは時の運である。松江所長も敗者の歴史を背負って生きてきた。ドイツ人のエンゲルは上海での演奏家を辞め、補充兵として青島へ駆けつけた。ベルリーナーも東大教師を辞め、東京からやむにやまれず青島へいった。俘虜の大部分は祖国愛から戦場へ赴いた結果、敗者になった者たちである。丸亀、坂東の俘虜収容所にかかわった人びとの歴史を見ると、相互に置かれた立場は違うけれども、人間の矜持を持ち続けていたことが分かる。

（浜本隆志）

# 59

# ヒトラーの日本観と日本のナチス観

★すれ違う思惑★

周知のように、昭和の日本はヒトラーのナチスドイツ、イタリアのムッソリーニとのつながりを次第に深め、日独伊三国同盟（１９４０）へと突き進んでいく。ナチスの思想形成に重要な役割を果たしたのが、そのイデオローグのカール・ハウスホーファー（１８６９～１９４６）であった。

日本では太平洋戦争以前に地政学という言葉が流行ったが、それはハウスホーファーの影響である。この学問はとくに植民地獲得競争の時代に、軍事と地理的戦略構想とのかかわりから重要視された。ハウスホーファーは駐日ドイツ大使館の軍事オブザーバーとして、１９０８年から10年にかけて日本に滞在した。ただし一般にいわれているような駐留武官の身分ではない。

ハウスホーファーは日本の宮中でも大歓迎され、明治天皇、桂太郎、後藤新平、寺内正毅《まさたけ》、奥保鞏《やすかた》など、多くの日本の政治的・軍事的指導者たちと知己を得た。ただし東京滞在は短く、おもに京都が気に入り、そこに腰を落ち着けた。極東の日本から世界を見ることにより、かれの地政学研究の基礎が確立した。ハウスホーファーは日本文化に造詣が深く、多くの日本に関する著書を出版し、日本語も話すことができたので、ドイツでも

ランツベルク刑務所のヒトラー（左端）、ヘス（右から２人目）。写真にはハウスホーファーは写っていない

『わが闘争』（1926～28年版）初版本

日本通として知られていた。

ハウスホーファーとナチスを結びつけたのは、ミュンヘン大学時代の教え子のヘスであった。ヒトラーやヘスらナチスグループは、１９２３年11月８～９日にかけて、ミュンヘン一揆を起こしたが、このクーデターは失敗に終わった。かれらは逮捕され、ランツベルク刑務所に収監された。ハウスホーファーはほとんど毎週、本を携えて面会に訪れた。一揆参加者のランツベルク刑務所における監禁はゆるやかであり、面会も許されていたので、かれらに差し入れをするものも多かった。ヒトラーは別荘のような刑務所で快適に過ごし、この時代にゆっくりと思想書を読み漁って知識を広げた。

ハウスホーファーはヒトラーにドイツ民族の生き残りをかけた地政学の思想を教えた。それは『わが闘争』の執筆に大きな影響を与えた。ヒトラーは「東方生存圏」を主張し、ドイツの植民地をソ連東部に求め、そこへ「アーリア人」を入植させ、スラブ人を奴隷化する構想を展開した。そしてかれは、「アーリア民族」の団結によって国家社会主義を確立し、合法的に権力奪取を狙う方針を打ち出した。こうして『わが闘争』が完成するのである。

さてヒトラーが日本をどう見ていたのかについては、視点によって諸説ある。ナチスのイデオローグ、ハウスホーファーが日本通であったので、ヒトラーがその情報から天皇制にもとづく一致団結した「国体」について注目していたのは事実である。またナチスドイツは、日独伊三国同盟締結以降は日本と摩擦が起きないよう外交的な配慮をしてきた。さらに日本が太平洋戦争に突入したときにも、ヒトラーはこれをポジティヴに受け止めた。イタリアが早々に戦線を離脱したのに比べ、最後まで敢闘した日本を高く評価していた。

ところがこれらは、ヒトラーの世界戦略上のスタンスであって、いわゆる表の顔である。ヒトラーには首尾一貫して変わらなかった人種主義への信念があり、これがヒトラーの思想の根幹であった。『わが闘争』においてヒトラーは、日本について触れ、その文化的特徴について次のように述べている。

もし、人類を文化創造者、文化支持者、文化破壊者の三種類に分けるとすれば、第一のものの代表者として、おそらくアーリア人種だけが問題となるに違いなかろう。……日本は多くの人々がそう思っているように、自分の文化にヨーロッパの技術をつけ加えたのではなく、ヨーロッパの科学と技術が日本の特性によって装飾されたのだ。……それ（日本文化：筆者加筆）はヨーロッパやアメリカの、したがってアーリア民族の強力な科学・技術的労作なのである。これらの業績に基づいてのみ、東洋も一般的な人類の進歩についてゆくことができるのだ。……

今日以後、かりにヨーロッパとアメリカが滅亡したとして、すべてのアーリア人の影響がそれ以上日本に及ぼされなくなったとしよう。その場合、短期間はなお今日の日本の科学と技術の上昇は続くことができるに違いない。しかしわずかな年月で、早くも泉は水がかれてしまい、日本的特性は強まってゆくだろうが、現在の文化は硬直し、七十年前にアーリア文化の大波によって破られた眠りに再び落ちてゆくだろう。だから、今日の日本の発展がアーリア的源泉に生命を負っているのとまったく同様、かつて遠い昔にもまた外国の影響と外国の精神が当時の日本文化の覚醒者であったのだ（平野一郎・他訳）。

「アーリア人種」第一主義を標榜するヒトラーは、アジアの日本人を文化の創造者ではなく、二流の文化支持者とみなしている。優れた「アーリア民族」の叡智によって、日本をはじめアジア民族は現状維持をしているというのである。ちなみに第三の文化破壊者はユダヤ人たちを指す。

ここにヒトラーの人種観や日本観が如実にあらわれている。もしヒトラーが第二次世界大戦で勝利しておれば、結局ドイツは日本を属国扱いし、日独には人種問題をめぐって、大きな亀裂と確執が生じたことであろう。ところが戦前の日本はヒトラーの人種観の核心部分を看過して、ナチス賛美に走った。事実、『わが闘争』の戦前の翻訳は、目につく図書館の蔵書だけ調べても、眞鍋良一訳（興風館、昭和17年刊）や、大久保康雄訳（三笠書房、昭和12年刊）でも、この「日本蔑視」の部分をカットして出版していたのである。検閲官がそれを指示したのではなく、いわばこれは訳者の判断で、自主検閲をした結果であると考えられる。当時、日本に人種問題に精通し、鋭くこの問題点を指摘できた検閲官はいなかったからである。

同様な意味において、日本はヒトラーのユダヤ人蔑視についてもあまり問題視をしていなかった。というのも日本国内では、ユダヤ人を直接見る機会がほとんどなかったからである。それに対して、日本側においてユダヤ人問題に直面したのは、有名なリトアニア領事館の領事代理杉原千畝であるが、杉原が逃がしたユダヤ人の行方については歴史の闇にほとんど埋もれたままである。

当時、杉原が発行したビザによってユダヤ人の多くはソ連経由で、まずアジアに向かった。行き先は日本が占領していた上海であった。ナチスは日本の当局に対してユダヤ人排斥を訴え、何度も警告を発した。日本政府側はそれを聞いたが、現場ではナチスの人種主義を無視し、一部のヒューマニストたちは、ユダヤ人の保護に尽力をした。

上海で流入してくるユダヤ人難民に手を差しのべたのは海軍大佐、犬塚惟重《これしげ》である。その意味において、第二次世界大戦時の日本は人種主義に関しては、大きな矛盾を抱えていたといえる。これはユダヤ人差別に対するナチスと日本の乖離現象を示すもので、『わが闘争』の翻訳における自主検閲も、このようなメカニズムのなかで生まれていたのである。したがって日本のナチス受容においても、背景に文化の違いが存在していたことを物語る。

（浜本隆志）

# 60

# ゲーテ・インスティトゥート

## ★ドイツの対外文化政策★

首都ベルリンから遠く離れた地方都市にも、質の高い美術館や歌劇場、コンサートホールなどがあり、ドイツを訪れる旅行者は驚かされる。世界的に名の知られたベルリン、ミュンヘン、ドレスデンなどのオペラハウスを筆頭に、中小都市にも芸術性の高い歌劇場があり、その年間予算の大半を州政府と市が負担している。市民の支払う入場料金による収入は、全体のおよそ3分の1にすぎない。学生や未成年には、日本人には考えられないような割引料金が適用されるなど、市民は格安の料金で一流の音楽や舞台を楽しむことができるのである。

さてドイツでは、芸術・文化の振興は基本法（Grundgesetz）により16の連邦州の権限とされている。この州政府による「文化の高権」（Kulturhoheit）により、ドイツ本土にさまざまな文化の拠点が張りめぐらされることになった。州政府間の文化協力は、州文部大臣会議に委ねられているが、日本のような中央官庁としての文部科学省は、ドイツには存在しない。

第二次世界大戦に敗北し、分断国家として戦後を歩むことになったドイツの外交は、きびしい状況にあった。ナチスドイツによるユダヤ人虐殺（ホロコースト）をはじめとする、戦争犯罪の重荷を背負っての再出発は、ヨーロッパ諸国間の懐疑の眼差しを受けてのものであった。

ドイツが平和国家として生まれ変わるためには、「負の遺産」であるナチスドイツの強烈なイメージを払拭し、「過去の克服」と不戦の決意を内外に示すことが何よりも急務とされた。この国家の姿勢と対外文化政策は、表裏一体の関係にあった。積年の宿敵であったフランスをはじめ、ナチスドイツに蹂躙され続けたドイツ周辺の国々、ベルギー、オランダやポーランドなどの東欧・中欧の被害国の猜疑心を拭い去り、「和解」することからはじめなければならなかった。

ドイツの外交、とりわけ対外文化政策の要は新たなドイツ像の発信にあった。その役割を担ったのが、戦後間もなく設立されたゲーテ・インスティトゥート（Goethe-Institut）である。これはドイツ国内に15の支所を置き、外国人にドイツ語を教えているが、対外的にも世界98カ国に159の支所（2018年時点）があり、文化活動を通じて国際交流、学術交流に寄与している。

ゲーテ・インスティトゥートはおもに国からの財政支援をもとに運営されているが、政府から独立した文化機関として、自主的に活動している。本部が首都ベルリンでなく、バイエルン州の州都であるミュンヘンに置かれているのもそのあらわれといえる。

日本にも東京、大阪、京都（現在はゲストハウスとして、ドイツ人芸術家などの活動を支援し、長期滞在施設として利用されている）の3都市に支部が置かれているが、このことから日本との関係が緊密かつ良好であることがうかがえる。たしかに近年は、ドイツの対外文化政策への予算削減の影響からか、職員削減や図書館の閉鎖などきびしい状況が続いている。とはいっても、逆にドイツにおける日本文化や日本語教育の発信基地は、ケルンの「日本文化会館」のみであるので、文化政策の面ではドイツが健闘しているといえよう。

再統一後のドイツの対外文化政策は、拡大EUの現状と軌を一にしており、中・東欧の近隣諸国およびロシア、さらにはアジアの大国中国へシフトしている。ヨーロッパのなかでも、抜きんでた経済力を背景に、その存在感を増しているドイツは魅力ある労働市場であり、近隣諸国でのドイツ語熱は高まっており、ドイツ語教師不足に悩む国もあると聞く。大学生のドイツ語履修者が減少傾向にある日本と対照的であるといえるであろう。

ゲーテ・インスティトゥートは自主的に運営されているとはいうものの、その活動内容に関しては国の基本方針と齟齬をきたしてはならないことから、一定の制約を受けている。外務省とゲーテ・インスティトゥート本部とは、定期的に会議を開いて意見交換をおこなっており、その際、政権政党の圧力によって文化政策の方向がゆがめられることがないように、ゲーテ・インスティトゥートの方針設定の「自由」が保障されている。日本におけるゲーテ・インスティトゥートの活動に関しては、ドイツ大使館および領事館がその活動内容と任務の整合性を判断している。

筆者は1978年1月から1990年6月まで、ゲーテ・インスティトゥートの大阪支部で、文化広報担当の職務にあったが、1983年のゲーテ・インスティトゥート京都支部の文化会館新設に際し、当時のヘルムート・コール首相の表敬訪問を受けることになった。コール首相はCDU（キリスト教民主同盟）に属する保守派の政治家であるが、新たにオープンした図書館の資料に目をやり、ホロコースト関係や「緑の党」などの市民運動（Bürgerinitiative）の資料紹介は、国を代表する文化機関としては不適切である、との見解を表明した。この出来事は「自由な文化活動への政治的な圧力である」として、ドイツのジャーナリズムに大きく取り上げられた。この事例が示すジャーナリズムの権力への反応は、健全なドイツ文化政策のあり方を示しているといえるだろう。

ゲーテ・インスティトゥートの活動は、時代とともに変化しており、当初は無難な伝統的ドイツ文化や芸術といった、古き良きドイツ像の伝達が主流を占めていた。ところが1970年代に入ると、経済発展にともない発生してくるさまざまな社会問題を真正面から取り上げ、現代ドイツの「悩める姿」を隠すことなく、率直に伝える努力を重ねてきた。もちろん外国におけるドイツ語の振興を図るためのドイツ語教育は、ゲーテ・インスティトゥートの重要な柱であることには変わりない。そのような地道な努力ゆえ、過去の暗い歴史をもつドイツが、「大人の国」として諸外国から信頼を勝ち取ることができたのではなかろうか。ドイツ再統一に際しても、周辺諸外国から大きな抵抗もなく実現でき、今日フランスとともにEUの牽引車としてのその経済力、指導力を期待されている。

「電脳機器」万能時代となり、ドイツへの情報獲得の窓であったゲーテ・インスティトゥートもその役割を終えつつあるのかもしれない。2001年に政府の文化広報機関インター・ナツォーネス(Inter Nationes)とゲーテ・インスティトゥートが合併したのも、その一環であろう。しかしながら長期的な視野に立った国際交流と巧みな外交こそが、軍事力よりも安上がりで有効な「安全保障」となりうると筆者は考える。ちなみに2017年のドイツの文化予算は16・12億ユーロで、日本の約2倍である。ドイツの姿勢は文化予算の少ない日本への警鐘と捉えることもできる。

(髙橋　憲)

コラム7

細川裕史

## お雇いドイツ人の虚像と実像

よく知られているように、明治維新前後の日本におけるいわゆる「近代化」に際して、欧米人が果たした役割はとても大きい。幕府や明治政府などによって雇用された「お雇い外国人」たちには、日本人に西洋の技術や学芸を教えるため、大臣や高級官僚並みの高給が支払われていた。

ドイツ人に関していえば、明治維新から1890年までに215人が雇われており、平均して4年弱、日本で働いている。全体におけるドイツ人の割合は、イギリス、フランス、アメリカに次いで多く、しかも、技術者や、高等教育機関でドイツ語や医学を教える医師や教師といった高給取りが多かった。

こうしたドイツ人たちは、たしかに給料に見合うだけの仕事を果たした、といえるだろう。日本の近代化に大きな役割を演じた人物として、ざっと見ただけでも、大日本帝国憲法作成時にアドバイザーを務めたロエスレル（1834〜94）、のちに日清・日露戦争を戦う参謀将校を育成したメッケル（1842〜1906）、日本医学の近代化に貢献したベルツ（1849〜1913）、日本に近代地質学の基礎を築いたナウマン（1854〜1927）などの名前が挙がる。

こう書くと、本国ドイツですでに高名だった人物が明治政府の要請に応えて来日した、と思われるかもしれない。たしかに、惜しまれながらも請われて仕方なく日本へ渡った人物もいるが、しかし、1871年に統一なったばかりのドイツが、自国の主力選手をほいほい他国に貸し出すはずがないではないか。実際のところは、これら日本で超一流の仕事を果たした人物たちには、本国では不遇だった、あるいはまだ実績のなかった人物が多い。

上述のロエスレルには、学術的・宗教的な理由からドイツの学界を去る理由があったし、ベルツは大学講師の経験があったとはいえ20代半ばで来日している。日本酒の世界にはじめて西洋科学をもちこんだコルシェルト（1853〜1940）は、招聘されるまではビール工場に勤める20歳過ぎの若者だった。さらには、1873年のウィーン万博で明治政府のアドバイザーを務めたワグネル（1831〜92）のように、一儲けしようとみずから来日した失業者さえもいる。

極端なケースとしては、わずか12歳の少年として来日した、アレクサンダー・フォン・シーボルト（1846〜1911）を挙げることができる。かれは第57章で取り上げられたシーボルトの長男（イネの異母兄弟）で、父フィリップの30年ぶりの再来日時（1859）に日本に渡ってくると、またたく間に日本語を習得し、幕府の顧問として働く父を手伝い、その語学力を活かして活躍する。そして、明治維新後は新政府に仕え、日本とヨーロッパを往復しながら通訳としての活動を続け、万博の準備や諸外国との条約締結に貢献している。結局、かれはお雇い外国人として、実質40年にもわたり日本の近代化に尽くした。

玉石混交のお雇いドイツ人たちは、当然のことながら、赴任先の日本という国にさまざまな思いを抱いた。契約切れとともに帰国し——たまには若いころのエキゾチックな体験として来日時を思い出しもしただろうが——日本とは無縁の人生を送る者もいれば、日本人と結婚し老境に至るまで日本のために尽くしたベルツのような人物もいる。

興味深いのは、ベルツやコルシェルトのように、当時の日本人が西洋の文物を吸収することに気をとられみずからの文化や伝統を軽視している、と嘆く人物がいたことだ。これはすなわち、「文明開化」までの日本が、決してかれらドイツ人の目に「未開の地」として映っていたわけではないということの証左である。近代化すなわち西洋化にあせる当時の日本人に比べ、たまたまこの国に立ち寄っただけの異邦人であるドイツ人の方が、客観的に日本文化のよさを見抜けたのかもしれない。

XII

# ドイツのなかの日本
## ——日本の発信力

# 61

# ドイツの俳句事情

## ★日本文化の受容★

「ドイツでも俳句がつくられている」というと、①「五・七・五はどうなっているのか」、②「季語はあるのか」、③「韻は踏むのか」という問いが、かならず戻ってくる。ドイツ語圏の国々に限らず、俳句をつくっている人びとは、俳句の規則や特徴はじゅうぶんに認識しているが、これらの問いに対して、答えは以下のようにまとめられる。

問①の形式については、俳句は基本的に3行で書かれ、1行目は母音が5つ、2行目は7つ、3行目は5つで構成される。これが、いわば、五・七・五に相当する。

問②については、俳句をつくる人たちは、季語（kigo）や歳時記（saijiki）という言葉を知っている。ただ日本の「俳句歳時記」に相当する本は、ドイツではまだ出版されていないが、作品のなかへはなるべく季節にかかわる詞（言葉）を入れている。

問③については、わずか3行の短詩では韻は踏めない。ただし、3行全体にリズムをもった作品はある。日本人は五・七調に詩歌のリズムを感じるが、西欧諸国では言葉の強弱や長短のなかに詩を感じる。これらのことは、後に例句のなかで説明したい。

明治以降、日本の俳句は翻訳と紹介の時代をへた後に、ドイツ語圏の一般の人びとに知られるようになる。それはとくに、1950年代初頭から次々と出版された俳句や短歌の翻訳詞花集によるところが大きい。たとえば、マンフレート・ハウスマンの『愛と死と満月の夜』(1951)、グンデルトの『東洋の抒情詩』(1952)、ゲロルフ・クーデンホーフ＝カレルギー（EUの礎を築いたリヒャルト、青山栄次郎の弟、297ページ参照）の『満月と蟬の声』(1955)、ハウスマンと高安国世の『千鳥の呼び声』(1961)、ウーレンブロークの『俳句、日本の三行詩』(1960)、ヤーンの『散りゆく花』(1968) などが挙げられる。

こうした流れのなかから、やがてドイツ語による創作俳句が生まれた。以下に7句の実例と解釈を示そう。

（1句目）

Schau mitten im Ei
klein und gelb eine Sonne—
wie kam sie hinein?

ごらん
小さく黄色に太陽が――
太陽はどのように卵のなかに入ったのだろう？
（I・ｖｏｎボードマースホーフ、竹田賢治訳）

春なれや　卵の中に日の光（竹田賢治　俳訳）

この句はドイツ語俳句の古典といってもいい作品である。1行目に母音が5つ、2行目に7つ、3行目に5つ、季節の詞は卵で、これは復活祭の卵を意味し、季節は春である。2行目のダッシュは「切れ字」にあたる。単なる写生句のように見えるが、2行目の「切れ」によって1つの休止が生まれ、あらためて、3行目が読者を生命誕生の思索へと導く。

（2句目）

An diesem Hügel
die Gräber fremder Krieger—
Herbstblumen im Wind.

風の丘
眠る戦士よ
草の花

（R・W・ハインリヒ、竹田賢治　俳訳）

この作者は私家版であるが、自分で撮った写真が入ったたくさんの句集を出した。五・七・五の母音で構成されており、2行目には「切れ」もある。3行目の「秋の花」は1行目、2行目との「取り合わせ」もよく、「草の花」（日本では秋の季語）と訳してみた。「夏草や兵（つわもの）どもが夢の跡」（芭蕉）を思わせる句である。

（3句目）

Auf dem weißen Blatt

白い紙の上に

—verschmiert— der Motte Leben
ein Silberstreifen

跡を残した　蛾の命
銀の縞
（Ｍ・ブアシャーパー、竹田賢治訳）
白き紙蛾の残したる銀の縞（竹田賢治　俳訳）

この作品の眼目は、２行目の２つのダッシュではさまれた「跡を残した」にあって、これは「はかなさ」を暗示している。作者は１９８８年にドイツ・ハイク協会（Deutsche Haiku-Gesellschaft、以下、ＤＨＧと略す）を設立したドイツ語俳句界のいわば、肝っ玉母さん的人物で、ＤＨＧの名誉会長であったが、２０１６年に惜しくも亡くなった。なおＤＨＧの会員数は２００名ほどである。季刊誌『夏草』（Sommergras）は、２０１９年９月現在で通巻１２６号を数える。

（４句目）
Wohin des Weges,
fahle Blätter im Winde?
Dir voraus, dir nach!

風に行方定めぬ
枯葉
お前の先になり後ろになり
（Ｆ・ヘラー、坂西八郎訳）
前うしろ　行方定めぬ　落葉かな（坂西八郎　俳訳）

オーストリア俳句界を取りまとめた詩人の作品である。この句は第5回「国民文化祭愛媛」(1990年)の国際俳句大会で大賞を獲得した。「お前」は自分も含めた人間全部を指すと作者はいっている。人間と自然界とのつながりを感じさせる句ではないだろうか。

(5句目)

Aus dunklen Tiefe
zur Sonne aufgebrochen:
eine Seerose

暗きより
日に向かうもの
睡蓮花

(S・ゾムマーカンプ、竹田賢治　俳訳)

こころのなかから生まれる内面的なものを感じさせる句である。作者は1984年に『イマジズムとビート・ジェネレーションに与えた俳句の影響』という論文で、ハンブルク大学から博士号を取得した。俳句のメルヘン『お日さまさがし』(Die Sonnensuche, 1990, Christophorus)も出版し、現在はラトビア国の名誉領事として活躍している。メルヘンという言葉が出てきたので、ドイツでも「子ども俳句」がつくられている、ということをここで指摘しておきたい。

以上は旧世代の作品ばかりで、どの句も五・七・五のシラブルを踏み、季節の詞も使われ、「切れ」もある。次に、新しい俳句を紹介しておこう。

（6句目）

In mein Briafkastl
hat a klane Meisn a Nest
Schreib ma liaba net.

我が家の郵便受けに
小さなカケスが巣をつくりました
だから手紙を書かないほうがいいですよ
（G・ハバルタ、竹田賢治訳）

ウィーン方言で書かれたこの作品は、ハンブルク俳句出版社（Hamburger Haiku Verlag）が主催した第1回インターネット俳句コンテスト（選者はエッケハルト・マイ、元フランクフルト大学教授）で第1位を獲得した。「朝顔に釣瓶取られてもらひ水」（千代尼）を踏まえているという。

「ハイク・カレンダー・2013」に掲載された6句目の「我が家の郵便受けに……」

「ハイク・カレンダー・2013」に掲載された7句目の「ザワワ　ザワワ……」

(7句目)
Das Rascheln—scheln—scheln　ザワワ　ザワワ
im reifen Getreidefeld　麦の畑に
der Wind machts—ts—ts　風シュルル
(ヨハネス・アーネ、竹田賢治訳)

この作品は声に出して読んで、はじめておもしろさが分かる句である。

(1行目)ダス　ラッシェルン　シェルン　シェルン
(2行目)イム　ライフェン　ゲトライデフェルト
(3行目)デア　ヴィント　マハッ　ツー　ツー

五・七・五によらず、自由な韻律をもった作品になっている。これは354ページの問③に対応する。

最近の句は2句しか紹介できなかったが、ここからドイツ語俳句が独自な展開を見せていることを読み取っていただければ幸いである。とはいえ、実作者はまだわずかしかいないし(ドイツ国内で1000人程)、また日本のような俳人がいるわけでもない。しかし俳句は、気軽につくることができ、いい句には余韻もある。短いだけに、多義的で、読み解くのがむずかしい作品も多い。

最後に比較文学者、イングリート・シュスターの次の言葉を引用してこの章を終えたい。

文化史を概観するかぎり、ひとつの文化は他の文化から摂取をおこない、学ぶと同時に、他の文化との間に境界をも設けるものである。なぜなら、摂取とは変化させることであり、取り入れて固有のものにすることであり、他の物に変えることでもあるのだから。（小沢万記訳）

これはドイツにおける俳句の受容と発展だけでなく、広く異文化受容の本質にも通じる一文だと思う。

（竹田賢治）

# 62

# 盆栽（Bonsai）ブーム

## ★ジャポニスムを越えて★

ドイツの本屋をまわっていると、偶然とはいえよく盆栽の本に出くわすので、盆栽愛好者がいることが分かる。日本では盆栽はだんだん愛好者が減少し、若者たちはほとんど関心も示さないので、盆栽のマーケットはたえず縮小傾向にある。それに対して、ヨーロッパはドイツだけでなく、フランスやイタリアでも盆栽ブームが生じている。ＮＨＫの「クローズアップ現代」（２０１２年1月30日放送）でも、この話題が取り上げられていた。

同好会好きのドイツには、もちろん盆栽同好会も存在し、もっとも大きい組織は「ドイツ盆栽クラブ」で、会員３０００人、１００以上の支部をもつ。ハイデルベルクが日本の盆栽受容の窓口であったので、ここに本部を置き、休日には各地で展示会、盆栽の交換、剪定などのワークショップを開いている。ドイツ語の表記はBonsaiであり中性名詞、ただし同じ綴りの男性名詞der Bonsaiは「盆栽の木」という意味に変わり、複数形は外来系の—sを付けるdie Bonsaisとなるからややこしい。

ドイツの盆栽の木の種類は松、五葉松、楓、オーク、ミルテ、さらに灯篭のミニチュアなどにも人気がある。日本から輸出されたものや園芸店あるいは同好会の展示場で買うことが多い。盆栽の月刊誌、雑誌、本やネットでは「山取り」（自然の幼木を採集）という方法も紹介されている。これについて自然保護区はもちろん、その他の場所でも、山地の所有者の了解を得るように注意している。山歩きの好きなドイツ人のことであるから、「山取り」に気をそそられる人も多いのであろう。日本でも一部には幼木、野草、山菜の乱獲が話題になり、無謀な愛好家が非難されていることはご承知のとおりである。

ではなぜドイツをはじめ、ヨーロッパで盆栽ブームが生じているのであろうか。日本は1867年のパリ万博に漆工芸品、陶磁器などを出品し、ヨーロッパ人の耳目を集めた。それを契機に北斎などの浮世絵、日本庭園、いわゆるジャポニスムあるいはオリエンタリズムブームが生じ、ヨーロッパ芸術に大きな影響を与えてきた。有名なのはゴッホの浮世絵、モネの『ラ・ジャポネーズ』などである。その延長線上に20世紀後半の1964年の東京オリンピック、1970年大阪万博が位置づけられ、これらが現在の盆栽ブームにつながったといわれている。

日本製の盆栽道具

ドイツでも従来からガーデニング、庭づくりが盛んで、園芸店が繁盛している。また室内で観葉植物を育てる愛好家も多く、そのためか、今では園芸店の一角に盆栽コーナーも見られるようになった。またベランダ、窓辺に鉢植えを置く習慣があり、とりわけ夏に南ドイツの山岳地を訪れると、美しく咲き乱れるガーベラの花が窓辺を彩る風景にこころを奪われる。

ただドイツの鉢植えや観葉植物と盆栽とは、本質的に特性が異なる。まず盆栽の魅力は芸術的なかたちをつくり出す点にある。剪定によって、あるいは木をデフォルメしながら、自然のままのようにかたちを整えていくという楽しさが存在するので、ドイツでも趣味の園芸として関心が寄せられるようになってきた。しかしそれだけの次元にとどまるのではなく、多少大げさないい方をすれば、盆栽の奥には思想性が存在する。それを比較するために、ヨーロッパと日本の自然観について確認しておこう。

ドイツの庭園はフランス庭園の影響のもとに設営された。典型的なヨーロッパ大陸式庭園としてはヴェルサイユ宮殿が挙げられる。この庭園は日本庭園と違って、あくまで人間の力を誇示するような幾何学模様で知られる。またヴェルサイユ宮殿には、設営当時、1600の噴水があった。これは低いところから高いところへ水を噴き上げるわけであるから、自然の摂理より人間の叡智が勝るという自然観を示すものであるが、噴水は国王の威信を否が応でも高める効果を生み出す。

ヨーロッパの自然観は人間中心主義で、王侯は温室を建設し、世界各地から集めた異国の珍しい植物を栽培した。その経験から、第1回ロンドン万博（1850年）のパビリオンが温室をモデルにしていたのは有名である。ドイツのサンスーシ宮殿やドレスデンのツヴィンガー宮殿もフランス型庭園をモデルにしていた。

これに対して、日本庭園は一見、何気なく並べられた敷石、小さな山、川、滝、小さな橋や池、

## 第62章
# 盆栽（Bonsai）ブーム

人気の楓

鑓水《やりみず》、矮小化した木々、苔、控えめな花を配し、自然を再現する。そして春の芽吹き、花、夏の蝉の声、虫の音、秋の月、落葉、冬の枯れた庭、雪景色という自然の移り変わりを鑑賞するという趣向が凝らされている。とくに日本庭園の自然のなかで、ほとんど目立たぬ苔が好まれたのは、地面や岩陰、木陰に生える小さなミクロの世界への眼差しを重視するからだ。施工主や庭師は自然の造形をシンボル化して、庭の空間を大自然と一体化した理想的なミクロコスモスを形成しようとした。

自然に対して人間の優位さを示すヨーロッパの自然観を踏まえるならば、ドイツの鉢植え、あるいはベランダの花、樹木にせよ、それは室内、あるいは家や庭の風景の一部という意味において、花や植木は人間の世界に属するという認識がある。すなわちここには人間を中心にした自然観が認められる。ところが盆栽は、日本庭園の樹木を模しており、いわば自然を縮小したものである。鑑賞の際には、小さな鉢植えと自己とのかかわりにおいて、一対一で向き合う。これはミニチュア化されたミクロコスモスであるが、大自然のマクロコスモスの縮図であり、鑑賞者はそのなかへ自己を投影する。

たとえばドイツで人気の楓は、春の芽吹き、夏の観葉、秋の色づき、冬の落葉という、四季をたえず意識させてくれるので、人間を自然のなかへ誘う媒体となる。ここでは人間が優位ではなく、自然と同化、あるいは一体化した時空をつくる。マニアによれば、楓よりもあまり色彩の変化の多くない常緑樹の方がさらに奥深いという。それはわびさびの日本文化、龍安寺の石と砂の世界にも通ずるものであるからだ。

ドイツ人の盆栽に対する関心は、異国趣味だけでなく、かれらの自然観の変化と結びついているように思われる。地球規模の環境変化、異常気象などを体験することによって、人びとはかつての人間中心のヨーロッパ的な自然観ではなく、人間が自然のなかに存在しているという東洋的な自然観に共鳴するようになってきた。ビオトープ、グリーンツーリズム、有機農法、自然食品への志向もそのあらわれといえる。もはやジャポニスムではなく、このような自然観の変化という流れのなかで、ドイツの盆栽ブームが位置づけられるのではないだろうか。

（浜本隆志）

# 63

# 日本食とスシ

## ★日常に浸透する健康食★

ドイツ人は一般的にいって、健康に対する意識がとても高い。筆者が訪れた町ではどこでも少し歩けばBio（有機）という看板を掲げた専門店を見かけたし、スーパーでもBioと書かれた商品が多く並んでいた。あまりにもBioという文字が目につくので、気の小さい筆者などは、Bioでない商品を買うときには、まるで闇市で無許可の製品を買っているかのような罪悪感にさいなまれたほどだ。

近年、日本食の人気がドイツで高まっているのも、1つには健康によいという印象が強いからのようだ。日本人の平均寿命が長いことや、脂っこいドイツの料理とは正反対に、伝統的な日本食には素材の味を活かしたさっぱりしたものが多いということが、健康的なイメージを助長しているのだろう。もっとも、代表的な日本食を考えてみると、たいていは醤油や味噌を使っているのだから、健康食と呼ぶには塩分が高すぎではないかと思うのだが。

最近では、おにぎりに注目が集まりはじめているようだ。料理本で紹介されているだけでなく、ネット上ではおにぎり用の型さえ売られている。ヨーロッパ最大級の日本人街があるデュッセルドルフでおにぎりの専門店を見かけたときには何とも思わなかったが、ハンブルク中央駅のスーパーでおにぎりが売られていたのには驚かされた。製造元のサイトによれば、低糖・低脂質でグルテンもラクトース（乳糖）も含まれていない、というのが売りのようだ。ここでも、日本食の健康食としての側面が強調されている。ただし、ドイツ人向けのおにぎりなので、具はシャケにバジリコだとか干しトマトにルッコラだとか、日本人の目から見ればエキゾチックなものばかり。こうした異色の具材も、カリフォルニア巻きと同様、欧米人に受けるように工夫した結果、行き着いたものなのだろう。

もっとも、ドイツにおける日本食の代表格といえば、何といってもスシである。ドイツでのスシは、もともと見本市などを訪れる日本人ビジネスマン向けのレストランが扱い出したものだが、その後、いわゆる「ヤッピー」と呼ばれるような自意識の高い若手エリート層の間で、高級料理としてブームになった。現在では、大衆化が進み、魚料理のチェーン店でもスシのランチ・ボックスが売られているし、スーパーでは冷凍の（！）スシが置いてあるほど普及している。トルコのケバブほどではないにしても、スシはもうドイツの食文化の一角を担っているといえるだろう。

出来上がりまでに時間がかからず、また、麺類や丼物と違って好きな量だけ注文して食べることができるスシの手軽さは、ファストフードとしても好評なようで、ドイツでもっともよく見かけるスシ屋の形態は、大きな駅の構内などに店を構えているスシ・バーである。このスシ・バーというのは、カウンターで食べる形式のスシ屋で、回転ズシもこれに含まれる。

値段は、店の形式によってまちまちだが、1皿3〜7ユーロ（360〜840円）、一人前のセットだと7〜15ユーロ（840〜1800円）くらい。個人的な印象だが、ネタとしてはシャケが人気のようだ。おそらくは、スモーク・サーモンという食感のよく似た食べ方がすでに普及していたこと、また、ドイツでのネタの仕入れやすさが影響しているのだろう。

スシを専門に扱うバーやレストラン以外にも、中華やタイなどのアジア料理屋がスシも扱っているというケースがしばしばあるので、ドイツにはスシを食べられる店がすでに相当数あるはずだ。しかし、このうち、日本で修業を積んだ職人がスシを握っている店はほとんどない。2000年代半ばに農林水産省が海外における自称・日本料理屋に干渉しようとしたことがあったが、ドイツで広まっているスシ屋にも、いわゆる「スシ・ポリス」に取り締まられても仕方ないものが多い。そもそも、一人前になるには「飯炊き3年握り8年」といわれるようなきびしい修業を積んだ一流のスシ職人が、そう簡単に海外に流出しているわけがないのだ。ドイツでスシを握る料理人は、ネタを短冊状に切れてシャリをそれなりのかたちに握れ（ドイツ人から見れば）日本人に見える外見なら、まずは合格点のようだ。

ハノーファーのスシ屋（筆者撮影）

たとえば、ハノーファーは国際見本市の町として知られており、日本人も多く訪れるところである。筆者は、ここの中央駅にあるスシ・バーを「日本人が握ってる本物のスシ屋で、日本のビジネスマンもよく来る」として紹介されたのだが、ここの職人が日本人でないことはカウンターを見た瞬間に分かった。ネタと並んで、キムチが置いてあったのだ。後から店の看板を見直してみると、「Tokio（東京）という大きな文字の横に、ちゃんとハングルが書かれていた。日本人が腕をふるう一流フランス料理屋だってあるのだから、「日本人以外はスシを握るな」などと妄言を吐くつもりはないが、東京に来たドイツ人がスシ屋にキムチがないことを不審がらないか心配ではある。

もちろん、ドイツ人の間にも、本場の技術を身につけた職人を求める声がある。キールで2010年に新しく日本料理屋が開店したときには、そこの料理人が日本から来た「スシ・マイスター」であることが大々的に宣伝された。また、スシ職人としての修業のためにわざわざ日本に留学するという、意識の高いドイツ人もいる。といっても、伝統的なスシ屋に弟子入りするというわけではなく、スシ職人のための（本来は日本人を対象とした）養成学校に通うのだ。こうした学校は、数カ月から1年程度のコースを設けており、最初から日本ではなく海外に活躍の場を求める職人を養成することに重点を置いている。

先ほどくさした穴埋めに、同じくハノーファーにあるスシ屋で、好感のもてる例を挙げておこう。中央駅にほど近いあるスシ屋では、ちゃんと日本で修業を積んだドイツ人の職人がスシを握っていて、店の壁にはかれの養成学校時代の写真が誇らしげに掲げられている。店内のモニターには日本の風景が映し出され、スシを食べた後は日本茶や和菓子なども楽しめる。単なるスシ屋というよりも日本文化のちょっとした窓口という雰囲気で、これ見よがしに仏像などが置いてある自称・日本料理屋と違って居心地がよい。

（細川裕史）

# 64

# 日本のアニメとマンガ

## ★ドイツにおけるブームの特殊性★

2011年に、『ヴェルナー』(Werner) のアニメ映画の新作が公開された。これは商業的に成功した数少ないドイツ製コミックの1つだ。筆者は、キール市でおこなわれたプレミア上映会の席で、作者ブレーゼル (Brösel) 氏に日本から来たファンだと伝えることができた。氏は、愛想よくサインをくれたうえ、冗談を連発して筆者や周囲のファンたちを笑わせた。

しかし、映画がはじまると、筆者の笑いは凍りついてしまった。なぜなら、日本製マンガ（以下、マンガとのみ表記）の人気のせいで落ち目になった作者の分身ヴェルナーがいかにして立ち直るか、というのがこの作品のテーマだったからだ。タフなアウトサイダーだったはずのヴェルナーが、巨大な目をしたキャラに追い回される姿が印象的だった。筆者は、気まずい思いで会場を後にした。

現在のドイツでは、至るところでマンガを目にすることができる。こんな状況は、『ヴェルナー』の全盛期だった20年前には、誰にも想像できなかっただろう。

ドイツにおけるマンガ・ブームは、TVアニメとしてすでに人気を集めていた『ドラゴンボール』が1996年に出版されてはじまり、２０００年代半ばにかけてピークを迎え、２０００年代後半からは収束傾向にある。しかし、爆発的なブームは去ったものの、現在でも大量のマンガが出版され続けている状況に大きな変化はない。さらに、「ゲルマンガ家」(Germangaka) と呼ばれるドイツの若いコミック作家たちが描くマンガ風のコミックも、商業的な成功を収めている。

人気のある作品には、ブームに火をつけた『ドラゴンボール』や『セーラームーン』、その後のブームの担い手である『名探偵コナン』『ONE PIECE』『ナルト』など、人気アニメの原作として読者を惹きつけたものが多い。その一方で、『ポケモン』や『遊戯王』のようにゲームとしての人気がアニメの人気につながったものもある。

ドイツならではの特徴としては、他のヨーロッパ諸国と比べて少女マンガの人気が高い、という点が挙げられる。ドイツのコミック読者層は、２００３年の段階で6割が女性だったが、その割合は年々増加しているという。少女マンガ人気の背景には、大手のコミック出版社であるカールセン社が２０１２年まで刊行していた『ダイスキ』(Daisuki) のように、マンガだけでなく日本のティーン向けのモード全般を紹介する雑誌の影響が大きい。

こうした雑誌で紹介され、ドイツに根づいたマンガには、フランスなどでは「健全」ではないという理由で出版が避けられた「ボーイズラブ」系マンガも含まれている。「ボーイズラブ」系マンガとは、おもに思春期の女性を読者層として、男性同士の恋愛を (性的な表現もまじえて) 描いたマンガである。このまったく児童向けとはいいがたいジャンルは、ドイツではすでに「アクション」や「コメディ」と同様に、マンガの一種として根づいており、他の「健全」な少女マンガと同様、MANGA

という表示のついた書棚に児童向けのマンガといっしょに並べられている。もちろん、あまりに「大人向け」の作品は、ポルノと同様にビニールでパッケージされているが。

ドイツにおけるマンガ受容の特殊性として、その他に、これまでもっぱらティーンエイジャー向けの作品だけが紹介されてきた、という点が挙げられる。ドイツにおけるマンガは、1950年代に入ってきたアメリカ製コミック（ディズニー物やスーパーヒーロー物）、60年代から70年代にかけて普及したフランス・ベルギー製コミック（『タンタンの冒険』や『アステリクス』）に次いでやってきた、第3の外来コミックだ。

キール中央駅のマンガ・コーナー（筆者撮影）

しかしマンガは、児童向けだったそれまでの外来コミックとの差異化を図るべく、意図的にティーンエイジャー向けの作品を中心に出版された。そして、親によって買い与えられるものであったこれまでのコミックとは違い、マンガは一般に、ティーンエイジャー自身が作品を選び自分で購入している。親子で共有するものではない自分たちだけの作品だという点が、思春期の読者にとってはマンガの魅力であり、マンガの世界に入り込めない親の世代にとっては、マンガに反感を抱く一因となった。

それに輪をかけて、前述の「ボーイズラブ」系マンガのように、成人指定のポルノではないマンガにもソフトな性的描写が見られることが、ティーンエイジャーの間での人気と親の世代における反感を助長しているようだ。

ドイツのコミック出版社は、ティーンエイジャー向けマンガの商業的成功に気をとられ、親の世代にあたる成人層向けの作品をおざなりにしてきた。この点、水木しげる、つげ義春、谷口ジローといった作家の成人向けの作品を、２０００年代初頭から大々的に取り上げてきた隣国フランスとは大きく異なっている。ドイツの出版社が、マンガをあくまで若者文化の一環として扱い続けたツケは、マンガ・ブームの短期間での終焉というかたちであらわれた。マンガは短期間のうちに市場で大量に消費され、現在ではすでに、目新しさを追い求める若者たちにとっては新鮮味のないものになってしまったのだ。

マンガ・ブームがひと段落した今、ドイツの出版社もマンガの多様性に目を向け、これまでのティーンエイジャー向けの作品と並行して、日本で「劇画」と呼ばれているような成人向けの作品を紹介しはじめている。おもしろいのは、こうした作品が、すでに特定の偏見が根づいてしまったMANGAという名称ではなく、「グラフィック・ノベル」として紹介されていることだ。

長期的に見ると、マンガにレッテルを貼り続けてきたマンガ・ブームが収束してしまったことは、ドイツにおけるマンガ受容にとってよいことだったのかもしれない。マンガには「大きな目をしたヨーロッパ人みたいな顔のキャラクター」ばかり出てくるわけではないし、マンガはそもそも思春期の少年少女のためだけのメディアでもないのだから。ドイツのコミック市場は、今、マンガへの偏見を脱却する岐路に立っているといえる。

（細川裕史）

# 65

# ドイツにおける日本昔話

## ★読み聞かせの体験から★

グリム童話は日本人なら、誰しも子どものころ読んだり聞いたりしたことがあるが、それに比べると、逆に日本の昔話はドイツで一般にほとんど知られていない。しかし歴史的には幕末・明治期に来日したお雇い外国人が、日本昔話をヨーロッパへ紹介していた。ドイツ語による日本昔話は、京都で医学教育に携わっていたオーストリア生まれのユンカー・フォン・ランゲック（1828〜没年不明）が、1884年にウィーンで31話の昔話を含む『扶桑茶話』を出版したのが最初とされている。

またその翌年、ドイツでは東京大学で地質学を教授していたダーフィト・ブラウンス（1827〜93）によって、168話からなる本格的な『日本の昔話と説話集』が書かれた。両者とも日本人のこころの内面を紹介するために、帰国してからいち早く昔話の編纂に取りかかった。というのも、かれらは日本人の思想や自然観、また宗教的風土が昔話などの民話に凝縮されていると感じたからであった。

ところが先人たちの努力にもかかわらず、ドイツで日本昔話が普及することはなかった。このような現状のなかで、ドイツで日本の昔話を広めようと奮闘している1人のドイツ人女性を

ドレスデンにある日本宮殿での紙芝居上演会の様子（筆者撮影）

紹介したい。ミュンヘン郊外に住むガブリエラ・ブラックロ女史は、日本の昔話に魅せられ、日本の昔話の絵本を出版し、2009年より紙芝居にしたり、朗読会をおこなったりしている。日本の昔話が、自分の小さいころから聞いて育ったヨーロッパの昔話のたぐいとまったく異質であると感じ、日本人のこころを少しでも理解したいと思ったのがきっかけだそうだ。

その趣旨に賛同した筆者も、ブラックロ女史の活動に加わって、バイエルン州にある図書館、ドレスデンの日本宮殿、フランクフルトやライプツィヒの書籍見本市などで朗読会や紙芝居上演会をおこなってきた。毎回、この読み聞かせには、老若男女を問わずさまざまな参加者が集まってくる。昔話がはじまると、最初は目を輝かせて耳を傾けている参加者が、次第に不思議そうな表情を浮かべ、しまいには納得いかないような顔をする。では具体的に日本昔話は、ドイツ人にどのように受け止められているのだろうか。『鶴の恩返し』を例に見てみよう。

これは木下順二が『夕鶴』に劇作化したので、日本ではよく知られた話である。寒い冬の夜、けがをした鶴を助けた老夫婦のもとに1人の娘がやって来る。貧しい老夫婦のために機《はた》を織り、反物を高く売って家計を助けるが、娘は「機を織っている姿を決して見ないでほしい」と確約を願う。しかし、最後にその約束は破られてしまい、真の姿を見られた娘は、自分が助けられた鶴だと告げ、老夫婦のもとを飛び去っていく。

この民話には各地に伝わる類話が知られ、ストーリーとしては老夫婦でなく、若者と鶴が結婚するものもある。しかしわたしたちは、ドイツでは老夫婦が出てくる話を用いることにしている。ヨーロッパのメルヘンでは老夫婦がクローズアップされることがほとんどないので、昔から日本で老人が敬われてきた観点を伝えていきたいからだ。

この昔話を聞き終えたドイツ人の多くから、「いっしょに幸せに暮らせないとは残念だ」「老夫婦と鶴の両方とも救いがないなんて」「鶴は人間のままでいると思った」といった感想が出る。ドイツ人が小さいころから慣れ親しんでいるメルヘンには、主人公が試練を超えた先には、幸福な結末が待っているものが多い。それに比べると、悲しい別離で終わることの多い日本の昔話は衝撃的に映るようだ。しかし、『鶴の恩返し』の結末が別離で終わっても、日本人は最後にまったく救いがないと感じるより、「別れの美学」に惹かれる方が多いのではないか。「見てはだめだ」という約束を破ったことへの後悔の念は残るものの、鶴が本来の姿で空へ飛び去っていくことは、自然への回帰と捉えることもできるだろう。

動物が人間に姿を変え、最後にまた元の動物に戻るという変身譚は、日本昔話に多く見られるモチーフである。しかし、ヨーロッパにおけるメルヘンの変身のパターンは、人間が動物に変身させられていても、最後には魔法の力で元の人間に戻るのが主流である。したがって『鶴の恩返し』でも、鶴が最後にも人間の姿になるのではないか、と期待して聞いている多くの聴衆は、期待を裏切られるのである。この日本の昔話とヨーロッパのメルヘンの変身型の違いは、何にもとづいているのだろうか。

これはそれぞれの動物観の相違に起因するようだ。ヨーロッパではキリスト教の世界観に由来し、神を頂点として次に人間、そして動物というように上下の区分が明確にされている。それはグリム童話で見られる結婚話でも明らかなように、人間が動物と結婚する例はほとんどなく、人間と人間の「同類結婚」が描かれ、また動物と人間が家族になることはない。一方、日本では昔から人間と動物は対等で、自然な交流がなされてきた。里山に生息する動物たちは身近な仲間であり、昔話で動物と人間が登場する話も多い。そのなかで動物と人間が結婚する「異類結婚」が数多く見られ、さらに家族の一員となることもある。

読み聞かせの後、折り紙を楽しむ参加者たち（筆者撮影）

1つの昔話をめぐり、しばしば読み聞かせの場が議論の場になることもある。子どもたちだけでなく、大人にとっても昔話に関心が高いところはさすがドイツである。この活動の取材にきたドイツの新聞記者に、日本の昔話の印象を尋ねてみると、幸福な結末を迎えるのと違って、悲しい結末で終わる昔話は「感慨深い」ものが残る、と感想を述べてくれた。そこに日本昔話の魅力が潜んでいるのではないだろうか。

ヨーロッパにおける日本の印象は、相も変わらず、礼儀正しい、まじめ、電化製品や車など表面的なものが多い。ところが日本の昔話を紹介する活動は、今まで海外の外国人に伝えることのむずかしかった本当の日本人のこと、古くから日本人がもっていた価値観や精神性などを、日本の風景、風俗、風習といっしょに伝えることができるいい方法のようだ。今後も日本文化を紹介する一環として、この活動を続けていきたいと思っている。

（舩津景子）

# 66

# ドイツで日本語を学ぶ子どもたち

## ★未来の「サムライ」と「なでしこ」★

ドイツの町を歩いていて、日本語を見かけることはあまりない。ましてや日本語を聞くことも、日本人が多く集まる町以外ではまずない。しかしながら、ドイツ人の家庭を訪問すると、日本製品があちこちに置いてあるのが目につく。電化製品、テレビゲーム、携帯型ゲーム機（ニン・テン・ドーやDSと呼ばれている）、テレビキャラクターのカード、マンガ、キティちゃんなどである。

国際交流基金による海外の日本語教育に関する調査結果によると、２０１５年には海外に日本語学習者が３６６万人おり、ドイツでは中等・高等教育機関や市民大学で、約１万３３００人の日本語学習者がいる。個人学習している人を含めると２万人は超えるであろう。日本語学習の目的には「日本語そのものへの興味」（58・1％）、次いで「マンガ、アニメ等に関する知識」（50・6％）「歴史・文化等に関する知識」（47・4％）が挙げられ、サブカルチャーに興味を示す人が多い。この他、両親のどちらかが日本人で、将来日本へ帰国する子どもたち、日本に滞在経験があるドイツ人の子どもたちが日本語を学んでいる。

駐在員の多い町、デュッセルドルフ、フランクフルト、ミュンヘン、ハンブルク、ベルリンなどには、文部科学省から教員が派遣される全日制日本人学校がある。ここでは日本の小中学校と変わらぬ学校施設で、日本と同じ授業がおこなわれている。年間を通してさまざまな行事も日本と同様で、さらにドイツの地元の学校とも交流を図る試みがある。

昨年、筆者はベルリン日本人学校の学校祭に招待していただいた。小学生の演劇、中学生による迫力ある創作劇、全校生徒による合唱、そして何よりもクライマックスの「ベルリン・エイサー」なる沖縄伝統芸能披露を鑑賞したが、生徒が一致団結している姿を見てたいへん感動し、そのパワーに圧倒されたのがまだ記憶に新しい。

では日本人でなく、日本語を学びたいドイツの子どもたちは、他にどこで日本語を学べるのだろうか。答えはギムナジウムである。ドイツ語圏中等教育日本語教師会の調査によると、2014年では63のギムナジウムで日本語が学べ、約2200人の生徒が学習している。日本語を第2、第3外国語として選択する場合と、課外活動として選択する場合がある。ただし現在、ギムナジウムの9年制から8年制への移行（179ページ参照）にともない、カリキュラムの変更によって、日本語教育にも影響が出ることが危惧されている。

その他、総合制学校というギムナジウム以外の学校を統合した学校の1つ、グスターフ・ハイネマン・シューレで日本語を第3外国語として習得できる。昨年、わたしはその学校のオープンデーに出かけ、日本語クラスをのぞいてみたところ、日本人の子どもはおらず、みんな日本語を一から学んだと、日本語の先生がいっていた。

毎日1時間日本語の時間があり、なかには子どもの宿題を見るために日本語を学ぶ熱心な親もいると聞いた。卒業するまでに日本語検定2級までの力がつくそうで、日本学の学士をとった大学生よりも日本語力があるのではないかと思われる。

この学校の他、チューリンゲン州にあるザルツマンシューレは、いわゆる天才児を支援する学校で、ここでも日本語を選択できる。日本語は漢字やひらがながあり、アルファベットを使わない言語なので、エリート教育に向いていると考えられている節がある。しかし近年、中国の台頭により日本語よりも中国語学習が重要視されているのは、いささか悲しいことである。

さて、日本人学校の他に海外には、現地の学校やインターナショナルスクールに通う海外生徒が、帰国後スムーズに日本の学校に順応でき、国語や算数の勉強に支障がないようにする学校、いわゆる「補習授業校」がある。筆者もかつてフランクフルトで、補習授業校に勤めた経験がある。

そこで子どもたちは、外国にいながら日本語を学習し、現地校の宿題や試験勉強だけでなく、補習校での毎週の漢字テスト勉強や宿題までもこなす。もしかしたら日本で学校に通うこともないかもしれないという子が大半であったが、日本の同年代の子どもと同じぐらいのレベルの日本語力をつけるよう頑張っていた。保護者も献身的にそのサポートをしており、みんなが外国で力を合わせて子どもたちを育てている光景に、たいへん感銘を受けた。

補習授業校でも勉強ばかりだと学習塾のようになってしまうので、フランクフルトの場合は、全日制と合同運動会を毎年開催し、そのために小学校低学年はダンスの練習をしたり、全校生徒で入場行進の練習や、学年ごとに競技の練習をしたりする楽しい時間もある。

フランクフルトやベルリンだけに限らず、その他の日本人学校の学校祭やバザーに何回か足を運んだが、そこでもやはり同じように生き生きとし、一致団結した子どもたちに出会えた。きっと日本にいると、当たり前の行事であるから、あまり変化がなくつまらないと思う子もいるだろうが、外国の異文化のなかで育つ生徒には、連帯感が生まれるのではないか。

なお一般市民の場合、大・中都市では市民大学で日本語講座も受講できる。これは日本にあるカルチャーセンターのようなところであり、各国の語学講座などが開講されている。2015年の国際交流基金の調査では、ドイツでは約4500名の受講生がいるという。日本語受講者は日本文化に興味のある大人で、週1〜2回の授業を受けているが、青少年向けの講座開設の要望の声もある。

以上のようにさまざまなかたちであるけれども、日本語はドイツにしっかりと根づいてきている。日本語学習が日本文化理解の前提であるので、とくにドイツの子どもたちが、日本語をしっかり学習し、日独の懸け橋となって未来へ羽ばたいてほしいと切望する。

（金城ハウプトマン朱美）

# 67

# 日本祭、日本映画祭のイヴェント

★ドイツで日本を楽しむ★

2011年は日独交流150周年にあたり、ドイツ各地で多くのイヴェントが開催された。1865年1月24日、江戸で当時のプロイセンと「修好通商条約」が締結されて、もう150年も経つのだ。これまで定期的に、デュッセルドルフ、ハンブルク、フランクフルト、ミュンヘンで日本祭が開かれてきたが、とくに記念の2011年は、それに加え、日本学を設置している大学や日本にゆかりのある町でも日本祭が企画された。新たにドイツと日本の絆を深めることができた年であった。

日本祭といっても、よく分からないかもしれないので、簡単に説明しておこう。そもそもこれは、現地のドイツの人びとに日本文化を紹介することにより、相互の交流を図ることを目的とした企画である。また日本週間とも呼ばれ、開催期間は1日から1週間と幅をもたせている。ホールなどを借りた会場の場合、入場料が大人1人8ユーロ（1120円）前後である。

お祭りと聞くと、金魚すくいなどの屋台を思い浮かべる人が多いが、日本祭で金魚すくいにはお目にかかったことがない。水玉風船つり、主催者の人たちの手づくり和菓子や、日本食レストランのおスシや焼きそば、日本のビールやソフトドリンクが出し物になっている。しかし値段がやや高く、しかも量も少なめなので、日本食に先入観を与えてはいるが、一般のドイツ人の来場者からはたいへんおいしいと好評を得ている。

これらの屋台以外に、特設ステージが設けられているのが特徴である。ここでおもに地元の同好会の人びとが、剣道や柔道などの武道の迫力のある実演をおこない、ドイツ人も参加している。日本の音楽も紹介され、尺八や琴など和楽器の演奏会や、日独コーラス隊による「さくら」や「もみじ」など日本の民謡も披露される。

とくに人気があるのは、和太鼓の演奏である。日本から和太鼓グループが参加することもあるが、近年はドイツ国内にある和太鼓の会が熱演し、太鼓の響きが会場にいるドイツの人びとのこころへ伝わり、演奏終了後、今度は拍手のとどろきに包まれる。

食べたり、見たりするだけではなく、みずから体験できるコーナーもある。お決まりの生け花や茶道、書道、折り紙を折ったり、今ではドイツで定着した日本のマンガ（Manga）を描いたりするワークショップもあり、ドイツ人の老若男女が楽しそうに参加している。

ドイツ人にとって少し変わった出し物といえば、盆踊りであろう。東日本大震災の犠牲者を在独邦人の人びととともに追悼する行事として企画された。フランクフルトで結成された日独盆踊り会は、ドイツ市民の温かい震災援助へのお礼の気持ちを込めて踊ることをモットーにしている。このグループは、日本祭だけではなく、その他カーニヴァル、ドイツの町が主催する祭りにも参加し、地元の人びととの交流を深め、盆踊りを通じて日独友好の輪を広げている。

数ある日本祭のなかで、とくに注目を浴びているのは、在独日本人の多いデュッセルドルフの祭り

テルトウ桜祭り2012年（筆者撮影）

である。2020年に19回目を迎えるが、2018年の来場者数は60万人であった。この数字を見ただけでお祭りの盛況ぶりが分かるであろう。最大のイヴェントは、ヨーロッパで唯一の日本人花火師による打ち上げ花火大会で、屋形船のように遊覧船から花火鑑賞もでき、ドイツ人にたいへん人気がある。

1985年に日独共同で設立されたベルリン日独センターでは、年に1回オープンデーを開き、施設内で天ぷらや蕎麦といった庶民的な日本食も販売される。また現代の日本にまつわる市民向けの講演会もおこなわれ、ベルリン市民に日本を身近に感じてもらおうと取り組んでいる。その他ベルリンでは、毎年テルトウというブランデンブルク州の町とベルリンのリヒターフェルデ地区にまたがった桜の並木道で、「花見の宴」が開かれる。

東西ドイツ統一を記念して、当時、テレビ朝日が寄付を募り、壁があった場所に桜の木を植樹寄贈し、木が成長してりっぱな花を咲かせるようになった2001年から桜祭り「HANAMI」が開催されてきた。

ただし桜の木の下で日本風の花見をしている人は、日本人を含んだドイツ人グループぐらいである。他の人たちは、桜を見ながら散策を楽しむので、花見文化の違いを感じる。いずれにせよ、ベルリンでは桜が珍しいのか、圧倒的にドイツ人の観客が多く、地域に根づいたお祭りの1つになっている。

こうした日本祭の他に、フランクフルトでは日本映画祭が約1週間にわたり開催される。1999年に2人のドイツ人がフランクフルト大学で立ち上げた「ニッポンコネクション」という映画祭である。また大阪市の姉妹都市であるハンブルクでは、2002年から日本メディア共益協会主催の日本映画祭が開催されている。

どちらの映画祭にも共通していえるのは、日本映画への関心が年々高まり、会場が増え規模が拡大していることである。海外ですでに有名な映画監督だけではなく、新鋭映画監督の作品を取り上げ、監督みずから会場を訪れ、上映の後観客とディスカッションする場を設けている場合がある。あと何といっても、ドイツ語吹き替えになっておらず、ドイツ語あるいは英語の字幕つき日本語オリジナルの映画を鑑賞できることが、逆に魅力なのかもしれない。

日本映画は、古いものでは黒澤明監督や小津安二郎監督の作品が人気で、テレビでときどき放送されるだけではなく、小さな映画館でも数回上映される。新しい映画だと、北野武監督の映画に人気があり、筆者は友人と「菊次郎の夏」を鑑賞し、何度もいっしょに笑った。

2011年に、第1回ベルリン・コメディ映画フェスティヴァルで上演された、松本人志監督「さや侍」の反応は興味深かった。日本人が笑う箇所でいつもドイツ人が笑っていなかったので、やはり両国民の笑いのツボが異なることがよく分かったからだ。逆に、日本人がドイツのコメディを見て笑えなかったり、ドイツ人の笑い話（ヴィッツ）についていけなかったりするのと同様である。笑いにも文化的背景が異なるので違いがあるが、その落差を実感するのも一種の異文化理解である。

（金城ハウプトマン朱美）

コラム8
金城ハウプトマン朱美

## ドイツで活躍する日本人たち

ドイツにおける邦人人口は、2022年外務省海外在留邦人数調査統計結果によると、現在4万2266人とあり、ドイツの海外邦人数では、世界で8位を占めるが、その数は近年、若干減少傾向にある。それにもかかわらずメディアの影響からか、海外で活躍している日本人がドイツに多いという印象を受ける。そのなかでとくに目につくのは、クラシック音楽の本場での日本人の活躍と、またそれとはまったくジャンルが違う、日本人サッカー選手の話題であろう。

明治時代からじつに多くの日本人音楽家がバッハ、ベートーヴェン、ブラームスなど、クラシック音楽の巨匠を生んだ国ドイツを目指して渡航した。その伝統は現在でも息づいており、有名な音楽家を少し列挙してみても、その実情が把握できるであろう。たとえばベルリン・フィルの首席コンサートマスターの樫本大進、首席ビオラ奏者清水直子、バリトン歌手の井口達、作曲家の久保摩耶子、指揮者でありザール音楽大学正教授でもある上岡敏之、元レーゲンスブルク歌劇場音楽総監督の阪哲朗など。またジャンルはまったく異なるが、ヨーデル歌手の石井健雄はドイツ人のお茶の間でも有名で、バイエルン地方の民族衣装を身につけ美声を披露している姿を目にする。

2011年の東日本大震災後、当時のベルリン・フィル首席指揮者サイモン・ラトルが被災者へ向けたメッセージビデオを配信したり、その他各地の在独邦人音楽家が中心になり、チャリティーコンサートが開催されたりし、遠い日本の友人へ、遠い祖国と被災者へ思いを馳せ、一日も早い復興を願うかれらの活動が目立った。

さて、イギリスが発祥地であるサッカーは、

コラム８

## ドイツで活躍する日本人たち

ヨーロッパでもっとも人気のあるスポーツである。ドイツのサッカーも１９６０年代からヨーロッパの強豪国の仲間入りするようになり、今やサッカー観戦がドイツ人の日常生活の一部になっている。日本のサッカーレベルもようやくヨーロッパに追いついてきたが、まだまだサッカー文化がドイツのように根づいていない。そのためか、今日、ドイツサッカークラブを目指す日本人選手が多い。

かつて１９７７年に奥寺康彦が１・ＦＣケルンに移籍したのをはじめ、これまで30人を超えるサッカー選手がブンデスリーガで活躍してきた。２０２２〜２０２３年シーズンでは、アイントラハト・フランクフルトの長谷部誠と鎌田大地、シャルケ04の吉田麻耶と上月壮一郎、ＶｆＢシュトゥットガルトの遠藤航、伊藤洋輝、原口元気、ＦＣフライブルクの堂安律などがプレーしている。

かれらがドイツという言葉も文化も違う国で活躍できるのも、実力主義はいうまでもないが、この国では外国人選手が多く所属していることや、一般社会においても外国人が人口の16％（「移民の背景をもつ人」を含めると約27％）を占め、みずからを外国人と意識せず、また特別扱いされずに現地人と同じように生活できる土壌があるからではないだろうか。

音楽やスポーツだけでなく、他分野でもドイツで活躍する日本人は存在する。ではジャンルの違うかれらが、なぜ活躍の場をドイツに求めるのであろうか。それは一流のものを目指す、プロ意識とチャレンジ精神である。そのひたむきな生き方に、人びとは惹かれるのである。

たしかに実数は少ないながらも、各人の努力は個人のレベルを超え、大きなメッセージを発する。それが日本人にも希望と感動を与え、ひいては日本を牽引する原動力になる。それゆえ遠く日本からもかれらに注目し、声援を送る人が多くいるのである。近年では日本でも衛星放送、インターネットで瞬時にライブで試合を見ることができる。今後も先輩の海外組に続く若者のチャレンジに期待したい。

# あとがき

有名な『ハーメルンの笛吹き男』伝説は、1284年6月26日に発生し、明確な日付から「史実」とみなされてきた。130人の子どもたちの大量失踪事件は、本書の第5章でも触れたが、これまでは中世の「事件」とされ、閉じた話であった。真相をめぐるいくつかの説のうち、「笛吹き男」は植民請負人（ロカトール）で、旧東ドイツ、ボヘミア、ポーランドなどの東方へ若者を連れ去った（あるいは誘拐した）というものがある。これは阿部謹也の『ハーメルンの笛吹き男』でも、ヴァンやシュパヌートの説として紹介されてきたが、決定的な証拠を欠いていた。

ところが最近、ライプツィヒ大学のウドルフ名誉教授が地名研究というアプローチから、ハーメルン出身者が東方へ移住していたという確実な「証拠」を提示した。これにより東方植民説はますます信憑性が高くなり、クローズアップされるようになった。筆者も2019年5月のNHKのBS番組、「ダークサイド・ミステリー」にコメントを求められたが、この「事件」は東方植民説が集団妄想と結びついたものという見解を述べた。

その背景に、12~13世紀の時期は地球の温暖期にあたり、とくに西ヨーロッパの都市、農村部では人口増をきたしていたという事実がある。一方、東ヨーロッパは「北の十字軍」が進出したが、人口が希薄で人手不足に悩んでいた。この人口のアンバランスが、農業を中心にした生産体制のなかで、地主たちが東方植民を必要とした背景にあったというのは、社会史の定説になっている。

ただし「笛吹き男」が植民請負人であって、人びとを勧誘したとしても、誰も見知らぬ土地へ移住する気になるはずがない。もし現状よりいい暮らしができ、夢が叶えられるなら、こころ動かされたであろう。よって植民請負人は、言葉巧みに若者たちを勧誘し、移住を促した。事実、ハーメルン以外でも一定数の東方への移住はあったが、それは貧民が多く納得済みであるので、伝説を生み出しはしない。伝説になったのは、目立つ服装をした植民請負人が笛を吹きながら甘言を弄して、夏祭りの最中に子どもたちを誘拐するという、一大悲劇が起きたからである。

ときはめぐり、最近、ヨーロッパでも移民問題が注目され、ドイツ再統一後の旧東ドイツから旧西ドイツへの移住をはじめ、近隣諸国からヨーロッパ各国へ移民、難民が押し寄せている。さらにEU諸国内部においても、人びとは「シェンゲン協定」によって簡単に移住ができる。かれらも中世の「約束の土地」のパラダイスほどのインパクトはないにせよ、現状より楽な生活ができるという夢をもって移動する。

しかし移民が増えると、反移民の風潮がドイツだけでなくヨーロッパ規模でポピュリズムと結びつき、政局に大きな影響を与えるようになった。今、イギリス議会を揺るがしているEU離脱問題も、根底に移民問題が存在する。話は飛躍するが、2019年9月現在で国連は、移民と難民が2億7200万人に達すると推定している。これとの関連において、近未来の2050年のヨーロッパの人口動態も予想され、これをコラム6（322ページ）で取り上げた。それを見ると、およそ30年後の近未来のドイツないしヨーロッパの人口の増減もイメージすることができる。

このように『ハーメルンの笛吹き男』伝説、温暖化という気候条件、東方植民などの中世の問題と、ドイツ再統一後の旧東ドイツから旧西ドイツ地域への移住、現代のEUの移民・難民問題、さらには近未来のヨーロッパの人口動態は、相互に深いかかわりがあることを指摘することができよう。時代が変わっても、同じメカニズムで人間の移動が繰り返されていることが分かる。

あとがきで申し上げたかったことは、本書は「現代ドイツ」と銘打っているが、このドイツの姿は、過去の長い歴史や文化の集積結果に他ならないということである。そしてそれが現代から未来へつながる連鎖の関係をも生み出す。したがってそれぞれの章は、独立しているようであるが、パースペクティヴを変えれば、有機的に深くつながっていることが分かる。本書によって個別のテーマに関心をもっていただくとともに、大局的に歴史の流れも本書から汲み取っていただければ、執筆者一同、まことに幸甚なことである。

今回の第3版の出版にも、明石書店の大江道雅社長にご高配を賜った。また編集作業は岡留洋文氏にたいへんお世話になった。末筆であるが、ここに記してこころからお礼を申し上げる。なお、ご承知のように2022年2月のロシアによるウクライナ侵攻によって、ドイツも大きな影響を受けた。第3版の増刷の際に、必要最小限の修正をおこなったが、それでも十分とはいえない。抜本的改版は次の機会に譲りたいと思う。

（浜本隆志）

http://www.stuttgarter-nachrichten.de/inhalt.arbeitsmigranten-blaue-karte-sticht-noch-nicht.d9708b62-a0ed-4634-840d-aa3a87bd1f71.html
http://www.sueddeutsche.de/H5N38Q/802176/Erste-Blaue-Karte-vergeben.html
http://www.maff.go.jp/j/press/shokusan/kankyoi/120831.html
http://oekosiedlungen.de
hhtp://test.de
http://www.japantag-duesseldorf-nrw.de/286.html
http://www.jffh.de/
http://www.nipponconnection.com/nc-2012.html
http://de.statista.com/themen/71/ehrenamt/
https://www.destatis.de/DE/PresseService/Presse/Pressemitteilungen/2011/12/PD11_465_321.html
Pressemitteilung von GfK
http://www.bmelv.de/SharedDocs/Standardartikel/Landwirtschaft/Wald-Jagd/Weihnachtsbaeume.html
http://www.gfk.com/group/press_information/press_releases/009061/index.de.html
http://www.mext.go.jp/a_menu/shotou/clarinet/002/006/001/002.htm
http://www.dhm.de/lemo/html/biografien/WichernJohann/index.html
http://www.mext.go.jp/a_menu/shotou/clarinet/002/006/001/001.htm
http://oekosiedlungen.de/t3/index.php
https://www.destatis.de/DE/PresseService/Presse/Pressemitteilungen/2011/12/PD11_465_321.html
http://www.germany.travel/jp/towns-cities-culture/unesco-world-heritage/unesco-world-heritage.html
http://www.newsdigest.de/newsde/entertainment/staff-blog/4259-2012-06-08.html
https://www.kanis-augen.eu/

Kalergi, Richard Coudenhove, *Meine Lebennserinnerungen*, Verlag Kurt Desch, 1958.
Martini, Fritz, *Deutsche Literaturgeschichte. Von den Anfängen bis zur Gegenwart, 19.*, neu bearb. Aufl., Stuttgart, 1991.
Mauriés, Patrick, *Das Kuriositätenkabinett*. Köln 2002.
Meier, Heinrich, *Die Strassennamen der Stadt Braunschweig. Quellen und Forschungen zur Braunschweigischen Geschichte, Bd. 1*, Wolfenbüttel, 1904.
Müller-Bahlk, Thomas J. e, *Die Wunderkammer. Die Kunst- und naturalienkammer der Frankeschen Stiftungen zu Halle (Saale)*. Halle (Saale) 1998.
Neue Gesellschaft für Bildende Kunst e.V. (Hrsg.), *Stolpersteine – Eine Idee, das Projekt und die Vorgeschichte*. Berlin 2002.
Niedermeier, Michael, *Erotik in der Gartenkunst. Eine Kulturgeschichte der Liebesgärten*. Leipzig, 1995.
Nielsen, Jens R., 'Manga – Comics aus einer anderen Welt?' In Stephan Ditschke u. a. (Hrsg.), *Comics. Zur Geschichte und Theorie eines populärkulturellen Mediums*. Bielefeld, 2009.
NS-Dokumentationszentrum der Stadt Köln, *Stolpersteine. Gunter Demnig und sein Projekt*. Köln 2007.
Ohrt, Hilke, 'Total von der Rolle.' In *la carte. Nr.9/2012*, Kiel.
Peschel, Tina, Bouchette, Gretel, Vanja, Konrad, *Adventskalender. Geschichte und Geschichten aus 100 Jahren*. Husum: Verlag der Kunst Dresden 2009.
Rönneper, Joachim (Hrsg.), *Vor meiner Haustür. Stolpersteine von Gunter Demnig. Ein Begleitbuch*. Gelsenkirchen 2010.
Schattenberg, Karl, *Till Eulenspiegel und der Eulenspiegelhof in Kneitlingen, zumeist nach ungedruckten akten dargestellt*. Braunschweig, Leipzig, 1906.
Serup-Bilfeldt, Kirsten, *Stolpersteine. Vergessene Namen, Verwehte Spuren. Wegweiser zu Kölner Schicksalen in der NS-Zeit. Mit einem Beitrag von Elke Heidenreich*. Köln 2004.

【新聞など】
熊谷徹「大丈夫か？エネルギー革命」ドイツニュースダイジェスト　Nr. 911　2012年3月23日
ドイツ編集部「日本デーで、欧州最大規模の日独交流」ドイツニュースダイジェスト　2012日6月8日
ドイツ観光局　『ユネスコ世界遺産』
馬場恒春　「ドイツの冬とうつ気分」　ドイツニュースダイジェスト　Nr. 741　2008年11月21日
Interdisziplinaeres Zentrum für Nachhaltige Entwicklung der Universität Goettingen 発行（日本語パンフレット）
*Stuttgarter Zeitung*（2012年8月26日）
*Süddeutsche Zeitung*（2012年8月28日）

【インターネット】
http://www.bgbl.de/Xaver/text.xav?bk=Bundesanzeiger_BGBl&start=//*[@attr_id=%27bgbl112s1224.pdf%27]&wc=1&skin=WC

H. テレンバッハ（木村敏訳）『メランコリー』改訂増補版、みすず書房、1985年
独立行政法人国際交流基金編『海外の日本語教育の現状——日本語教育機関調査・2009年概要』独立行政法人国際交流基金、東京、2011年
西平直『シュタイナー入門』講談社、1999年
西村三郎『文明のなかの博物学——西欧と日本』（上・下）紀伊國屋書店、1999年
日本貿易振興機構編『ドイツにおける日本マンガ市場の実態』2006年
浜本隆志『モノが語るドイツ精神』新潮社、2005年
浜本隆志「グリム童話の同類結婚と日本昔話の異類結婚」、溝井裕一編『グリムと民間伝承——東西民話研究の地平』麻生出版、2013年
浜本隆志、髙橋憲『現代ドイツを知るための55章』明石書店、2002年
浜本隆志、柳原初樹『最新ドイツ事情を知るための50章』明石書店、2009年
アドルフ・ヒトラー（平野一郎／将積茂訳）『わが闘争』（上）角川文庫、Kindle版
藤代幸一訳『ティル・オイレンシュピーゲルの愉快ないたずら』法政大学出版局、1979年
星野慎一『俳句の国際性——なぜ俳句は世界的に知られるようになったか』博文館新社、1995年
星乃治彦『男たちの帝国——ヴィルヘルム2世からナチスへ』岩波書店、2006年
星野眞三雄『欧州危機と反グローバリズム——破綻と分断の現場を歩く』講談社、2017年
トーマス・マン（青木順三訳）『ドイツとドイツ人』岩波書店、1990年
水島治郎『ポピュリズムとは何か——民主主義の敵か、改革の希望か』中央公論新社、2018年
三中信宏『分類思考の世界——なぜヒトは万物を「種」に分けるのか』講談社、2009年
森貴史、藤代幸一『ビールを〈読む〉——ドイツの文化史と都市史のはざまで』法政大学出版局、2012年
山田耕筰『自伝 若き日の狂詩曲』中央公論新社、2016年
渡辺富久子「ドイツ　EUの高資格外国人労働者指令を実施する法律」国立国会図書館調査及び立法考査局、東京、2012年
渡辺勝『比較俳句論——日本とドイツ』角川書店、1997年

【欧文】
Annemüller, Gerolf, Lietz, Hans-J. Manger, Peter, *Die Berliner Weiße. Ein Stück Berliner Geschichte.* Berlin 2008.
Anonym, *Führer durch die Stadt Braunschweig. Eine Beschreibung für Fremde und Einheimische.* Braunschweig, 1884.
Aumann, Stefan, *Die Geschichte des Einbecker Bieres*. Oldenburg 1998.
Blume, Herbert, 'Hermann Bote.' In *Literatur Lexikon. Autoren und Werke deutscher Sprache, hrsg. v. Walther Killy, Bd. 2*, Gütersloh, München, 1989.
Bundesministerium für Ernährung, Landwirtschaft und Verbraucherschutz (Hg.), *Teller oder Tonne? Informationen zum Mindesthaltbarkeitsdatum*. Berlin 2012.
Bundesministerium für Verkehr, Bau und Stadtentwicklung (Hg.), *Effizienzhaus Plus mit Elektromobilität. Technische Informationen und Details*. Berlin 2012.
Bundesgesetzblatt, Köln 2012, I
Giersberg, Hans-Joachim, *Schloss Sanssousi. Die Sommerresidenz friedrich des Großen*. Berlin, 2005.
Hodemacher, Jürgen, *Braunschweigs Straßen, ihr Namen und ihre Geschichten, Bd. 1*, Cremlingen, 1995.

〈参考文献〉

【和文】
IMADR ロマプロジェクトチーム（編集）、反差別国際運動日本委員会（IMADR-JC）（発行）『「ロマ」を知っていますか――「ロマ／ジプシー」苦難の歩みをこえて』解放出版社、2003 年
青井博幸『ビールの教科書』講談社、2003 年
東聖子・藤原マリコ編『国際歳時記における比較研究――浮遊する四季のことば』笠間書院、2012 年
阿部謹也訳『オイレンシュピーゲルの愉快ないたずら』岩波書店、1990 年
飯塚信雄『フリードリヒ大王――啓蒙君主のペンと剣』中公新書、1993 年
フォルカー・ヴァイス（長谷川晴生訳）『ドイツの新右翼』新泉社、2019 年
江村洋『ハプスブルク家』講談社、1990 年
小野一『緑の党――運動・思想・政党の歴史』講談社、2014 年
小前ひろみ『とってもドイツ博物館めぐり』東京書籍、2000 年
梶田孝道『統合と分裂のヨーロッパ』岩波書店、1993 年
鹿島守之助・他訳『クーデンホーフ・カレルギー全集（全 9 巻）』鹿島研究書出版、1970-71 年
金子マーティン『ロマ――「ジプシー」と呼ばないで』影書房、2016 年
熊谷徹『びっくり先進国ドイツ』新潮社、2004 年
熊谷徹『メルケルの転向』日経アソシエーツ、2012 年
熊谷徹『日本とドイツ――ふたつの「戦後」』集英社、2015 年
久米邦武編（水沢周訳）『米欧回覧実記 第 3 巻』慶應義塾大学出版会、2008 年
R・クリバンスキー／E・パノフスキー／F・ザクスル（田中英道・他訳）『土星とメランコリー――自然哲学、宗教、芸術の歴史における研究』晶文社、1991 年
J・W・v. ゲーテ（高橋健二編訳）『ゲーテ格言集』新潮社、1952 年
小宮正安『愉悦の蒐集――ヴンダーカンマーの謎』集英社、2007 年
近藤潤三『移民国としてのドイツ――社会統合と平行社会のゆくえ』木鐸社、2007 年
坂本一登『伊藤博文と明治国家形成――「宮中」の制度化と立憲制の導入』講談社、Kindle 版
庄司克宏『欧州ポピュリズム――EU 分断は避けられるか』筑摩書房、2018 年
須摩肇「同性愛の世界」浜本隆志・平井昌也（編著）『ドイツのマイノリティ――人種・民族、社会的差別の実態』明石書店、2010 年
須摩肇「刑法 175 条と同性愛者たち――通時的観点に立った東独（DDR）に於ける反同性愛法」孝忠延夫（編著）『差異と共同――「マイノリティ」という視角』関西大学出版部、2011 年
『諸外国の教育動向 2018 年度版　文部科学省』明石書店
髙橋輝和『丸亀ドイツ兵捕虜収容所物語』えにし書房、2014 年
髙橋憲『ドイツの街角から〈新版〉』郁文堂、2006 年
髙橋憲『《最新版》ドイツの街角から――素顔のドイツ――その文化・歴史・社会』郁文堂、2017 年
タキトゥス（泉井久之助訳注）『ゲルマーニア』岩波文庫、1979 年
館昭「ボローニャ・プロセスの意義に関する考察――ヨーロッパ高等教育圏形成プロセスの提起するもの」『名古屋高等教育研究』第 10 号所収、2010 年

細川裕史（ほそかわ・ひろふみ）［63，64，コラム 3，7］
1979 年広島県生まれ。阪南大学経済学部准教授、Dr. phil.（キール大学）。DAAD 給付奨学生としてキール大学留学。社会言語学とドイツ語史、主要著作："Zeitungssprache und Mündlichkeit"（単著、Peter Lang 2014 年）、『ドイツで暮らそう』（編著、晃洋書房 2017 年）、『想起する帝国』（共編著、勉誠出版 2017 年）、『碁の理論と実践』（オスカー・コルシェルト著、共訳、飯塚書店 2018 年）、『歴史会話研究入門』（イェルク・キリアン著、単訳、ひつじ書房 2017 年）。

溝井裕一（みぞい・ゆういち）［5，6，9］
1979 年兵庫県生まれ。関西大学文学部教授、関西大学博士（文学）、サントリー学芸賞受賞、ケルンとゲッティンゲン留学。ドイツ民間伝承研究・西洋文化史、主要著作：『ファウスト伝説――悪魔と魔法の西洋文化史』（単著、文理閣 2009 年）、『ヨーロッパ・ジェンダー文化論』（共編著、明石書店 2011 年）、「聖ヨハネ祭と『ハーメルンの笛吹き男伝説』」（『異界が口を開けるとき』分担執筆、関西大学出版部 2010 年）、「グリーンマン探訪」（『ヨーロッパ人相学』分担執筆、白水社 2008 年）、『水族館の文化史――ひと・動物・モノがおりなす魔術的世界』（単著、勉誠出版 2018 年）。

森　貴史（もり・たかし）［3，7，16，18，21，48］
1970 年大阪生まれ。関西大学文学部教授、Dr. phil.（ベルリン・フンボルト大学）。早稲田大学交換留学生としてボン大学、DAAD 奨励奨学生としてベルリン・フンボルト大学留学。ドイツ文化論・ヨーロッパ紀行文学、主要著作：„Klassifizierung der Welt. Georg Forsters *Reise um die Welt.*“（単著、Rombach Verlag 2011 年）、『踊る裸体生活――ドイツ健康身体論とナチスの文化史』（単著、勉誠出版 2017 年）、『裸のヘッセ――ドイツ生活改革運動と芸術家たち』（単著、法政大学出版局 2019 年）。

夜陣素子（やじん・もとこ）［49］
広島県生まれ、広島大学など非常勤講師をへて、広島県スクールソーシャルワーカー。広島大学博士（文学）。テュービンゲン大学、ハイデルベルク大学留学、ドイツ事情・ドイツ文化・ドイツ文学、主要著作：Das Erscheinungsbild der Roma in *Horns Ende* von Christoph Hein—Exemplifizierung einer Hypothese（論文　日本独文学会中国四国支部編『ドイツ文学論集』2009 年）、Über den Roman *Der Kameramörder* von Thomas Glavinic. Eine Analyse der medienkritischen Aspekte（論文　日本独文学会中国四国支部編『ドイツ文学論集』2012 年）。

## 執筆者紹介

### 竹田賢治（たけだ・けんじ）［61］

1946年兵庫県生まれ。神戸学院大学人文学部教授をへて、名誉教授。ミュンヘン大学留学。比較文学・ドイツ文学、主要著作：「英米における俳句――イマジズムとビート派に与えた俳句の影響」（ザビーネ・ゾムマーカムプ女史の博士論文（ハンブルク大学 1984年）の翻訳、『神戸学院大学教養部紀要21号』～『神戸学院大学人文学部紀要8号』所収、未完）、"Jenseits des Flusses"（フリードリヒ・ヘラー編　34人の日本とオーストリアの俳人の作品のうち、17人の日本の俳人の句の独訳　Edition Doppelpunkt 1995年）、「ホトトギスと国際化」（『よみものホトトギス百年史』分担執筆、花神社 1996年）、「ドイツ歳時記と四季の詞」（『国際歳時記における比較研究――浮遊する四季のことば』分担執筆、笠間書院 2012年）、「ひとつの詩形式の変遷と可能性」（『国際歳時記における比較研究――浮遊する四季のことば』エッケハルト・マイ氏のエッセーの翻訳と注、笠間書院 2012年）。

### 田原逸雄（たはら・いつお）［54, 55］

1947年兵庫県生まれ。広島大学工学部卒業、ベルリン工科大学経済学部卒業。松下電器産業（株）（現、パナソニック）勤務、定年退職後「ドイツ語企画」代表。Klub Zukunft（NPO任意団体）を設立し、ドイツ＆日本の文化比較研究並びに交流活動に従事。

### 浜本隆志（はまもと・たかし）［はじめに, 1, 4, 8, 10, 15, 17, 19, 20, 28, 31, 37, 39, 40, 41, 43, 45, 46, 50, 51, 56, 57, 58, 59, 62, コラム4, 6, あとがき］

編者紹介欄参照。

### 藤井あゆみ（ふじい・あゆみ）［23］

大阪府生まれ。京都大学大学院人間・環境学研究科後期課程をへて、同志社大学など非常勤講師、京都大学博士（人間・環境学）。マンハイムとボンに留学。思想史、主要著作：「小さき他者への同一化――メランコリーの概念氏におけるフロイトの新生面」（論文　日本ヘルダー学会編『ヘルダー研究』2010年）、『メランコリーのゆくえ――フロイトの欲動論からクラインの対象関係論へ』（単著、水声社 2019年）。

### 舩津景子（ふなつ・けいこ）［30, 65］

京都府生まれ、関西大学など非常勤講師。ボン大学、ミュンヘン大学留学。絵本翻訳、主要著作："Dank des Kranichs—Ein japanisches Volksmärchen—"（独訳・解説 2009年、紙芝居版 2012年）、"Momotaro, der Pfirsichjunge—Ein japanisches Volksmärchen—"（独訳・解説 2011年、紙芝居版 2012年）、"Wenn meine Haare lang wachsen"（高楼方子『まあちゃんのながいかみ』福音館書店 独訳 2013年、以上、Edition Bracklo）。

〈執筆者紹介〉(50 音順)

金城ハウプトマン朱美(かねしろ・はうぷとまん・あけみ)[25, 27, 29, 34, 41, 44, 53, 66, 67, コラム 1, 2, 8]
大阪府生まれ。富山県立大学工学部准教授、1998 年から 2018 年までドイツで研究生活。Dr.phil.(ゲッティンゲン大学)。ドイツ民俗学・口承文芸。主要著作:"Das ist absolut wahr!"—Wahre Geschichte oder moderne Sage?—Rezeption der modernen Sagen im deutschsprachigen Raum(単著、インターネット出版 Göttingen 2010)、「ドイツの現代伝説における父親像と母親像」(分担執筆『グリム童話と表象文化——モチーフ・ジェンダー・ステレオタイプ』勉誠出版 2017 年)、「森鷗外『甘瞑の説』とマルティン・メンデルゾーン『安楽死について』の比較考察」(論文 関西大学独逸文学会編『独逸文学』60 号 2016 年)。

佐藤裕子(さとう・ひろこ)[24, 36, 47]
徳島市生まれ。関西大学文学部教授、ミュンヘン大学留学、ドイツ文化史、主要著作:『ドイツのマイノリティ——人種・民族、社会的差別の実態』(分担執筆 浜本隆志・平井昌也編著、明石書店 2010 年)、『マイノリティという視角』(分担執筆 孝忠延夫編著、関西大学出版部 2011 年)、「ハインリッヒ・ツィレの『通りの子供たち』——部屋の中の『死』に託された警告」(論文、関西大学『独逸文学』2011 年)、「ハインリッヒ・ツィレの作品における子ども像」(論文　阪神ドイツ文学会『ドイツ文学論攷』2016 年)。

須摩　肇(すま・はじめ)[38]
1966 年大阪府生まれ。関西大学、甲南大学など非常勤講師。ドイツ文学・文化論、主要著作:「同性愛の世界」(『ドイツのマイノリティ——人種・民族、社会的差別の実態』分担執筆、明石書店 2010 年)、「175 条と同性愛——東ドイツ(DDR)の場合」(『「マイノリティ」という視角』分担執筆、関西大学マイノリティ研究センター中間報告書 2011 年)、「刑法 175 条と同性愛者たち——通時的観点に立った東独(DDR)に於ける反同性愛法」(『差異と共同——「マイノリティ」という視角』分担執筆、関西大学出版部 2011 年)。

角谷俊昌(すみや・としまさ)[35]
1978 年大阪府生まれ。関西大学法学部卒業。主にシュヴァーベン地方に留学。在独中ドイツ各地を周遊し現地情報を収集する。2008 年「日独交流基盤の創出強化」をミッションにディーズゴー株式会社を起業。ビジネス、コミュニティー両面から日独インフラの創出に尽力する。現在、ディーズゴー株式会社代表取締役。一般社団法人大阪日独協会理事。大阪ドイツワイン文化協会会長。

髙橋　憲(たかはし・まもる)[はじめに, 2, 11, 12, 13, 14, 22, 26, 32, 33, 42, 52, 60, コラム 5]
編者紹介欄参照。

〈編著者紹介〉

浜本隆志（はまもと・たかし）
1944年香川県生まれ。ワイマル古典文学研究所、ジーゲン大学留学。ドイツ文化論・比較文化論、関西大学博士（文学）。関西大学文学部教授をへて名誉教授。主要著作：『鍵穴から見たヨーロッパ』（単著、中公新書 1996年）、『魔女とカルトのドイツ史』（単著、講談社現代新書 2004年）、『モノが語るドイツ精神』（単著、新潮選書 2005年）、『窓の思想史』（単著、筑摩選書 2011年）、『現代ドイツを知るための62章』（共編著、明石書店 2013年）、『バレンタインデーの秘密』（単著、平凡社新書 2015年）、『シンデレラの謎』（単著、河出書房新社 2015年）、『図説　指輪の文化史』（単著、河出書房新社 2018年）など多数。

髙橋　憲（たかはし・まもる）
1946年大阪府生まれ。毎日新聞大阪本社勤務後、ハイデルベルク大学歴史哲学部政治学科留学。ゲーテ・インスティトゥート大阪支部の企画・文化広報をへて、関西学院大学、立命館大学など非常勤講師を歴任。ドイツ語・ドイツ文化論。主要著作：『現代ドイツを知るための55章――変わるドイツ・変わらぬドイツ』（共著、明石書店 2002年）、『現代ドイツを知るための62章（第2版）』（共編著、明石書店 2013年）、『ドイツの街角から――ドイツ文化事情』（単著、郁文堂 2011年）、『《最新版》ドイツの街角から――素顔のドイツ――その文化・歴史・社会』（単著、郁文堂 2017年）。

エリア・スタディーズ　18
現代ドイツを知るための67章【第3版】

2002年　1月30日　初　版第1刷発行
2013年　3月31日　第2版第1刷発行
2020年　2月25日　第3版第1刷発行
2023年　4月10日　第3版第2刷発行

編著者　浜本隆志・髙橋　憲
発行者　大　江　道　雅
発行所　株式会社 明石書店
〒101-0021 東京都千代田区外神田6-9-5
電話 03（5818）1171
FAX 03（5818）1174
振替 00100-7-24505
http://www.akashi.co.jp
装丁　明石書店デザイン室
印刷・製本　モリモト印刷株式会社

（定価はカバーに表示してあります）　ISBN978-4-7503-4966-4

# エリア・スタディーズ

1 **現代アメリカ社会を知るための60章**
明石紀雄、川島浩平 編著

2 **イタリアを知るための62章【第2版】**
村上義和 編著

3 **イギリスを旅する35章**
辻野功 編著

4 **モンゴルを知るための65章【第2版】**
金岡秀郎 著

5 **パリ・フランスを知るための44章**
梅本洋一、大里俊晴、木下長宏 編著

6 **現代韓国を知るための60章【第2版】**
石坂浩一、福島みのり 編著

7 **オーストラリアを知るための58章【第3版】**
越智道雄 著

8 **現代中国を知るための52章【第6版】**
藤野彰 編著

9 **ネパールを知るための60章**
日本ネパール協会 編

10 **アメリカの歴史を知るための65章【第4版】**
富田虎男、鵜月裕典、佐藤円 編著

11 **現代フィリピンを知るための61章【第2版】**
大野拓司、寺田勇文 編著

12 **ポルトガルを知るための55章【第2版】**
村上義和、池俊介 編著

13 **北欧を知るための43章**
武田龍夫 著

14 **ブラジルを知るための56章【第2版】**
アンジェロ・イシ 著

15 **ドイツを知るための60章**
早川東三、工藤幹巳 編著

16 **ポーランドを知るための60章**
渡辺克義 編著

17 **シンガポールを知るための65章【第5版】**
田村慶子 編著

18 **現代ドイツを知るための67章【第3版】**
浜本隆志、髙橋憲 編著

19 **ウィーン・オーストリアを知るための57章【第2版】**
広瀬佳一、今井顕 編著

20 **ハンガリーを知るための60章【第2版】** ドナウの宝石
羽場久美子 編著

21 **現代ロシアを知るための60章【第2版】**
下斗米伸夫、島田博 編著

22 **21世紀アメリカ社会を知るための67章**
明石紀雄 監修　赤尾千波、大類久恵、小塩和人、落合明子、川島浩平、高野泰 編

23 **スペインを知るための60章**
野々山真輝帆 著

24 **キューバを知るための52章**
後藤政子、樋口聡 編著

25 **カナダを知るための60章**
綾部恒雄、飯野正子 編著

26 **中央アジアを知るための60章【第2版】**
宇山智彦 編著

27 **チェコとスロヴァキアを知るための56章【第2版】**
薩摩秀登 編著

28 **現代ドイツの社会・文化を知るための48章**
田村光彰、村上和光、岩淵正明 編著

29 **インドを知るための50章**
重松伸司、三田昌彦 編著

30 **タイを知るための72章【第2版】**
綾部真雄 編著

31 **パキスタンを知るための60章**
広瀬崇子、山根聡、小田尚也 編著

32 **バングラデシュを知るための66章【第3版】**
大橋正明、村山真弓、日下部尚徳、安達淳哉 編著

33 **イギリスを知るための65章【第2版】**
近藤久雄、細川祐子、阿部美春 編著

34 **現代台湾を知るための60章【第2版】**
亜洲奈みづほ 著

35 **ペルーを知るための66章【第2版】**
細谷広美 編著

36 **マラウィを知るための45章【第2版】**
栗田和明 著

37 **コスタリカを知るための60章【第2版】**
国本伊代 編著

38 **チベットを知るための50章**
石濱裕美子 編著

39 **現代ベトナムを知るための63章【第3版】**
岩井美佐紀 編著

40 **インドネシアを知るための50章**
村井吉敬、佐伯奈津子 編著

41 **エルサルバドル、ホンジュラス、ニカラグアを知るための45章**
田中高 編著

# エリア・スタディーズ

42 **パナマを知るための70章【第2版】** 国本伊代 編著

43 **イランを知るための65章** 岡田恵美子、北原圭一、鈴木珠里 編著

44 **アイルランドを知るための70章【第3版】** 海老島均、山下理恵子 編著

45 **メキシコを知るための60章** 吉田栄人 編著

46 **中国の暮らしと文化を知るための40章** 東洋文化研究会 編

47 **現代ブータンを知るための60章【第2版】** 平山修一 著

48 **バルカンを知るための66章【第2版】** 柴宜弘 編著

49 **現代イタリアを知るための44章** 村上義和 編著

50 **アルゼンチンを知るための54章** アルベルト松本 著

51 **ミクロネシアを知るための60章【第2版】** 印東道子 編著

52 **アメリカのヒスパニック＝ラティーノ社会を知るための55章** 大泉光一、牛島万 編著

53 **北朝鮮を知るための55章【第2版】** 石坂浩一 編著

54 **ボリビアを知るための73章【第2版】** 真鍋周三 編著

55 **コーカサスを知るための60章** 北川誠一、前田弘毅、廣瀬陽子、吉村貴之 編著

56 **カンボジアを知るための62章【第2版】** 上田広美、岡田知子 編著

57 **エクアドルを知るための60章【第2版】** 新木秀和 編著

58 **タンザニアを知るための60章【第2版】** 栗田和明、根本利通 編著

59 **リビアを知るための60章【第2版】** 塩尻和子 編著

60 **東ティモールを知るための50章** 山田満 編著

61 **グアテマラを知るための67章【第2版】** 桜井三枝子 編著

62 **オランダを知るための60章** 長坂寿久 著

63 **モロッコを知るための65章** 私市正年、佐藤健太郎 編著

64 **サウジアラビアを知るための63章【第2版】** 中村覚 編著

65 **韓国の歴史を知るための66章** 金両基 編著

66 **ルーマニアを知るための60章** 六鹿茂夫 編著

67 **現代インドを知るための60章** 広瀬崇子、近藤正規、井上恭子、南埜猛 編著

68 **エチオピアを知るための50章** 岡倉登志 編著

69 **フィンランドを知るための44章** 百瀬宏、石野裕子 編著

70 **ニュージーランドを知るための63章** 青柳まちこ 編著

71 **ベルギーを知るための52章** 小川秀樹 編著

72 **ケベックを知るための54章** 小畑精和、竹中豊 編著

73 **アルジェリアを知るための62章** 私市正年 編著

74 **アルメニアを知るための65章** 中島偉晴、メラニア・バグダサリヤン 編著

75 **スウェーデンを知るための60章** 村井誠人 編著

76 **デンマークを知るための68章** 村井誠人 編著

77 **最新ドイツ事情を知るための50章** 浜本隆志、柳原初樹 著

78 **セネガルとカーボベルデを知るための60章** 小川了 編著

79 **南アフリカを知るための60章** 峯陽一 編著

80 **エルサルバドルを知るための55章** 細野昭雄、田中高 編著

81 **チュニジアを知るための60章** 鷹木恵子 編著

82 **南太平洋を知るための58章** メラネシア ポリネシア 吉岡政德、石森大知 編著

83 **現代カナダを知るための60章【第2版】** 飯野正子、竹中豊 総監修 日本カナダ学会 編

# エリア・スタディーズ

84 **現代フランス社会を知るための62章**
三浦信孝、西山教行 編著

85 **ラオスを知るための60章**
菊池陽子、鈴木玲子、阿部健一 編著

86 **パラグアイを知るための50章**
田島久歳、武田和久 編著

87 **中国の歴史を知るための60章**
並木頼壽、杉山文彦 編著

88 **スペインのガリシアを知るための50章**
坂東省次、桑原真夫、浅香武和 編著

89 **アラブ首長国連邦(UAE)を知るための60章**
細井長 編著

90 **コロンビアを知るための60章**
二村久則 編著

91 **現代メキシコを知るための70章【第2版】**
国本伊代 編著

92 **ガーナを知るための47章**
高根務、山田肖子 編著

93 **ウガンダを知るための53章**
吉田昌夫、白石壮一郎 編著

94 **ケルトを旅する52章** イギリス・アイルランド
永田喜文 著

95 **トルコを知るための53章**
大村幸弘、永田雄三、内藤正典 編著

96 **イタリアを旅する24章**
内田俊秀 編著

97 **大統領選からアメリカを知るための57章**
越智道雄 著

98 **現代バスクを知るための50章**
萩尾生、吉田浩美 編著

99 **ボツワナを知るための52章**
池谷和信 編著

100 **ロンドンを旅する60章**
川成洋、石原孝哉 編著

101 **ケニアを知るための55章**
松田素二、津田みわ 編著

102 **ニューヨークからアメリカを知るための76章**
越智道雄 著

103 **カリフォルニアからアメリカを知るための54章**
越智道雄 著

104 **イスラエルを知るための62章【第2版】**
立山良司 編著

105 **グアム・サイパン・マリアナ諸島を知るための54章**
中山京子 編著

106 **中国のムスリムを知るための60章**
中国ムスリム研究会 編

107 **現代エジプトを知るための60章**
鈴木恵美 編著

108 **カーストから現代インドを知るための30章**
金基淑 編著

109 **カナダを旅する37章**
飯野正子、竹中豊 編著

110 **アンダルシアを知るための53章**
立石博高、塩見千加子 編著

111 **エストニアを知るための59章**
小森宏美 編著

112 **韓国の暮らしと文化を知るための70章**
舘野晳 編著

113 **現代インドネシアを知るための60章**
村井吉敬、佐伯奈津子、間瀬朋子 編著

114 **ハワイを知るための60章**
山本真鳥、山田亨 編著

115 **現代イラクを知るための60章**
酒井啓子、吉岡明子、山尾大 編著

116 **現代スペインを知るための60章**
坂東省次 編著

117 **スリランカを知るための58章**
杉本良男、高桑史子、鈴木晋介 編著

118 **マダガスカルを知るための62章**
飯田卓、深澤秀夫、森山工 編著

119 **新時代アメリカ社会を知るための60章**
明石紀雄 監修　大類久恵、落合明子、赤尾千波 編著

120 **現代アラブを知るための56章**
松本弘 編著

121 **クロアチアを知るための60章**
柴宜弘、石田信一 編著

122 **ドミニカ共和国を知るための60章**
国本伊代 編著

# エリア・スタディーズ

123 **シリア・レバノンを知るための64章**
黒木英充 編著

124 **EU（欧州連合）を知るための63章**
羽場久美子 編著

125 **ミャンマーを知るための60章**
田村克己、松田正彦 編著

126 **カタルーニャを知るための50章**
立石博高、奥野良知 編著

127 **ホンジュラスを知るための60章**
桜井三枝子、中原篤史 編著

128 **スイスを知るための60章**
スイス文学研究会 編

129 **東南アジアを知るための50章**
今井昭夫 編集代表 東京外国語大学東南アジア課程 編

130 **メソアメリカを知るための58章**
井上幸孝 編著

131 **マドリードとカスティーリャを知るための60章**
川成洋、下山静香 編著

132 **ノルウェーを知るための60章**
大島美穂、岡本健志 編著

133 **現代モンゴルを知るための50章**
小長谷有紀、前川愛 編著

134 **カザフスタンを知るための60章**
宇山智彦、藤本透子 編著

135 **内モンゴルを知るための60章**
ボルジギン・ブレンサイン 編著 赤坂恒明 編集協力

136 **スコットランドを知るための65章**
木村正俊 編著

137 **セルビアを知るための60章**
柴宜弘、山崎信一 編著

138 **マリを知るための58章**
竹沢尚一郎 編著

139 **ASEANを知るための50章**
黒柳米司、金子芳樹、吉野文雄 編著

140 **アイスランド・グリーンランド・北極を知るための65章**
小澤実、中丸禎子、高橋美野梨 編著

141 **ナミビアを知るための53章**
水野一晴、永原陽子 編著

142 **香港を知るための60章**
吉川雅之、倉田徹 編著

143 **タスマニアを旅する60章**
宮本忠 著

144 **パレスチナを知るための60章**
臼杵陽、鈴木啓之 編著

145 **ラトヴィアを知るための47章**
志摩園子 編著

146 **ニカラグアを知るための55章**
田中高 編著

147 **台湾を知るための72章**【第2版】
赤松美和子、若松大祐 編著

148 **テュルクを知るための61章**
小松久男 編著

149 **アメリカ先住民を知るための62章**
阿部珠理 編著

150 **イギリスの歴史を知るための50章**
川成洋 編著

151 **ドイツの歴史を知るための50章**
森井裕一 編著

152 **ロシアの歴史を知るための50章**
下斗米伸夫 編著

153 **スペインの歴史を知るための50章**
立石博高、内村俊太 編著

154 **フィリピンを知るための64章**
大野拓司、鈴木伸隆、日下渉 編著

155 **バルト海を旅する40章** 7つの島の物語
小柏葉子 著

156 **カナダの歴史を知るための50章**
細川道久 編著

157 **カリブ海世界を知るための70章**
国本伊代 編著

158 **ベラルーシを知るための50章**
服部倫卓、越野剛 編著

159 **スロヴェニアを知るための60章**
柴宜弘、アンドレイ・ベケシュ、山崎信一 編著

160 **北京を知るための52章**
櫻井澄夫、人見豊、森田憲司 編著

161 **イタリアの歴史を知るための50章**
高橋進、村上義和 編著

## エリア・スタディーズ

162 ケルトを知るための65章
木村正俊 編著

163 オマーンを知るための55章
松尾昌樹 編著

164 ウズベキスタンを知るための60章
帯谷知可 編著

165 アゼルバイジャンを知るための67章
廣瀬陽子 編著

166 済州島を知るための55章
梁聖宗、金良淑、伊地知紀子 編著

167 イギリス文学を旅する60章
石原孝哉、市川仁 編著

168 フランス文学を旅する60章
野崎歓 編著

169 ウクライナを知るための65章
服部倫卓、原田義也 編著

170 クルド人を知るための55章
山口昭彦 編著

171 ルクセンブルクを知るための50章
田原憲和、木戸紗織 編著

172 地中海を旅する62章 歴史と文化の都市探訪
松原康介 編著

173 ボスニア・ヘルツェゴヴィナを知るための60章
柴宜弘、山崎信一 編著

174 チリを知るための60章
細野昭雄、工藤章、桑山幹夫 編著

175 ウェールズを知るための60章
吉賀憲夫 編著

176 太平洋諸島の歴史を知るための60章 日本とのかかわり
石森大知、丹羽典生 編著

177 リトアニアを知るための60章
櫻井映子 編著

178 現代ネパールを知るための60章
公益社団法人 日本ネパール協会 編

179 フランスの歴史を知るための50章
中野隆生、加藤玄 編著

180 ザンビアを知るための55章
島田周平、大山修一 編著

181 ポーランドの歴史を知るための55章
渡辺克義 編著

182 韓国文学を旅する60章
波田野節子、斎藤真理子、きむ ふな 編著

183 インドを旅する55章
宮本久義、小西公大 編著

184 現代アメリカ社会を知るための63章【2020年代】
明石紀雄 監修 大類久恵、落合明子、赤尾千波 編著

185 アフガニスタンを知るための70章
前田耕作、山内和也 編著

186 モルディブを知るための35章
荒井悦代、今泉慎也 編著

187 ブラジルの歴史を知るための50章
伊藤秋仁、岸和田仁 編著

188 現代ホンジュラスを知るための55章
中原篤史 編著

189 ウルグアイを知るための60章
山口恵美子 編著

190 ベルギーの歴史を知るための50章
松尾秀哉 編著

191 食文化からイギリスを知るための55章
石原孝哉、市川仁、宇野毅 編著

192 東南アジアのイスラームを知るための64章
久志本裕子、野中葉 編著

193 宗教からアメリカ社会を知るための48章
上坂昇 著

194 ベルリンを知るための52章
浜本隆志、希代真理子 著

195 NATO（北大西洋条約機構）を知るための71章
広瀬佳一 編著

196 華僑・華人を知るための52章
山下清海 著

――以下続刊

◎各巻2000円（一部1800円）

〈価格は本体価格です〉